Gonthier

DU MÊME AUTEUR

Romans et nouvelles

L'ABYSSIN, *Gallimard*, 1997. Prix Méditerranée et Goncourt du Premier roman (« Folio » n° 3137).

L'ABYSSIN. Lu par Claude Giraud, Jean-Yves Bertheloot et 10 comédiens (« Écoutez lire »).

SAUVER ISPAHAN, *Gallimard*, 1998 (« Folio » n° 3394).

LES CAUSES PERDUES, *Gallimard*, 1999. Prix Interallié (« Folio » n° 3492 *sous le titre* ASMARA ET LES CAUSES PERDUES).

ROUGE BRÉSIL, *Gallimard*, 2001. Prix Goncourt (« Folio » n° 3906).

GLOBALIA, *Gallimard*, 2004 (« Folio » n° 4230).

LA SALAMANDRE, *Gallimard*, 2005 (« Folio » n° 4379).

UN LÉOPARD SUR LE GARROT. Chroniques d'un médecin nomade, *Gallimard*, 2008 (« Folio » n° 4905).

LE PARFUM D'ADAM, *Flammarion*, 2007 (« Folio » n° 4736).

KATIBA, *Flammarion*, 2010.

SEPT HISTOIRES QUI REVIENNENT DE LOIN, *Gallimard*, 2011 (« Folio » n° 5449).

LE GRAND CŒUR, *Gallimard*, 2012 (« Folio » n° 5696).

LE GRAND CŒUR. Lu par Thierry Ancisse (« Écoutez lire »).

IMMORTELLE RANDONNÉE. Compostelle malgré moi, *Éditions Guérin*, 2013 (« Folio » n° 5833). Prix Pierre Loti.

IMMORTELLE RANDONNÉE. Compostelle malgré moi. Photographies de Marc Vachon, *Gallimard*, 2013. Prix Pierre Loti.

LE COLLIER ROUGE, *Gallimard*, 2014 (« Folio » n° 5918). Prix Littré. Prix Maurice Genevoix.

LE COLLIER ROUGE. Lu par l'auteur (« Écoutez lire »).

Essais

L'AVENTURE HUMANITAIRE, *Gallimard*, 1994 (« Découvertes » n° 226).

Suite des œuvres de Jean-Christophe Rufin en fin de volume.

CHECK-POINT

JEAN-CHRISTOPHE RUFIN

de l'Académie française

CHECK-POINT

roman

GALLIMARD

« Dieu a créé des hommes forts et des hommes faibles.
Je les ai rendus égaux. »

SAMUEL COLT
Inventeur du revolver

Prologue

Bosnie centrale, 1995

Marc arrêta le camion, sans explication.

— Passe-moi les jumelles.

Maud les tira de la boîte à gants et les lui tendit. Il sortit et se planta sur le bord de la route. Elle le vit scruter longuement l'horizon.

Forçant la douleur, elle parvint à s'asseoir et à essuyer la buée sur la fenêtre. D'où ils se trouvaient, on embrassait un vaste panorama et, s'il avait fait moins mauvais, on aurait peut-être pu voir jusqu'à l'Adriatique. Avec la neige qui tombait, on distinguait tout de même l'ensemble du haut plateau qu'ils avaient traversé. À l'œil nu, Maud ne voyait qu'une étendue blanche, à perte de vue. Tantôt la route plongeait dans des creux, tantôt elle reprenait de l'altitude. Ils s'étaient arrêtés sur un point haut. Vers le sud, les tours en ruine d'un château médiéval se découpaient sur le fond plombé d'un nuage de neige. Marc revint et lança les jumelles sur le tableau de bord. Il redémarra, plus tendu que jamais.

— Qu'est-ce que tu as vu ?

— Ils sont passés.

Maud ne dit rien. Elle percevait de la rancune dans sa voix. Elle s'en voulait d'être blessée, de ne pas pouvoir conduire. Si, derrière, leurs poursuivants pouvaient se relayer au volant, Marc seul ne pourrait pas tenir le rythme. Il y pensait certainement et devait calculer les conséquences de leur échec : l'affrontement inévitable, le chargement découvert, la mort peut-être.

Maud essaya de bouger mais il n'y avait rien à espérer. Dès qu'elle tendait les bras, une douleur aiguë lui transperçait le dos, au point de lui donner envie de crier.

— On a combien de temps d'avance, tu crois ?

— Six heures à peine.

— Qu'est-ce qu'on peut faire ?

Il ne répondit pas et elle lui en voulut. Elle avait l'impression de ne compter pour rien. Il avait un air si hostile qu'elle ne put s'empêcher de penser à ses idées de la nuit. Dans l'action, il était seul. C'était le revers de sa force, la règle du jeu dans son monde.

Maud avait envie de pleurer et elle s'en fit le reproche.

Ils roulèrent silencieusement pendant près d'une heure. Soudain, Marc arrêta de nouveau le camion. Il ne donna aucune explication et, sans un mot, redescendit sur la route. Elle le vit d'abord s'accroupir devant la cabine et toucher le sol glacé. Puis il disparut à l'arrière. Quand il remonta, des flocons couvraient ses cheveux. Il neigeait dru maintenant et, en quelques instants, le pare-brise s'était couvert d'une pellicule blanche.

Marc actionna les essuie-glaces et le paysage réapparut. Maud se rendit compte alors qu'un étroit chemin partait sur la gauche. Il était couvert de neige et elle ne l'avait pas remarqué d'abord. C'était sans doute à cause de ce chemin que Marc avait arrêté le camion à cet endroit précis.

— Tu veux monter par là ?

Il n'eut pas besoin de répondre. Déjà, il avait braqué les roues vers la gauche et s'engageait dans le passage. Le chemin grimpait assez fort pendant quelques mètres et le camion peina. Ensuite, il s'élevait de façon plus régulière. C'était certainement un cul-de-sac, une entrée de champ ou l'accès à une bergerie.

— Tu penses que la neige va couvrir nos traces ? C'est ça que tu es allé vérifier ?

Il se contenta de hocher la tête.

Le chemin, tout à coup, semblait se perdre. Ils étaient entourés de blanc et rien n'indiquait par où il fallait continuer. Malheureusement, ils ne s'étaient pas encore assez éloignés de la route principale pour s'arrêter. Marc redescendit et marcha dans la neige pour essayer de voir s'il était possible de monter plus haut. Maud le vit disparaître derrière une haie que les flocons couvraient de pompons blancs.

Elle était à bout de nerfs, envahie par une sorte de rage dont elle ne savait si elle trahissait le désespoir, la colère ou la honte. Elle avait l'impression d'avoir fait les mauvais choix, depuis longtemps, depuis toujours peut-être. Elle avait eu tort de suivre cet homme, de faire une exception pour lui à la méfiance qui l'avait toujours protégée de l'humiliation et de la souffrance. Et elle était là, blessée, trahie, naufragée. Elle hurla.

Le long cri qu'elle poussa, d'abord très aigu puis mourant dans les graves, la soulagea. Elle recommença mais ce n'était déjà plus naturel. Elle avait repris conscience d'elle-même. La volonté lui revenait, sinon la force. Elle ne se laisserait pas faire.

Peu après, Marc réapparut. Ce n'était d'abord qu'une ombre dans l'ombre blanche de la neige qui tourbillonnait. Puis elle le vit, couvert de flocons, et il ouvrit la portière.

— Tu as trouvé un passage ?

Comme il ne répondait pas, sans se préoccuper de la douleur qui lui arrachait le dos, elle le gifla.

I

MISSION

1

Dans le camion, c'était l'heure que Maud préférait.
Le soir d'automne s'installait lentement ; la fraîcheur
ne contraignait pas encore à remonter les vitres. Le
volant de bakélite était si large qu'il fallait écarter les
bras pour le manœuvrer. Il transmettait les vibrations
du moteur et, dans les montées, Maud avait l'impression de tenir l'encolure d'une énorme bête.

Ils avaient quitté Lyon dix jours plus tôt. Les journées s'étaient succédé, assez semblables les unes aux
autres, malgré la variété des paysages. Après le tunnel
du Mont-Blanc, ils avaient longé la vallée d'Aoste puis
suivi la plaine du Pô sur toute sa longueur. L'arrière-
saison donnait des lointains lumineux et faisait ressortir les petites flèches noires des cyprès sur des ciels
d'un bleu soutenu. Au-delà de Trieste, le paysage était
devenu plus montagneux et les couleurs ternes. En
pénétrant en Croatie, Maud avait espéré qu'ils s'ar-
rêteraient à Zagreb. Avant de partir, elle avait lu un
guide des années soixante, acheté par ses parents
quand ils étaient allés en voyage de noces sur la côte

dalmate. Elle aurait bien voulu voir la place Saint-Marc et les fortifications médiévales. Mais ils contournèrent la ville sans y entrer et elle garda sa déception pour elle. En Italie, Lionel l'avait sèchement remise à sa place quand elle avait voulu faire un crochet par Bergame. « On est des humanitaires, pas des touristes. » Il était le chef de la mission et ne manquait jamais une occasion de le rappeler. C'est à lui que l'association caritative lyonnaise « La Tête d'Or » (qui tirait son nom du parc près duquel elle était située) avait confié la responsabilité du convoi. Et là-bas, en Bosnie, la guerre les attendait.

Maud prenait son tour au volant comme les garçons. Il y avait déjà longtemps qu'ils ne plaisantaient plus sur sa conduite. Il avait suffi que Lionel accroche l'angle d'une maison en Italie et déchire la bâche sur plus d'un mètre pour que les mâles cessent de jouer aux durs. Maud conduisait peut-être plus lentement mais elle était sûre et prudente. Le quinze tonnes ne risquait rien quand c'était elle qui le dirigeait et les autres l'avaient compris.

Sur la couchette, derrière elle, Vauthier dormait. De temps en temps, il aspirait l'air bruyamment dans son sommeil. Tous les autres s'appelaient par leur prénom mais lui avait préféré se présenter par son nom de famille. Il disait « le gros Vauthier », en parlant de lui-même, sans doute pour attirer la sympathie. Il n'était pas vraiment gros et, sous son T-shirt crasseux, on voyait plutôt saillir des muscles que de la graisse. Mais il avait une large tête carrée, encadrée de rouflaquettes rousses, et un nez plat, qui lui donnaient un air rustaud et tranchaient sur les allures d'étudiants de Maud et de Lionel. Il s'était présenté comme un coursier parisien en convalescence après un accident de la circulation. Personne ne croyait trop ce qu'il racontait. Seule certitude : il était beaucoup plus âgé que les autres. Lionel pensait qu'il avait quarante ans et Maud, du haut de ses vingt et un ans, le trouvait très vieux.

Sur la banquette avant, Lionel se roulait une cigarette sans rien dire. La cabine sentait le mazout et le cambouis. Maud devait néanmoins s'estimer heureuse car elle conduisait le camion de tête et n'avait pas à respirer la fumée bleue de l'autre poids lourd. C'était deux véhicules d'occasion, à peu près du même modèle, acquis par La Tête d'Or à très bas prix. Ils étaient au bout du rouleau, usés par des générations de chauffeurs livreurs qui ne les avaient pas ménagés.

— On ne va pas tarder à entrer en zone serbe, dit Lionel, en lui tendant la cigarette qu'il venait d'allumer.

Maud tira une bouffée rapide et la lui rendit.

— Tu as mis quelque chose dedans ? demanda-t-elle, en faisant une grimace.

— Du tabac.

Grand et maigre, Lionel avait un nez long, un peu de travers, dans un visage osseux et pâle. C'était un de ces visages qui en rappellent beaucoup d'autres et que des témoins seraient bien en peine de définir précisément, pour élaborer un portrait-robot. Il devait s'en rendre compte et il avait essayé de se singulariser en se faisant poser une boucle en argent sur le sourcil droit. Maud et lui avaient travaillé ensemble à Lyon pendant trois mois. Il l'avait toujours traitée avec un peu de condescendance car il avait plus d'expérience qu'elle, qui venait juste de rejoindre l'association. De toute façon, il n'était pas très loquace et quand il parlait, c'était pour donner des ordres sur un ton cassant. Il était connu dans le groupe pour fumer des joints du matin au soir. Les autres ne crachaient pas dessus non plus mais personne ne consommait autant d'herbe que lui. Il était le fournisseur du groupe et sortait ses sachets de beu d'une boîte ronde étiquetée « Lait concentré ».

Le paysage vallonné était de plus en plus pauvre, à mesure qu'ils approchaient de la Krajina. Ils traversaient des villages sans âme, des chapelets de maisons en briques et en parpaings alignées le long de la route. Des tas de fumier et des machines agricoles rouillées encombraient les cours. De temps en temps, une église blanche à clocher pointu, au milieu des fermes, donnait à ces hameaux l'aspect de villages autrichiens, mais en plus triste. Il n'y avait encore aucune trace de combats, à part celui que les hommes menaient de toute éternité contre la nature pour en tirer leur subsistance. Pourtant, ils avaient conscience depuis la veille de s'approcher de la guerre.

— On ne devrait pas tarder à rencontrer des check-points ? demanda Maud, sans quitter la route des yeux.

Lionel hocha la tête.

— Non, ça ne va pas tarder.

Jusque-là, ils avaient traversé des frontières, c'est-à-dire des limites officielles entre États. Les check-points, c'était autre chose : des séparations imprévisibles et mouvantes entre zones ethniques, obéissant à l'autorité de petits chefs locaux. Ceux d'entre eux qui avaient déjà séjourné en Bosnie en parlaient chaque soir. Ils ne disaient pas en français « point de contrôle », ce qui aurait rendu la chose presque normale. Le mot apatride « check-point », utilisé par tout le monde sur le terrain, rendait mieux compte de l'aspect improvisé, désordonné, imprévisible et dangereux de ces barrages. Maud était assez impatiente de voir à quoi cela ressemblait.

Le camion peinait sur la route en lacet. Il était dix-huit heures et les ombres s'allongeaient. C'était le moment de chercher un endroit pour passer la nuit. Au débouché d'un long virage, Maud entendit klaxonner. Elle regarda dans le rétroviseur, en tenant le gros miroir carré pour l'empêcher de vibrer. Un bras s'agitait à la portière de l'autre véhicule et désignait une large entrée sablonneuse, sur la gauche, qui ouvrait sur un grand parking désert. Il était labouré d'ornières et avait dû servir pour un chantier. Un vieux tas de graviers, dans un coin, était envahi par des plantes sauvages. Elle freina, engagea son camion dans le parking et le gara le long du bord. L'herbe, autour de l'aire de stationnement, était blanchie de poussière. Lionel descendit inspecter les lieux.

Dans la cabine, Maud pencha la tête en arrière, pour relâcher les muscles de son cou contractés par la conduite. Comme le siège du camion n'avançait pas suffisamment, elle devait placer un gros coussin derrière elle pour pouvoir toucher les pédales. Sa croissance s'était arrêtée à treize ans. Quoiqu'elle en eût maintenant vingt et un, elle ne s'était jamais consolée de ne pas être plus grande. Les petites femmes sont l'objet d'une sollicitude ridicule de la part des hommes et elle détestait être traitée comme un bibelot.

— OK, annonça Lionel en revenant, on passe la nuit ici.

Maud éteignit le moteur. Les vibrations, après quelques dernières secousses plus intenses, s'interrompirent. Elle se détendit. C'était toujours pour elle un instant de bonheur complet, presque de jouissance physique. Le retour du silence, tandis que le corps était encore agité par la trépidation du diesel, était une véritable renaissance. Le monde environnant cessait d'être un paysage pour devenir un lieu, avec ses bruits légers, les chants d'oiseaux qui entraient par la vitre ouverte. La masse de tôle craquait et se relâchait comme un cheval auquel on rend enfin les rênes. Il lui semblait qu'elle n'avait rien désiré d'autre, en choisissant cette vie bizarre que sa famille ne comprenait pas.

Elle ouvrit sa portière et descendit. C'était la seconde volupté du soir : le retour du sol ferme, les jambes qui se dégourdissent en faisant quelques pas, les odeurs subtiles de la nature, dès que l'on s'éloignait du moteur qui puait le fuel. Elle ôta ses lunettes et les essuya lentement avec un pan de sa fourrure polaire. C'était de grosses lunettes fumées à monture épaisse qui lui mangeaient le visage. Elle les avait choisies exprès pour cacher ses yeux bleus ; ils lui valaient depuis toujours autant de compliments que de jalousies.

Pendant les derniers kilomètres, la route avait déjà pas mal grimpé et on distinguait en contrebas la plaine couverte de taillis qu'ils avaient traversée. Autour du parking, la lande herbeuse était parsemée de gros rochers blancs. De nombreux espaces plats permettraient de monter les tentes.

Vauthier s'était éveillé en poussant un grognement et il descendait à son tour, en passant la main sur son crâne dégarni. Il avait toujours l'air de mauvaise humeur, sans doute à cause de sa bouche sans lèvres et de ses paupières tombantes. Mais ses petits yeux noirs, sans cesse en mouvement, furetaient partout et tout le monde s'en méfiait. Car il n'y avait pas que ses yeux qui furetaient. Il ne pouvait pas s'empêcher de fouiner, d'écouter les conversations et, à chaque étape, quand ils s'arrêtaient dans des villes, il disparaissait et revenait en faisant un compte rendu de tous les petits secrets de l'endroit. Les autres étaient persuadés qu'il fouillait aussi dans leurs affaires.

Alex et Marc, les chauffeurs du deuxième camion, approchaient lentement en s'étirant.

Le moment où les deux équipages se retrouvaient

était toujours difficile. À vrai dire, depuis le début du voyage, il régnait dans le groupe une ambiance lourde, hostile. Personne, sauf Maud et Lionel, ne se connaissait avant le départ. Les autres étaient des recrues de fraîche date. Le moins que l'on puisse dire est que le courant n'était pas passé entre les cinq membres du convoi. Au fil des kilomètres, ça ne s'était pas arrangé. Des clans de circonstance s'étaient formés. Dans le camion de tête, Maud et Lionel qui se connaissaient formaient une équipe ; Alex et Marc, les deux conducteurs de l'autre camion, en constituaient une autre. Vauthier ne cachait pas son antipathie à leur égard. Chaque soir, les retrouvailles étaient tendues.

— On ne sera pas mal ici, dit Alex, en regardant les abords du parking.

Marc inspectait les alentours d'un air méfiant.

Tous les deux étaient d'anciens militaires. Ils avaient à peu près le même âge, qui ne dépassait pas la trentaine, mais ils étaient bien différents. Alex avait un visage de métis, de grands yeux un peu bridés, un nez fin. Personne ne lui avait demandé quelles origines mêlées lui avaient donné ce teint cuivré et ces cheveux crépus. Maud le trouvait beau mais elle n'avait aucune envie qu'il le sache. Marc était sportif lui aussi mais plus grand qu'Alex et dans le genre massif, avec des épaules larges, une poitrine musclée, des mâchoires carrées. Il avait le teint un peu mat et des cheveux très noirs. Ses yeux paraissaient toujours aux aguets mais il affectait des manières calmes et viriles qui avaient mis Maud mal à l'aise dès le premier instant. Alex avait la souplesse vive d'un joueur de tennis tandis qu'on imaginait plus volontiers Marc dans des disciplines de force, comme le rugby ou la boxe. Ils avaient néanmoins en commun une manière volontaire de se déplacer, de se tenir bien droit, de garder la tête haute. Ils avaient beau s'évertuer à adopter le style relâché des ONG, porter des jeans sans forme et des T-shirts délavés, ils détonnaient. La discipline militaire les avait profondément façonnés. On voyait toujours le soldat en eux.

Le rituel du soir était toujours le même depuis le départ. Il fallait sortir un réchaud du camion que conduisait Maud et une batterie de cuisine qui était stockée dans l'autre véhicule. Ils avaient embarqué des conserves à Lyon, qui étaient entassées dans deux cageots. Le long de la route, ils achetaient des produits frais quand il s'en présentait. Depuis qu'ils avaient quitté l'Italie, ils ne trouvaient plus grand-chose, à part des œufs et du lait que les paysans tiraient de gros bidons en fer-blanc. Près de Zagreb, ils avaient déniché des fromages frais assez amers mais que Maud préférait au cassoulet en boîte.

Chaque soir, Vauthier allumait le réchaud ou faisait le feu, activité qu'il semblait affectionner particulièrement. Ils s'étaient réparti les corvées de cuisine à tour de rôle. Dès le départ, ils avaient compris qu'il était inutile de réserver ces tâches à la seule fille du groupe. Lionel avait essayé de plaisanter sur ce sujet, en faisant remarquer à Maud qu'elle n'était pas charitable de laisser quatre hommes se débattre avec des casseroles mais elle l'avait sèchement rembarré. En représailles, quand elle galérait pour monter les tentes, les jours où c'était son tour, il ne se privait pas de ricaner.

Ce n'était pas la première fois que Maud devait affronter ce genre de comportements. Elle avait un frère aîné qui ne lui avait pas ménagé ses sarcasmes. Elle détestait ces remarques stupides mais, avec le temps, elle avait fini par les rechercher comme un stimulant. La rage qu'elles provoquaient en elle était devenue son moteur. Très tôt, elle avait décidé qu'elle relèverait ce défi. Le permis poids lourds avait été, à cet égard, sa première grande victoire.

Quand le dîner était prêt, s'ouvrait un moment de paix qui faisait oublier ces tensions. Les cinq membres du convoi s'asseyaient par terre autour d'un feu. Vauthier restait toujours un peu à l'écart. Lionel passait un joint. Maud et Alex tiraient un peu dessus. Marc n'y touchait pas. Vauthier buvait. Pendant les premières étapes, ils avaient descendu les quelques bouteilles de vin qu'ils avaient embarquées. Depuis qu'ils avaient abordé les Balkans, ils s'étaient mis à la bière. C'était le produit que l'on trouvait le plus facilement. Aucun village n'en manquait.

— Demain matin, annonça Lionel, allongé près du feu et qui se tenait sur les coudes, on va passer le premier contrôle.

— Des Croates ?

Vauthier avait posé la question sans avoir l'air d'y toucher. Mais il tripotait la petite boucle dorée qui pendait à son oreille droite, ce qui était chez lui, Maud l'avait remarqué, un signe de concentration.

— Non, répondit Lionel, les Serbes de Krajina.

— L'armée ?

— Des milices, plutôt.

— Logiquement, on devrait trouver les Croates d'abord, insista Vauthier. Si on tombe sur des Serbes, c'est qu'on ne suit pas la grande route, celle qui passe par Tuzla ?

Lionel n'aimait pas trop donner des explications sur l'itinéraire. Il gardait jalousement les cartes routières dans son camion et donnait ses instructions au jour le jour, comme s'il avait voulu éviter toutes discussions sur ce sujet.

— C'est ça, concéda-t-il de mauvaise grâce. On va prendre plutôt à droite, par le sud de la Krajina.

— Qu'est-ce qu'on appelle la Krajina, en fait ? demanda Maud.

Sur les questions d'ordre général, Lionel était plus à l'aise. C'était l'occasion de prendre un air savant et de se donner des airs de chef.

— Ça veut dire les marges, la bordure. C'est la bande de terre qui limite la Bosnie à l'ouest. La zone assez peu peuplée. Les Serbes ont éjecté les Croates de ce coin et ils tiennent le terrain. Mais, vous allez voir, ce sont des paysans, avec des fourches et des pétoires. Rien à voir avec ce qu'on va trouver après.

Lionel avait déjà trois ans d'engagement à son actif. Il avait participé à une mission en Centrafrique et à un premier convoi en Bosnie six mois plus tôt.

Entre-temps, il avait travaillé au siège de l'association à Lyon. Ces états de service lui permettaient de parler avec assurance du haut de ses vingt-quatre ans.

— Leurs check-points sont assez bon enfant. Ça vous fera un entraînement pour la suite.

Vauthier avala une longue rasade de bière au goulot et s'essuya la bouche avec sa manche. Il avait visiblement d'autres questions à poser. Mais Lionel ne lui laissa pas le temps de l'interrompre.

— Je vous rappelle la conduite à tenir, en cas de contrôle sur la route, dit-il.

Le joint était presque terminé. Avant de reprendre son exposé, il tira une longue bouffée du mégot humide qui lui jaunissait les doigts.

— Tout ce qu'on doit répondre si on nous interroge, c'est qu'on va à Kakanj, en Bosnie centrale. On a une autorisation de la FORPRONU pour livrer des secours aux réfugiés. La cargaison ? des vivres, des vêtements pour l'hiver et des médicaments. Et même si on nous le demande, il ne faut donner aucun bakchich. C'est bien compris ?

Il s'efforçait de parler comme un chef. Mais les deux anciens militaires savaient faire la différence. Ils avaient l'expérience des ordres véritables. Le ton cassant de Lionel masquait mal un certain manque d'assurance.

— Et s'ils veulent fouiller les camions ? demanda Maud.

— On refuse ! coupa Alex.

Lionel haussa les épaules. Alex nota son geste et s'impatienta.

— Quoi ? Tu n'es pas d'accord ?

— Bien sûr que non. S'ils veulent fouiller, ils fouilleront. Comment est-ce qu'on pourrait les en empêcher ? dit Lionel, en regardant le ciel.

Un croissant de lune s'était levé sur lequel glissaient de fins nuages, poussés par des vents d'altitude.

— Je les connais, ces gars-là, rétorqua Alex. Des grandes gueules. Mais si on reste droit dans nos bottes, ils ne toucheront pas aux camions, je te le dis.

Marc et lui avaient servi en Bosnie pendant six mois comme Casques bleus l'année précédente. Marc était toujours sombre et taciturne. Alex, lui, aimait visiblement faire part de son expérience. Maud le trouvait sympathique et séduisant. Il était sociable et on sentait qu'il aimait discuter. Mais Lionel, dès qu'il prenait la parole, le regardait par en dessous avec un air mauvais.

Lionel supportait mal qu'Alex la ramène avec sa prétendue connaissance du terrain. Pour se calmer, il tira de sa poche une blague en plastique et se mit à rouler un nouveau joint, bien chargé.

— Ils ne fouilleront pas, je vous dis, trancha Lionel. Il n'y a pas de raison qu'ils créent un incident avec des humanitaires. On leur est bien trop utiles. À tous.

« Si, par hasard, on tombait tout de même sur des gens qui ne sont pas au courant des règles, eh bien, on les laisserait faire sans résister. Pas de provocation, surtout. On ne montre pas les muscles. On ne joue pas au plus malin. On ne fait rien qui leur permette de nous soupçonner de quoi que ce soit.

Il frotta ses yeux gonflés par la fumée, avec l'air las de l'homme qu'accablent ses responsabilités.

— Après tout, conclut-il, on n'a rien à cacher.

En entendant cette phrase, Alex jeta un coup d'œil vers Marc puis se redressa.

— Il faut peut-être qu'on vous dise…

À cet instant, tout se passa très vite. Maud nota le petit incident qui suivit et elle eut l'impression que Vauthier le remarquait aussi. Marc donnait l'impression de surveiller son coéquipier. En entendant la phrase que venait de commencer Alex, il avait tressailli et s'était relevé vivement. Maud comprit que c'était pour l'interrompre. Et, en effet, Alex se tut. Au passage, elle en était certaine, Marc lui avait donné un léger coup de pied dans le dos.

— Allez, on va se coucher, trancha Marc.

Il s'éloigna, entraînant Alex avec lui.

Lionel était soulagé de voir la conversation prendre fin et les deux fortes têtes battre en retraite.

— Bonsoir ! leur cria-t-il. Lever six heures.

Vauthier, qui mâchonnait un chewing-gum, jeta un regard de haine vers les deux militaires. Il ne leur adressait jamais la parole et semblait nourrir à leur égard une rancune particulière. Il se leva à son tour et piétina le feu avec ses vieilles santiags noires toutes fendillées.

Alex et Marc s'étaient glissés dans la tente qu'ils partageaient. Lionel resta encore un moment assis, pour terminer son mégot. Puis il rejoignit Vauthier dans l'autre tente. Maud, elle, dormait dans la couchette du camion.

Elle grimpa dans la cabine et referma la porte. Avant de se déshabiller, elle resta plusieurs minutes à regarder le paysage à travers le pare-brise. Une pâle lumière de lune répandait sur la lande une clarté bleutée. Elle pensait aux nuits qu'elle avait passées en Haute-Savoie dans le chalet de ses parents, quand la neige couvrait le sol et qu'elle se relevait, enroulée dans une couverture, pour rêver sur la terrasse de bois. Elle ne ressentait aucune nostalgie, plutôt l'impression que ses rêves d'alors avaient pris corps. Dans tous les avenirs qu'ils contenaient, il y avait celui-là, qui s'appelait sa vie. Elle ne l'avait pas imaginée ainsi ; l'atmosphère empoisonnée de cette mission la décevait.

Malgré tout, elle était heureuse.

2

Les matins d'octobre étaient toujours pénibles et depuis qu'ils avaient gagné de l'altitude, le froid se mêlait à l'humidité. Ceux qui avaient dormi dans les tentes étaient frigorifiés mais, au moins, l'air glacial ne les surprenait pas quand ils mettaient le nez dehors. Tandis que Maud, en sortant de la cabine surchauffée et desséchée du camion, tremblait de tous ses membres. Elle avait enfilé ses vêtements de la veille, qu'elle n'avait guère renouvelés depuis le départ : un jean d'un vert moisi, une grosse chemise de laine à carreaux, une fourrure polaire beige et des godillots de randonnée. Ce n'était pas seulement pour les besoins de cette mission qu'elle était habillée comme cela. Elle détestait susciter les regards de désir des inconnus. Il y avait déjà plusieurs années qu'elle avait pris la résolution de couper ses cheveux blonds très courts et de ne porter que des vêtements sans forme, épais et qui ne la mettaient pas en valeur. Elle ne faisait d'exception que pour aller voir sa grand-mère, qui la voulait coquette et à qui elle aimait faire plaisir.

Parfois aussi, elle se maquillait pour elle seule et dînait en tête à tête avec son chat, dans sa chambre de bonne, à Vincennes.

En se rhabillant ce matin-là dans son camion, elle était très loin de ces fantaisies. Pourtant, malgré le froid et l'humidité, à demi ensommeillée, elle rêvait pour elle-même de chemisiers légers, de jupes courtes et de sandales.

Vauthier, l'homme des feux, avait allumé un réchaud à gaz. Il brûlait mal et la casserole pleine d'eau était noircie par les flammes jaunâtres qui léchaient ses flancs. Alex coupait des tranches dans le gros pain qu'ils avaient acheté la veille dans un village. Lionel roulait sa première cigarette, les mains tremblantes, assis sur une pierre.

Seul Marc, comme à son habitude, se rasait, torse nu au-dessus d'une bassine en plastique. Ses cheveux noirs qu'il tenait courts poussaient dru, et le matin son visage était bleu de barbe. Il avait déroulé une trousse de toilette kaki munie d'un petit miroir et l'avait accrochée à une branche. Maud évitait de le regarder. Elle n'aimait pas les tatouages qu'il avait sur les bras et qui représentaient des serpents et des armes.

Vauthier jetait de temps en temps des coups d'œil mauvais du côté de Marc. Lui qui ne se lavait jamais avait l'air de regarder comme une provocation les ablutions en public de ce corps musclé.

L'herbe alentour était couverte de gelée blanche. La veille au soir, ils avaient remarqué, une centaine de mètres plus haut, une maison basse en pierres sèches, couverte d'un toit de paille. Elle avait l'aspect d'une bergerie plus ou moins abandonnée. Ils découvrirent qu'elle était habitée en voyant sortir dans l'aube sale plusieurs enfants à peine couverts, qui les regardaient du haut d'un talus.

Sans attendre de voir apparaître les parents, qui ne devaient guère être accueillants, ils remballèrent les vivres et plièrent les tentes. Les doubles toits et les tapis de sol étaient trempés de rosée froide. Lionel, avant de partir, appela les enfants et leur donna un pot de confiture. Il faisait cela sans leur sourire, presque méchamment. Maud, qui l'observait, se demandait s'il agissait par compassion ou simplement pour conforter auprès des autres sa réputation d'humanitaire.

Les camions démarraient toujours difficilement, en toussant. Par prudence, ils les garaient le soir dans le sens de la pente, au cas où il aurait fallu les pousser. Quand les moteurs se mettaient finalement en marche, en émettant des coups sourds, on devait les laisser chauffer une dizaine de minutes si l'on ne voulait pas caler. Pendant qu'ils attendaient dans les cabines, certains se rendormaient.

Un pâle soleil rasait les collines quand ils se remirent en route. C'était au tour de Lionel de tenir le volant et Maud, sur la banquette à côté de lui, roulait à sa demande une cigarette. Elle s'y prenait toujours mal. Elle n'aimait pas voir Lionel tourner entre ses doigts le cylindre irrégulier qu'elle avait confectionné et le détailler avec un sourire ironique, avant de l'allumer.

La route était de plus en plus mauvaise, d'abord semée de nids-de-poule. Bientôt l'asphalte devint rare et les plaques de bitume, au lieu de faciliter la progression, constituaient des obstacles supplémentaires, entre les pierres et les ornières. Les camions peinaient, surtout dans les lacets. Finalement, ils atteignirent un plateau et la route redevint meilleure. Ils roulaient depuis une heure environ quand ils dépassèrent la carcasse calcinée d'un véhicule militaire, sans doute un transport de troupes. Le feu avait noirci les tôles et le châssis était tordu par une explosion. L'épave devait être là depuis pas mal de temps car elle commençait à rouiller. Tout de même, c'était le premier vestige des combats qu'ils rencontraient. L'apparition de cet engin calciné donnait soudain le sentiment qu'on entrait dans une autre géographie, non plus celle des cartes mais celle de l'Histoire, le territoire de la guerre.

Lionel, qui avait étudié l'itinéraire avant de partir, annonça :

— Check-point dans deux kilomètres.

Ils s'arrêtèrent quelques instants pour donner à l'autre camion, qui avait pris du retard, le temps de les rejoindre. Ils avancèrent ensemble en direction du premier contrôle.

Ils le découvrirent au débouché d'un long virage, dans une zone de taillis. Les arbres avaient déjà perdu la plupart de leurs feuilles. La saison était plus avancée, en altitude, et l'on sentait déjà poindre l'hiver.

Le barrage avait les couleurs grises et brunes du

paysage. Il était formé d'un concentré de misère :
deux carcasses de voitures d'un type soviétique étaient
renversées sur le flanc et disposées en quinconce. Des
abris, sur les côtés, avaient été bâtis avec de vieilles
poutres et des branchages. Des toiles agricoles déchi-
rées étaient tendues sur des piquets de fer. Quatre
hommes sortirent de ces casemates. De loin, on voyait
qu'ils se rhabillaient à la hâte et tentaient de se donner un air menaçant. Deux d'entre eux portaient
des mitraillettes tandis que les deux autres étaient
visiblement plus à l'aise en brandissant des fourches,
comme ils avaient l'habitude de le faire pour travailler les champs.

Les camions ralentirent et, comme leur vitesse
habituelle était déjà très lente, ils roulaient presque
au pas. Pourtant, les miliciens s'agitaient et les deux
qui étaient armés se placèrent au milieu de la route,
en levant leurs mitraillettes. Lionel ralentit encore et
s'arrêta à cinq mètres du barrage. Il descendit sa vitre
et l'air froid entra dans la cabine. Un des miliciens se
plaça du côté des conducteurs, pendant que l'autre,
l'arme toujours pointée sur les camions, faisait le tour
du convoi.

Celui qui paraissait être le chef du poste encadra sa
tête dans la fenêtre du camion. C'était un très jeune
homme, noir de poil, les cheveux en désordre. Le peu
de peau qui dépassait de sa barbe était rouge et il
avait les yeux injectés. Il respirait bruyamment par la
bouche. Une odeur d'alcool mêlée à des relents de
tabac envahit l'habitacle. Presque penché à l'intérieur,

il scrutait la cabine. Quand il aperçut Maud, elle eut l'impression que son regard se fixait plus longuement sur elle. Avec ses cheveux courts et ses vêtements neutres, elle avait dû lui paraître d'abord peu différente de Lionel. Il avait des traits fins et même féminins, si on les comparait aux faces viriles des miliciens. Mais l'homme avait rapidement pris conscience qu'elle était une femme. Peut-être parce qu'elle y était exagérément sensible, Maud nota dans les yeux noirs qui la fixaient un éclat presque animal et détourna le regard.

— Pomoć ! annonça placidement Lionel.

C'était le mot magique, l'un des seuls qu'on leur ait fait apprendre pendant les deux journées de préparation au départ que l'association avait organisées pour eux à Lyon. Il signifiait « aide » et constituait l'expression la plus simple et la plus facilement compréhensible pour dire qu'ils étaient des humanitaires.

Dans l'intention de montrer les autorisations de l'ONU, Lionel tendit le bras vers la boîte à gants. Le milicien interpréta son geste comme une menace et frappa la carrosserie avec le pied en mettant Lionel en joue. Ensuite, l'homme ouvrit brutalement la portière et fit signe à tout le monde de descendre. L'autre avait dû faire de même car, une fois dehors, ils trouvèrent Alex et Marc debout à côté de leur camion.

Le milicien les regroupa et les tint en respect pendant que son camarade ouvrait les bâches à l'arrière des véhicules et scrutait leur cargaison. Les camions étaient bourrés à ras bord de caisses et de cartons, si bien que, de l'extérieur, on ne voyait qu'un mur de colis, bien empilés et étiquetés au nom de l'ONG La Tête d'Or.

— *Dokument*, demanda le chef du barrage quand son collègue l'eut rejoint.

Le dialogue, dans ces circonstances, se limitait à échanger les rares mots dont chaque partie disposait pour remplir son office. Lionel, toujours sous la surveillance du milicien, remonta dans le camion et, à sa demande cette fois, saisit les papiers officiels. Le milicien s'empara des trois feuillets couverts de signatures et de tampons et les examina longuement.

Maud commençait à comprendre que se jouait une comédie dont les publics étaient différents. À l'endroit des étrangers qu'il contrôlait, l'homme était désireux de montrer sa force. Mais, en scrutant avec une attention soutenue des documents qu'il ne pouvait certainement pas lire car ils étaient rédigés en anglais, il s'adressait également à ses compagnons et tenait à leur montrer qu'il était bien leur chef. Il y avait quelque chose de comique dans cette scène et, en même temps, il s'en dégageait une seule certitude : dans le monde où ils entraient, le seul véritable sujet, le moteur ultime de tous les comportements et de toutes les pensées, était la peur. Il fallait jouer le jeu, montrer qu'on prenait l'affaire au sérieux et, en exprimant une crainte manifeste du chef, l'aider à tenir en respect ses propres troupes. Lionel excellait dans ce rôle. Il le faisait avec calme, sans obséquiosité. Il montrait à la fois un profond respect pour l'autorité et une confiance totale dans sa propre innocence.

Cela suffisait à rassurer des hommes qui vivaient en permanence dans le soupçon et la menace.

Les deux anciens militaires, eux, affichaient une décontraction ironique qui suscitait la méfiance et l'agressivité. Alex, en particulier, énervait les miliciens sans s'en rendre compte ou peut-être sans s'en inquiéter. Il regardait leurs armes rustiques avec le sourire blessant d'un spécialiste. Comme l'affaire durait un peu, il se mit à siffloter. Bien campé sur ses jambes, il semblait prêt à bondir à la moindre alerte. Il mettait un point d'honneur à montrer qu'il n'avait pas peur et toisait la petite équipe du check-point comme s'il se fût agi d'adversaires potentiels, dont il viendrait facilement à bout.

Lionel s'en rendit compte et tenta de lui faire comprendre par signes qu'il lui fallait se calmer. Le chef du barrage le remarqua. Pour lourdaud qu'il parût, il ne manquait sûrement pas de finesse, surtout quand il était question de danger. Un malaise s'installa et les miliciens commencèrent à parler entre eux. Il était clair qu'Alex avait éveillé leurs soupçons. À ses côtés, Marc n'avait rien dit et il avait même l'air un peu gêné par le comportement de son compagnon. Mais les deux ensemble, pour cette même raison qui avait fait comprendre immédiatement à Lionel qu'il s'agissait d'anciens soldats, formaient un couple duquel se dégageait une impression suspecte. La peau basanée d'Alex et ses cheveux crépus ne pouvaient que renforcer la méfiance des miliciens. L'un d'eux aboya :

— *Passport* !

Ce genre de demande était rare, dès lors qu'on avait fait la preuve qu'il s'agissait d'un convoi humanitaire. Maud y vit la confirmation que les Serbes, d'abord rassurés par Lionel, avaient maintenant senti quelque chose d'anormal, à cause des deux autres.

Heureusement, le barrage était isolé et ne disposait certainement pas de moyens de communication permettant d'alerter facilement une autorité supérieure, à supposer qu'elle existât. L'examen des passeports n'apporta rien aux miliciens et, finalement, ils laissèrent repartir le convoi.

Mais Lionel était furieux.

— Ces deux crétins vont nous faire avoir des ennuis, grommela-t-il en conduisant. Il faut les séparer.

Quelques kilomètres plus loin, il gara son camion dans une allée forestière et descendit, l'air mauvais. Il fit signe aux autres de le suivre pour une explication.

— Maud va passer derrière avec toi, Alex. Marc, tu montes avec nous.

— Pourquoi ?

Marc savait très bien à quoi s'en tenir mais il voulait contraindre Lionel à donner des explications. L'autre ne tomba pas dans le piège.

— C'est comme ça.

Depuis le départ, la tension était perceptible entre les deux hommes. Les discussions avaient toujours lieu avec Alex mais en vérité, c'était Marc, avec son habituel silence et son regard énigmatique, qui mettait Lionel le plus mal à l'aise. Cette antipathie instinctive, sans fondement précis, était désormais

clairement déclarée et il fallait que l'un des deux
cède. Marc jugea sans doute qu'il n'était pas temps de
provoquer un affrontement direct. Il obtempéra mais
on sentait qu'il n'avait pas dit son dernier mot.

— Comme tu voudras.

Il alla chercher son sac à dos dans la cabine du
camion qu'il avait conduit et le jeta dans l'autre. Maud
mit un peu plus de temps à rassembler ses affaires et
elle s'installa à côté d'Alex.

Le convoi repartit.

Dans la cabine de tête, l'ambiance était étouffante.
Lionel conduisait sans quitter la route des yeux. Marc,
les pieds sur le tableau de bord, se balançait, les écouteurs sur les oreilles, en écoutant la musique de son
baladeur. Même avec le bruit du moteur, on entendait
les beuglements de Johnny Cash à travers le casque.

Ils roulaient dans une campagne morne où traînaient encore des brumes. Il y avait peu de villages
dans cette partie de la Krajina. De temps en temps, ils
apercevaient une maison détruite, les murs éventrés
par des obus, les poutres calcinées. Ils croisèrent une
charrette de foin tirée par un tracteur sans âge, qui
roulait au pas.

Quand il eut retrouvé son calme et au moment
qu'il avait choisi, Lionel décida qu'il était temps de
s'expliquer. La présence muette de Vauthier, assis à
l'arrière, le rassurait.

Vauthier ne faisait pas mystère de son antipathie
pour les militaires. Il avait raconté à Lionel qu'il était
un ancien objecteur de conscience. Il prétendait

avoir fait deux mois de prison à Tarbes, à cause de légionnaires en bordée qui avaient essayé de coincer sa petite amie de l'époque. Tout cela, comme le reste, était invérifiable.

Mais c'était surtout Marc que l'ancien coursier détestait. Il ne lui adressait jamais la parole et ses petits yeux trop rapprochés, quand il le regardait, jetaient des lueurs haineuses. Lionel ne s'expliquait pas cette antipathie mais, en l'occurrence, elle faisait de Vauthier un allié bienvenu et qui lui était utile.

— Arrête ta musique deux minutes.

— Comment ?

— Je te demande d'arrêter ta musique, hurla Lionel. Il faut qu'on parle.

Marc ôta les écouteurs.

— Qu'on parle de quoi ?

— De sécurité.

L'autre sourit avec ironie.

— Ouais.

— Vous n'êtes plus dans l'armée. Il faut comprendre ça. S'ils veulent nous coffrer ou même piquer tout ce qu'on transporte, il n'y a aucun moyen de leur résister. Alors, aux contrôles, on fait profil bas. C'est une nécessité de sécurité. Il faut que tu expliques ça à ton pote. Vous pouvez penser ce que vous voulez de ces types. Mais ce sont eux qui ont les armes et on doit leur montrer du respect.

Marc sourit.

— C'est ça que tu crois ?

— C'est ça qu'on a mission de faire.

— D'accord, je vais parler à Alex. Mais ne t'inquiète pas trop. Ces gars-là, on les connaît par cœur. La seule chose qu'ils comprennent, c'est la force. Plus tu t'écrases, plus ils te feront des ennuis. On a autant envie que toi d'arriver à destination. Peut-être même plus envie que toi, en fait.

Il souriait drôlement en disant cela mais Lionel n'y vit que de la forfanterie et ne suivit pas cette piste. Il devait par la suite le regretter amèrement. Pour l'heure, il avait surtout décidé de ne pas s'énerver et de faire passer son message.

— On peut en discuter et, au retour, tu n'auras qu'à venir à une réunion au siège pour exposer tes arguments. Mais, en ce moment, on a des consignes et on doit les suivre. Pas de résistance, pas d'arrogance, pas de provocation. Je voudrais qu'on soit bien d'accord.

Vauthier, à l'arrière, bâilla bruyamment. Lionel lui était reconnaissant de se manifester. Par sa présence, il conférait à sa parole un poids qui était celui, sinon de l'autorité, au moins de la majorité.

— On va rencontrer pas mal de points de contrôle et ils ne seront pas tous d'aussi bonne composition. Sans compter les patrouilles qui peuvent nous tomber dessus n'importe quand. On doit se comporter comme le font tous les autres humanitaires.

— Les autres humanitaires ! répéta Marc avec mépris.

On sentait qu'il avait sur cette corporation des idées bien arrêtées et guère flatteuses.

— Que ça te plaise ou non, c'est ça que tu es, maintenant.

Lionel se retint d'ajouter : on se demande pourquoi tu t'es engagé avec nous si tu as une si mauvaise opinion de ce que nous sommes. Mais il n'avait pas envie d'interroger Marc sur son engagement, de créer avec lui une complicité.

Il y avait eu une discussion au siège de l'organisation quand Alex et Marc s'étaient présentés. Les dirigeants de La Tête d'Or avaient consacré toute une réunion à ce sujet et Lionel y avait participé. Les motivations des anciens militaires paraissaient suspectes aux yeux de certains, qui étaient d'avis de ne pas les engager. Mais on manquait cruellement de chauffeurs pour les convois, et les responsables des ressources humaines répétaient qu'il ne fallait pas se montrer trop regardant. Finalement, il y avait eu un vote à main levée et il avait été décidé qu'après tout, si ces gars-là voulaient partir, c'était leur affaire. Tant qu'ils respectaient les règles, on n'avait pas à se poser trop de questions sur leurs intentions profondes. Lionel ne pouvait pas aujourd'hui se montrer plus royaliste que le roi.

— D'accord, conclut Marc, en remettant le casque sur ses oreilles. C'est toi le chef. Mais un jour ou l'autre, tu verras que j'ai raison.

De part et d'autre, ce qui devait être dit était dit. Lionel prit le joint qu'il avait glissé sur son oreille, comme les épiciers le faisaient jadis avec leur crayon. Il l'alluma et inspira une longue bouffée. Il n'était pas tout à fait rassuré mais, dans l'immédiat, c'était une affaire réglée.

3

Maud comprenait la décision de Lionel mais elle était furieuse de devoir changer de camion. Elle conduisait l'autre depuis le départ et s'y était habituée. Elle aimait le bruit de son moteur, connaissait ses faiblesses et avait trouvé de petits trucs pour apprivoiser la vieille bête. Par exemple quand il fallait passer de seconde en troisième, la boîte de vitesses craquait parce que le synchro était cassé. Elle réussissait, elle, à trouver le bon régime pour que la vitesse s'enclenche sans heurt. Elle connaissait le relief de sa couchette défoncée et savait s'y caler confortablement. Dans la nouvelle cabine, tout lui semblait différent, mal disposé, incommode. Elle n'aimait pas le parfum de déodorant bon marché qui s'était infiltré dans le tissu des rideaux et des sièges et lui préférait encore les relents de cambouis et de tabac qui imprégnaient l'autre habitacle.

Elle se connaissait assez pour savoir qu'elle avait tendance à personnaliser les objets, les décors, et à nouer avec eux des relations d'antipathie ou d'amour, comme s'il se fût agi d'êtres vivants. Mais elle se serait fait tuer plutôt que d'avouer qu'elle était amoureuse du camion qu'elle venait de quitter. Elle se contentait d'afficher une mauvaise humeur muette et conduisait en regardant la route d'un air méchant.

Alex, à ses côtés, eut le tact de ne pas lui poser de questions et de respecter son silence. Au bout de quelques kilomètres, elle commença à prendre conscience de sa présence. Après tout, il n'y était pour rien. Elle se sentait injuste de lui faire porter le poids de sa contrariété.

Elle se tourna vers lui et lui sourit. À vrai dire, elle ne partageait pas l'antipathie de Lionel à son égard. Elle se dit que leur nouvelle cohabitation aurait au moins le mérite de lui faire mieux connaître ce gar-çon vigoureux, qui ne manquait pas d'élégance. Elle se décida à rompre le silence.

— Je parie que ça barde, devant. Ils doivent avoir une explication orageuse.

Alex lui rendit son sourire.

— Heureusement qu'il y a Vauthier pour servir d'arbitre, ajouta-t-elle.

— Qu'est-ce que Lionel nous reproche, au juste ?

— Il pense que vous continuez à vous comporter en militaires et que vous n'avez pas compris les règles du jeu humanitaire.

Alex secoua la tête. Il était encore un peu méfiant. Après tout, depuis le départ, personne ne lui avait adressé la parole, sauf pour des questions d'inten-dance. De Lyon jusqu'ici, il n'avait jamais eu l'occasion de mener une conversation seul à seul avec quelqu'un d'autre que Marc.

— C'est vraiment une réaction de civil. Mettre tous les militaires dans le même sac… Marc est mon ami mais on est très différents. D'ailleurs, quand on était à l'armée, c'était encore plus évident.

— Vous avez servi dans la même unité ?

— Oui, on a été Casques bleus dans le même bataillon du génie. Mais ça ne veut rien dire. Lui, c'est un militaire de carrière, moi, j'étais un appelé du contingent.

Personne ne leur avait posé de question, même au siège, sur leur parcours militaire. Maud était complètement ignorante des usages de ce monde mais elle comprenait qu'il y avait sans doute, là comme ailleurs, des différences profondes.

— Vous n'aviez pas le même grade ?

— Lui, il était sergent et moi, deuxième pompe. Mais ce n'est pas ça le plus important. Les grades, c'est ce qui se voit. Il y a tout le reste.

— Le reste ?

— Les mentalités, les habitudes. Pour les soldats de métier, les appelés comme moi sont des espèces de civils en uniforme. Des stagiaires, en somme. Ils nous méprisent un peu.

— Ça ne vous a pas empêchés de devenir amis.

— Non, parce que Marc est particulier dans son genre. D'ailleurs, il ne se sentait pas bien dans l'armée.

— Pourquoi ?

— C'est compliqué à expliquer. Il était en bagarre

avec la hiérarchie et c'est pour ça qu'il a fini par s'en aller. C'est quelqu'un d'assez généreux, tu sais. Je crois que vous l'avez mal jugé.

Maud commençait à se sentir plus à l'aise. Elle appréciait d'avoir un compagnon qui parle naturellement. Elle était soulagée de ne plus subir les silences de Lionel qui était toujours un peu dans les vapes et préférait ses joints à toute autre compagnie. Et puis, ils étaient seuls, et le regard indiscret de Vauthier ne pesait plus derrière elle.

— Qu'est-ce que tu faisais avant ton service ?

— Rien, je traînais dans un lycée professionnel.

— Où ça ?

— À Grenoble.

— Tu es de la région ?

Maud pensait qu'il allait parler de ses origines tropicales et sa réponse la désarçonna.

— Oui, je suis né dans un petit bled de montagne, dans le massif du Trièves, tu vois où c'est ?

— Du côté de la Chartreuse, vers le mont Aiguille, par là ?

Elle était allée faire du ski de fond une fois dans la région avec ses parents, quand elle avait dix ans.

— Exactement.

Elle avait une furieuse envie de lui demander comment il se faisait qu'un enfant de couleur puisse venir au monde dans un village du fin fond des Alpes. Mais il avait l'air de trouver ça tout naturel et elle n'osait pas lui poser la question.

48

— Tu trouves que je n'ai pas trop le look du montagnard, je parie ?

— Je n'ai rien dit.

Alex souriait. Il avait plutôt l'air de s'amuser et, visiblement, il était à l'aise sur le sujet.

— Mon père est guadeloupéen. Il a perdu ses parents très jeune et il est venu en métropole chez un oncle qui habitait Grenoble. Il s'est marié avec ma mère qui arrivait de La Réunion et il a dû travailler tout de suite. Il a passé sa vie à enchaîner des petits boulots. Un jour, il a trouvé ce job de contrôleur laitier dans la montagne et il y est resté.

— Je comprends.

— Il se lève à cinq heures du matin, mon vieux, pour faire le tour des fermes et collecter des échantillons de lait. C'est très dur et mal payé. Alors, mes parents voulaient que je fasse des études. Malheureusement, moi, je n'étais pas très doué pour ça. J'ai un problème avec la lecture et on ne l'a pas soigné quand j'étais petit. Je mélange les lettres, tu sais ?

— Tu es dyslexique.

— Je te laisse le dire, parce que ce mot-là, je n'ai jamais pu le prononcer correctement !

Ils rirent tous les deux. Maud remarqua que ça ne lui était pas arrivé depuis leur départ. Pourtant, elle aimait bien plaisanter avec des copines et parfois même, chez elle, elle piquait des fous rires toute seule.

— Bref, j'ai loupé mes examens et ils ont fini par me faire sauter mon sursis. Alors, je suis parti faire mon service.

Alex parlait calmement et Maud aimait bien sa voix. Elle se rendait compte que, depuis le départ, elle était restée collée à l'équipe de l'autre camion et qu'elle l'avait mal jugé. C'était une assez bonne idée, finalement, d'avoir cassé cette cloison et mélangé les équipiers.

— C'est toi qui as voulu venir en Bosnie avec l'ONU ?

— Oui, j'ai été volontaire tout de suite après mes classes. On m'avait affecté dans une caserne à Moulins et je broyais du noir là-bas. J'ai passé tous les permis : auto, moto, poids lourds, et ça m'a occupé un temps mais après, c'était la routine, les corvées. Je perdais mon temps. J'ai préféré voir du pays.

Maud comprenait bien cela. Elle avait fait deux ans d'études de droit parce que son père était notaire. Il avait poussé son frère à lui succéder mais l'idée ne lui était jamais venue qu'*elle* pourrait en être capable. Finalement, son frère avait préféré être prof de maths. Elle s'était dit qu'elle allait relever le défi et reprendre l'étude de son père. Mais elle ne se voyait pas non plus rester toute sa vie au même endroit. Finalement, elle avait tout laissé tomber pour partir en mission. Dans un autre contexte, elle avait eu la même réaction qu'Alex.

— Ils t'ont tout de suite envoyé ici ?

— J'ai d'abord fait une préparation militaire pendant deux mois. Ensuite, on nous a mis un casque bleu sur la tête et on nous a poussés dans un convoi, direction Kakanj. C'était en plein hiver. Il faisait un froid terrible. La Bosnie centrale, c'est rude. Il y a de la neige partout, des montagnes. Ça m'a rappelé mon pays natal. J'ai été très heureux là-bas.

Le camion, devant, avait pris de l'avance et quand ils le rejoignirent, il était arrêté à un poste de contrôle.

— On n'est pas très loin de la poche de Bihać, dit Alex. C'est une enclave musulmane. Mais, d'après ce que j'ai compris, Lionel ne veut pas qu'on y passe. On va longer la zone par le sud.

Le check-point était tenu par des miliciens en uniforme complet. Il était beaucoup mieux organisé que le précédent. La proximité de la ville amenait beaucoup de trafic. Ils croisèrent une route qui allait vers l'enclave, sur laquelle circulaient de nombreux convois. Devant eux, une dizaine de semi-remorques du HCR attendaient. Les miliciens vérifiaient les papiers et inspectaient sommairement les camions. Tout était plus professionnel, plus normal. Ils n'eurent pas à descendre de leurs cabines et passèrent sans incident.

— Il y a un bataillon français dans Bihać, dit Alex.

Ils croisèrent en effet plusieurs jeeps qui transportaient des Casques bleus. Sur leurs manches, on voyait les écussons de la FORPRONU et des insignes bleublanc-rouge. Bientôt, ce fut de nouveau la campagne. La route suivait une rivière aux eaux grises. Toutes les installations industrielles qui la bordaient avaient été détruites. Le ciel bas rendait l'endroit lugubre.

La tension retomba et ils reprirent leur conversation. Maud avait cédé le volant à Alex au dernier contrôle. Elle trouva des chewing-gums dans la boîte à gants. Le goût de menthe, dans sa bouche, lui rappela que depuis trois jours, elle ne s'était pas lavé les dents.

— À quoi ça ressemble, Kakanj, puisque tu connais ?

— C'est un sale coin. Une enclave croate encerclée par les musulmans, eux-mêmes encerclés par les Serbes ! Ailleurs, les combats ont dessiné des zones assez homogènes mais à Kakanj, c'est impossible. Les populations sont trop imbriquées. L'ambiance est vraiment tendue.

— Vous faisiez quoi, là-bas ?

— On sécurisait la mine de charbon.

Maud, qui ne conduisait pas, pouvait regarder Alex en lui parlant. Elle eut l'impression qu'il hésitait pour répondre à sa dernière question. Il n'était plus aussi décontracté, aussi naturel, comme si ce sujet recelait un piège.

— C'est important, cette mine ?

— La Bosnie n'a aucune ressource énergétique, à part le charbon. Ce sont des mines énormes. Au début, ils exploitaient le charbon à ciel ouvert. D'ailleurs, la colline est complètement défoncée. Mais, maintenant, ils vont le chercher en sous-sol, dans des kilomètres de galeries.

Il s'animait, en parlant de cela, et mettait dans sa description un enthousiasme qui n'était pas tout à fait compréhensible.

— Ils continuent d'extraire le charbon, même pendant la guerre ?

— Non. Les installations sont à l'arrêt. Il faut voir ce que c'est : d'immenses usines toutes noires complètement silencieuses, des tapis roulants arrêtés, des fours éteints. Quand ça tournait à plein régime, j'imagine que c'était très impressionnant. Mais, en ce moment, tout est mort. On dirait un décor de fin du monde.

— Pourquoi est-ce qu'on a mis des Casques bleus là-dedans ?

— D'abord, pour ne pas que les usines soient détruites. Et puis pour que les pompes continuent à fonctionner.

— Les pompes ?

— Les galeries souterraines sont inondables. Il y a des pompes qui retirent l'eau en permanence. Si elles arrêtent de tourner, les galeries seront noyées et il n'y aura plus rien à faire. Quand une mine est envahie par l'eau, on ne la récupère plus.

Maud comprenait que ce sujet tenait particulièrement à cœur à son compagnon. Mais elle continuait à ne pas saisir exactement pourquoi. Les choses dont il parlait étaient importantes mais pour quelle raison y mettait-il une telle passion ? En quoi était-il si personnellement impliqué ?

— Donc, votre boulot, c'était de faire fonctionner des pompes ?

Elle craignit un instant qu'il ne prenne sa remarque pour de l'ironie. Mais il ne s'y arrêta pas. Il suivait son idée.

— Entre autres. Surtout, rien qu'en étant là, on protégeait le site et ceux qui sont à l'intérieur.

— Et les réfugiés qu'on va aider, où est-ce qu'ils se trouvent ?

C'était curieux que ces sujets n'aient pas été abordés plus tôt. Maud avait essayé d'interroger Lionel à ce propos mais il n'avait pas les réponses ou ne voulait pas les donner. Au siège de l'association, on leur avait simplement dit qu'ils devaient apporter des vivres, des vêtements et des médicaments à des réfugiés qui se trouvaient dans un camp. Et la machine s'était mise en branle. Il n'avait plus été question que du chargement, de la composition de l'équipe, des autorisations. Maintenant qu'ils se rapprochaient du but, d'autres questions surgissaient, au moins pour Maud, qui avaient trait à ceux qu'ils allaient rencontrer et secourir. Depuis qu'ils voyaient, le long de la route, des paysans misérables, des gamins morveux, mal vêtus et sales, elle commençait à se préoccuper des personnes qu'ils venaient aider, de leur existence, de leurs conditions de vie, de leur histoire.

— Les réfugiés sont dans la mine, dit Alex avec un air sombre.

— Dans les galeries ?

— Non, dans l'usine.

— Mais qui sont-ils, au juste, ces réfugiés ?

Maud se rendait compte qu'elle s'était contentée jusque-là de notions assez vagues. Elle n'était pas la seule. Dès son entrée dans l'association, elle avait été frappée par le côté abstrait de l'humanitaire. On discutait géopolitique, situation des forces sur le terrain, enjeux stratégiques mais, finalement, les gens qu'il s'agissait d'aider restaient assez virtuels. Ceux qu'on appelait les « victimes » ou, en parlant de l'aide, les « bénéficiaires » étaient des êtres irréels sur lesquels nul ne semblait désireux de mettre un visage. Et le pire, c'était que, jusque-là, cela lui convenait assez bien. Elle avait besoin d'aider et elle était satisfaite de savoir qu'il existait quelque part des personnes qui avaient besoin de secours. Mais ce sentiment renvoyait plutôt à elle-même qu'à eux. Elle s'était dit que cela ressemblait un peu au désir d'enfant.

— Ils sont cinq cents, à peu près. Ce sont des femmes, des enfants, des vieux. Les hommes sont ailleurs, probablement en train de combattre.

Le ton d'Alex, empreint de mélancolie, montrait que pour lui, au contraire, ces réfugiés étaient des êtres de chair et de sang qu'il connaissait, qu'il avait vus vivre. Leur souvenir semblait convoquer en lui des émotions, peut-être un peu plus.

— Comment sont-ils arrivés là ?

— Pour la plupart, ce sont des gens qui habitaient les environs. Quand la guerre a commencé, les Croates, qui sont majoritaires dans la zone, ont brûlé les maisons de tous ceux qui étaient d'une autre religion. Les Serbes sont partis en zone serbe, les musulmans en zone musulmane. Mais certains, en particulier ceux qui sont d'origine mêlée, n'ont pas pu s'enfuir dans un endroit sûr. Alors, ils se sont réfugiés dans la mine.

— Attends, j'essaie d'imaginer le truc. Il y a la mine, avec les Casques bleus qui protègent les réfugiés, et autour les miliciens croates, c'est ça ?

— Exactement. La mine, c'est une colline et des usines, le tout entouré de barbelés. D'un côté, il y a les réfugiés et de l'autre, à quelques mètres parfois, il y a ceux qui les ont chassés et qui attendent qu'on s'en aille pour leur faire la peau.

— Ambiance…

— C'est la haine à l'état pur. Le pire, c'est que ces gens-là étaient des voisins avant la guerre. Ils vivaient ensemble depuis des siècles. Et pour nous, ce sont exactement les mêmes. Ils parlent la même langue, ils ont la même tête, les mêmes vêtements, sauf que les réfugiés ont tout perdu et qu'ils ont l'air plus misérables.

Maud regarda Alex et fut saisie par son émotion. Elle avait partagé jusque-là le préjugé des humanitaires à l'égard des militaires et les considérait comme des brutes sans conscience. Or, au moins celui-là se montrait plus sensible et plus humain que beaucoup de ceux qui faisaient profession de soulager les malheurs du monde.

— Vous aviez des contacts avec eux ? Vous les connaissiez personnellement ?

Alex lui jeta un bref regard et parut hésiter.

— Très bien.

Maud sentait qu'il avait envie d'en dire un peu plus.

— Tu as des amis parmi eux ?

Le garçon eut un petit sourire. Il ne lâchait pas le volant qui vibrait dans la côte et compensait les à-coups que les ornières de la route faisaient sans cesse subir à la direction. Il attendit longtemps avant de répondre.

— J'ai rencontré une fille, là-bas.

— Une réfugiée ?

— Oui.

Maud se sentait heureuse et même un peu fière d'avoir mis au jour ce petit secret. Elle avait conscience qu'elle touchait là quelque chose d'essentiel, qui expliquait mieux que tout l'engagement d'Alex. Et en même temps, elle perçut en elle comme une pointe de déception.

— Quel âge a-t-elle ?

— Dix-neuf ans.

— Comment s'appelle-t-elle ?

— Bouba. Elle est dans la mine avec ses deux petits frères. Ses parents ont été tués pendant l'incendie de leur maison.

— Comment ça se passait : elle vivait avec toi ? Vous aviez le droit d'être ensemble ?

— Non. Les réfugiés ne sont pas autorisés à entrer dans les cantonnements de l'ONU. C'est moi qui allais la voir dans son four.

— Dans son four !

— Oui, elle fait partie de ceux qu'on a installés dans les grands fours à charbon. Comme l'usine ne tourne pas, ils sont vides. Ils ferment avec une grosse porte en fonte. Dedans, il fait plus chaud qu'à l'extérieur. Ce n'est pas le grand confort, évidemment, mais la nuit il n'y a pas de vent et ils peuvent faire du feu pour la cuisine.

Il avait répondu avec passion, comme s'il était soudain soulagé d'avoir livré son secret et de pouvoir parler de celle qu'il aimait. Mais, très vite, il se rembrunit.

— Il vaut mieux que tu ne racontes pas ça à Marc.

— Lui aussi a une copine là-bas ?

— Non.

— OK, je ne dirai rien. Mais qu'est-ce que ça peut faire qu'il le sache ?

— Il le sait. Mais je préfère qu'il n'apprenne pas qu'on en a parlé.

Il avait repris un air absent. Maud resta silencieuse. Ils ne parlèrent plus pendant les heures suivantes. Mais c'était la première fois depuis le départ qu'elle avait une conversation un peu personnelle avec un membre de l'équipe et elle se sentait moins seule.

4

Il était tout juste midi quand le camion de tête tomba brusquement en panne. Le convoi sortait d'une longue montée pendant laquelle les moteurs avaient chauffé. Et, en arrivant sur le plat, le radiateur s'était vidé dans un bruit de cataracte. Une épaisse fumée blanche sortait du capot. L'heure de Vauthier avait sonné.

Il était le seul à ne pas avoir le permis poids lourds, mais il avait été engagé en raison de ses compétences mécaniques. C'était un passionné de moto. Il se vantait d'avoir gagné quelques courses en 250 cc. Une mauvaise chute lui avait interdit la compétition. Même s'il n'était pas un spécialiste du diesel, il s'y connaissait assez en mécanique pour être considéré comme le garagiste de la mission.

Il souleva le capot et se pencha sur le moteur. Les autres attendaient en fumant autour de lui. Seul Marc restait à l'écart, assis sur l'aile de l'autre camion. Il avait fait des commentaires au départ sur la mauvaise qualité du matériel et avait prédit que les moteurs ne tiendraient pas jusqu'au bout.

Vauthier trouva rapidement la panne.

— Une durite éclatée.

Il sortit des clefs d'une boîte à outils et, en quelques minutes, exhiba la pièce défectueuse. C'était un manchon de caoutchouc qui avait dû être noir à l'origine. Il avait pris avec le temps une teinte grisâtre et il était tout fendillé. Une des fissures s'était élargie, sans doute sous l'effet de la chaleur. L'eau s'était écoulée par là.

— Qu'est-ce qu'il faut faire ? demanda Lionel qui ne cachait pas son inquiétude.

Ils étaient arrêtés en rase campagne. Le vent glacial du haut plateau rabattait de fines gouttes de pluie. Des corbeaux énormes s'étaient posés dans les labours environnants.

— On pourrait l'emmailloter avec du chatterton mais ça ne tiendra pas longtemps.

— Ça suffirait pour aller jusqu'au prochain bled ?

— Je ne sais pas. Il faut essayer.

Vauthier bricola un manchon de ruban adhésif autour de la durite et la remit en place. Ensuite, il remplit le circuit de refroidissement et le camion redémarra. Ils grimpèrent dans les cabines et se mirent en route doucement. La réparation permit de parcourir deux kilomètres et ils reprirent espoir en voyant au loin les premières maisons d'un village émerger du brouillard. Malheureusement, il leur fallait encore gravir une longue côte. Ils n'avaient pas couvert cent mètres que la durite lâcha de nouveau.

— Cette fois, il va falloir changer la pièce, dit Vauthier

qui, depuis la panne, était monté à l'avant, pour guetter les réactions du moteur.

— On trouve ça facilement ?

— S'ils ont des tracteurs, ils doivent avoir de la durite. Même si ce n'est pas tout à fait le même diamètre, on pourra essayer d'arranger quelque chose.

Ils mirent de nouveau pied à terre et Vauthier plongea sous le camion.

— Je vais essayer de voir si on peut trouver une autre solution mais ça m'étonnerait. Pendant ce temps-là, il faut que quelqu'un aille voir au village. Il y a peut-être un garage ou, au moins, un atelier de réparation agricole.

Lionel annonça qu'il s'en chargeait.

— Je t'accompagne, dit Maud.

Il y avait plusieurs jours qu'elle avait envie de se dégourdir les jambes. En France, elle faisait un footing chaque matin. Elle supportait assez mal de rester enfermée dans ces camions toute la sainte journée.

— Si tu veux. Les autres, vous nous attendrez ici avec Vauthier.

Il n'y avait rien dans le voisinage, à part le village au loin. Mais on était quand même en zone de guerre. Il valait mieux que les camions ne restent pas sans protection.

Lionel n'aimait pas marcher, ça se voyait. Il se tenait toujours un peu voûté et, malgré ses longues jambes, il n'arrivait pas à suivre Maud.

— Doucement, il n'y a pas le feu.

Elle ralentit à contrecœur. Si elle s'était écoutée,

elle aurait couru. Ses Nike étaient confortables, l'air vif lui fouettait le visage. Elle appréciait le silence ouaté de la campagne et l'odeur acide des champs labourés.

— Comment ça se passe avec Alex ?

— Il est très sympa.

— Tu trouves ?

— Il suffit de lui parler gentiment et de ne pas le considérer comme un militaire.

Lionel haussa les épaules. Il avait son avis sur le sujet et elle ne l'en ferait pas varier si facilement.

— Je peux te poser une question ? demanda Maud.

Elle s'était résignée à se traîner au rythme de son compagnon.

— Vas-y.

— Comment se fait-il qu'on aille à Kakanj et que ce soit justement là que Marc et Alex ont servi pour l'ONU ? C'est une coïncidence ?

— Non.

— Quel est le lien, alors ?

Lionel sortit un vieux Kleenex et ralentit pour s'éponger le front. Malgré la température assez fraîche, la marche lui donnait chaud.

— Quand ton ami Alex s'est présenté à La Tête d'Or, c'était pour répondre à une annonce qui demandait des chauffeurs de poids lourds pour Sarajevo.

— Oui, c'est celle que j'ai vue dans *Le Dauphiné*.

— Exact. Seulement, à ce moment-là, on avait justement des problèmes. Tu sais que la mission est financée par des fonds européens ?

— Vaguement.

Lionel était toujours heureux de montrer qu'il n'était pas un volontaire comme les autres mais un responsable qui connaissait les rouages du système. Quand ils travaillaient au siège, Maud avait remarqué qu'il prenait un plaisir tout particulier à lui donner ce genre de leçons.

— Au niveau de Bruxelles, poursuivit-il, en prenant un air important, ils ont décidé qu'il y avait trop d'aide pour Sarajevo et pas assez pour le reste de la Bosnie. Ils nous ont demandé de proposer une autre destination.

Ils avaient atteint les premières maisons mais le véritable village était en fait beaucoup plus loin. Ils l'apercevaient dans le creux d'une vallée en contrebas. C'était une déception pour Lionel mais, au moins, la route maintenant redescendait.

— Conclusion : il fallait envoyer une mission exploratoire pour trouver un nouveau site. Ça voulait dire de l'argent et du temps perdu.

— Je vois. Et c'est à ce moment-là qu'Alex vous a parlé de Kakanj.

— T'es pas bête, comme fille.

Maud en avait détesté d'autres pour moins que cela. Deux ou trois ans plus tôt, elle l'aurait giflé. Mais désormais, elle avait décidé de ne plus s'énerver. Elle se tut et serra les dents.

— Il nous a parlé des réfugiés qui sont dans la mine de charbon et on a su qu'ils manquaient de tout.

— Il vous a parlé aussi des fours ?

— Les fours ? Quels fours ?

Elle comprit qu'il ne savait pas, pour Bouba. Elle décida de ne rien lui dire. C'était un petit point marqué.

— Il paraît que les réfugiés vivent dans les fours désaffectés de l'usine.

— Ah.

Cette image, qui l'avait frappée, n'évoquait rien pour Lionel. Il se moquait pas mal de savoir comment vivaient les gens qu'ils allaient secourir. La seule chose qui lui importait, comme aux autres, ceux qui travaillaient au siège devant leur ordinateur, c'était d'avoir trouvé des « bénéficiaires ». Grâce à eux, l'association allait pouvoir recevoir l'argent de l'Union européenne et la machine caritative continuerait de tourner.

Ils arrivaient à l'entrée du village. C'était un gros bourg agricole qui sentait le crottin et l'étable. Des grillages semés de plumes de poules bordaient les jardins le long de la route. Il y avait une bifurcation au milieu du bourg et Lionel n'avait pas l'air de savoir de quel côté aller.

— Tu connais le coin ?

— Non, moi, quand j'ai été à Sarajevo, on a suivi une autre route. Je n'ai jamais mis les pieds par ici.

Personne ne circulait dans les rues. On ne savait pas si c'était à cause de la guerre, parce qu'il faisait froid ou simplement parce que les gens étaient en train de déjeuner. Ce vide produisait une impression paradoxale de paix et de menace. Ils prirent à droite en direction d'un grand hangar. Dedans, ils aperçurent des machines agricoles hors d'âge mais qui paraissaient toujours servir. À côté du hangar, une maison basse était éclairée. Ils frappèrent à la porte. Une femme leur ouvrit. C'était une grande paysanne, vêtue d'un tablier à fleurs. Elle avait un beau visage anguleux, des cheveux coupés court, des yeux bleus. Il y avait dans sa féminité quelque chose de puissant qui plut à Maud. Et elle s'amusa de voir que Lionel, devant elle, se faisait tout petit et presque suppliant.

— *Pomoć. França. Françouski.* Camion kaput ! bredouilla-t-il en agitant ridiculement son bout de tuyau crevé.

La femme les regarda d'abord d'un air sévère puis elle se retourna et appela quelqu'un dans la maison. Un vieillard la rejoignit sur le seuil. Il avait dû être plus grand qu'elle et costaud mais le temps l'avait tassé et il flottait dans ses vêtements. Une énorme moustache grise lui barrait le visage et deux sourcils broussailleux cachaient ses petits yeux, gris eux aussi.

Lionel recommença ses explications et l'homme saisit la durite. Il la regarda attentivement puis rentra dans la maison sans refermer la porte. Un instant plus tard, il ressortit. Il avait troqué ses savates contre des bottes en caoutchouc. Il traversa la cour à petits pas, et fit signe aux deux étrangers de le suivre.

Ils pénétrèrent dans le hangar qui sentait le grain sec et l'huile de moteur. L'homme ouvrit une resserre, tout au fond, et fouilla dans un coffre ouvert, rempli à ras bord de pièces mécaniques et de bouts de ferraille. Il ne trouva pas ce qu'il cherchait, sortit, alla jusqu'à un établi maculé de taches de cambouis, sur lequel était fixé un énorme étau à queue. Sous le meuble étaient entassés des bidons rouillés qui devaient dater de la Première Guerre mondiale. Lionel regarda Maud en haussant les sourcils. Il avait perdu tout espoir que le vieil homme puisse dénicher là-dedans quoi que ce soit d'utile.

— En Afrique, c'est pareil, dit-il, sûr de ne pas être compris. Ils vous baladent pendant une heure, plutôt que de dire qu'ils n'ont pas ce qu'on veut.

L'homme, avec ses mains noueuses, sortait les objets les plus hétéroclites des bidons, les regardait en les plaçant dans la lumière car il devait avoir de mauvais yeux, puis il les alignait sur l'établi. Bientôt, le plateau ressembla à un étal de brocante et Lionel ricana silencieusement.

— On se demande pourquoi ils gardent toutes ces cochonneries.

Maud lui fit signe de se taire.

— Peut-être qu'il comprend...

— Penses-tu ! Il n'y a pas de risque.

Tout à coup, le vieux paysan se montra fébrile. Il était de dos et Maud ne voyait pas ce qu'il avait trouvé. Quand il se retourna, elle vit qu'il tenait à la main un tuyau en caoutchouc épais, plus long que la durite crevée mais à peu près du même diamètre.

— Voilà, s'écria-t-il en français, le visage illuminé par un grand sourire.

Lionel saisit la pièce avec un air de stupéfaction qui ravit Maud. Un deuxième point !

— Vous parlez français, monsieur ? dit-elle.

Le vieillard mit sa main en cornet et elle répéta la question plus fort.

— Un peu, un peu, répondit-il avec un très fort accent.

— Vous connaissez la France ?

Il était sourd comme un pot et il lui fallut brailler de nouveau.

— Guerre, dit-il, en cherchant ses mots. Contre nazis. France amis. Moi soldat.

L'échange n'alla pas beaucoup plus loin. Il refusa avec indignation l'argent que Lionel lui proposa et Maud le remercia avec un grand sourire.

Ils repartirent vers les camions en tenant leur précieux trophée.

— Une chance qu'il soit sourd, dit-elle à Lionel, qui traînait de nouveau la jambe dans la côte.

*

En arrivant près du convoi, ils trouvèrent les trois hommes assis silencieusement autour d'un feu. Vauthier faisait cuire des saucisses et les flammes, en léchant la graisse, prenaient une teinte orangée. Quand il vit la trouvaille que lui tendit Lionel, il parut assez satisfait.

— Un peu large, dit-il, mais en serrant bien les colliers, ça devrait aller.

Il s'essuya les mains dans un vieux chiffon et alla tout de suite se remettre au travail sur le moteur.

Moins d'une heure plus tard, la panne était réparée. Ils déjeunèrent rapidement et les deux anciens militaires rembarquèrent la batterie de cuisine.

Lionel voulait repartir tout de suite mais Vauthier s'assit sur le talus un peu à l'écart et lui fit signe de le rejoindre.

— Attends un peu, fit-il d'une voix forte. La durite est réparée mais c'est moi qui suis crevé, maintenant ! On va s'en fumer un petit.

Ce genre de déclaration n'était pas dans les manières du mécano. Il était plutôt porté sur la bière. Il devait y avoir quelque chose.

— On vous rejoint, cria Lionel aux autres qui grimpaient déjà dans les cabines. Faites chauffer les moteurs.

Maud était dans le camion avec Alex et lui racontait leur virée au village.

Dès qu'ils furent assis côte à côte, Vauthier, l'air le plus naturel possible, dit doucement à Lionel qui réchauffait le shit à la flamme de son briquet.

— Je ne sais pas ce qu'ils mijotent, ces deux-là.

— De qui parles-tu ?

— Des deux troupiers.

— Qu'est-ce qu'ils t'ont dit ?

— À moi, rien. Seulement, je les ai entendus parler entre eux pendant que je bricolais le moteur. Ils étaient loin mais avec l'air froid, les voix portent. Quand ils se sont engueulés, j'ai saisi pas mal de choses.

— Quel genre ?

68

— Je ne sais pas exactement de quoi ils discutaient. Mais il y en a un, le Noir, je crois…

— Alex ?

— Oui, Alex, il disait à l'autre : « Il faut les mettre au courant. » Et le Marc, il se fâchait. Il disait : « Si tu fais ça, je te casse la gueule. » L'autre n'était pas d'accord. Il insistait : « J'ai discuté avec la fille. Je suis sûr qu'elle peut comprendre. »

— Tu ne sais pas du tout de quoi il était question ?

— Non, mais Alex disait : « Si des miliciens tombent sur le truc à un check-point, Lionel nous mettra tout sur le dos et ce sera foutu. » Et l'autre ne voulait rien savoir. Il lui disait : « Parce que tu crois que s'il est au courant, il nous couvrira ? » Et il nous insultait : « Ces gars-là sont des couilles molles. Ils ne marcheront jamais dans la combine. » Le Black s'est fâché et il a dit finalement : « T'es qu'un crétin. Tu vas tout faire foirer. »

— C'est tout ?

— Oui.

— C'est quoi, le « truc » dont ils parlaient ? Qu'est-ce que tu en penses ?

— Ces enfoirés de militaires sont capables de tout, crois-moi. Ils préparent un mauvais coup, j'en mettrais ma main à couper. On va tous être dans la nasse, si on les laisse faire.

Lionel regardait le premier camion. À travers les reflets du pare-brise, il distinguait le visage de Marc qui les fixait. Heureusement que le cannabis le détendait parce qu'il se sentait envahi par la panique et

Vauthier s'en apercevait. Lionel sentait que le mécano méprisait les humanitaires et n'avait sans doute aucun respect pour lui. Mais, dans l'affaire, il était son allié et il ne fallait pas trop écouter ses sentiments.

— Qu'est-ce que tu ferais, à ma place ?

— Je fouillerais les bahuts de fond en comble et j'ouvrirais toutes les caisses pour savoir s'ils n'ont pas planqué des armes ou une autre saloperie dans le chargement.

Lionel jeta le mégot au loin et se leva.

— On va voir, dit-il.

C'était sa manière à lui de reprendre une allure de chef. Mais il commençait à sentir confusément qu'elle ne trompait personne.

5

Ils s'étaient remis en route mais, quand le convoi passa dans le village où le vieil homme les avait dépannés, Lionel fit garer les camions devant le hangar et alla trouver Maud qui attendait au volant.

— Essaie voir avec la bonne femme si elle a des choses à nous vendre. Des œufs, des lapins, je ne sais pas. Moi, je vais poser quelques questions au vieux.

Maud éteignit le moteur et alla frapper à la porte. La femme lui ouvrit et elle tenta de s'expliquer. Elle se montra tout de suite plus aimable et même souriante. Comme Maud ne comprenait rien à ce qu'elle lui disait, la femme la prit par la main et l'entraîna dans sa cuisine. C'était une vaste pièce, plus confortable que l'allure vétuste de la maison ne l'aurait laissé supposer. On voyait que la ménagère avait fait de son mieux pour imiter les photos de décoration sur des magazines. Les machines étaient disposées sous un plan de travail et des placards muraux peints en blanc encadraient une hotte électrique. Malheureusement, tous ces instruments étaient fabriqués dans des matériaux grossiers qui exhalaient un inimitable parfum soviétique. Au fond de la cuisine, une porte ouvrait sur un cellier aux murs couverts d'étagères en bois de caisse. Des pommes séchaient sur des claies. De gros fromages d'un blanc crayeux, alignés sur plusieurs étages, répandaient une odeur fade. La femme proposait ses trésors et tentait de faire répéter à Maud le nom serbo-croate de chaque produit. Celle-ci écorchait les mots et déclenchait des fous rires chez son hôtesse.

Lionel, lui, avait retrouvé le grand-père dans le hangar et ils s'étaient installés dans la pièce principale, à la fois salon et salle à manger, tout entière ordonnée autour d'un énorme téléviseur couvert d'un napperon en dentelle. Même si elle n'y prêtait pas beaucoup attention, Maud entendait Lionel hurler pour se faire comprendre du vieux sourd. Il avait sorti du camion une carte routière et l'avait étalée sur la table. Le paysan avait chaussé de grosses lunettes dont un verre était cassé et se penchait sur le document. Il donnait du mieux qu'il pouvait des indications sur l'état des routes et les barrages militaires dans les environs.

Finalement, Maud ressortit du cellier en portant un cageot chargé de toutes sortes de victuailles. La fermière la fit asseoir dans la cuisine et insista pour lui servir le jus noir que contenait une cafetière en émail, sans doute une décoction d'orge grillé. Maud aimait cette complicité de femmes qui lui permettait de se sentir en confiance et de rire avec elle. Elles ne pouvaient pas communiquer par le langage et pourtant se comprenaient à un autre niveau. Ce genre d'échanges

la troublaient beaucoup. Elle appréciait profondément le monde des femmes et pourtant n'avait cessé,
par ses choix de vie, de le fuir.

Lionel l'appela et elle se souvint qu'elle devait payer
ses achats. Contrairement au vieux, qui avait repoussé le
billet de Lionel, la femme ne fit aucune difficulté pour
accepter celui que lui tendit Maud. Elle reconnut cette
simplicité, ce pragmatisme, cette absence d'orgueil, et y
vit là encore la marque d'une perception féminine du
monde qui faisait naturellement la différence entre les
divers registres de l'existence. Sur un plan, elles étaient
complices, on aurait déjà pu dire amies, mais la valeur
des choses et les exigences de la vie faisaient que les
produits vendus devaient l'être à leur juste prix.

— Il t'a donné des informations intéressantes ?
demanda-t-elle à Lionel pendant qu'ils regagnaient
les camions.

— Oui. On va continuer à rouler un peu. Il reste
deux heures de jour. Au dîner, je vous ferai un briefing.

Ce ton martial la fit sourire mais elle ne dit rien et
reprit sa place au volant, à côté d'Alex.

Ils repartirent en klaxonnant pour dégager les rues
du village. Leur irruption avait attiré les curieux dans
la rue principale et des bandes de gamins piaillaient
en courant à côté des camions.

Le paysage était beaucoup plus beau depuis qu'ils
avaient quitté les basses vallées. Le relief ondulait
doucement mais on voyait que la nature montagnarde
résistait de plus en plus à l'effort des humains. Les
champs butaient sur des barres rocheuses, s'arrêtaient

au seuil des forêts de sapins qui couvraient les pentes escarpées de gorges froides. À l'horizon, par moments, on apercevait de plus hauts sommets. Des bancs de brume, que la journée sans soleil n'avait pas dispersés, s'épaississaient à l'approche de la nuit.

Lionel engagea le camion de tête dans l'entrée d'une ancienne carrière. Tout autour d'un vaste espace circulaire couvert de gravillons, les parois de la carrière, excavées par étages, dressaient une muraille jaunâtre, striée par les rigoles que l'eau creusait en ruisselant. Des carcasses rouillées étaient entassées dans un coin. Ce n'était pas des stigmates de guerre mais seulement les restes abandonnés du matériel d'extraction.

La routine du soir se répéta selon une chorégraphie désormais bien au point. Vauthier, après sa brève heure de gloire comme mécanicien, était redevenu le préposé aux feux, et ce jour-là, il était aussi de corvée de tambouille.

Ils eurent un peu de mal à enfoncer les piquets des tentes dans le sol cailouteux. Marc tordit plusieurs sardines en cognant dessus avec une grosse pierre. Ils allumèrent deux lampes-tempête quand la nuit fut bien noire. Assis en cercle autour du feu de bois, ils mangèrent leur dîner en silence. Tout le monde savait que Lionel allait prendre la parole mais il prolongea l'attente pour donner plus de poids à son discours.

— Dans une douzaine de kilomètres, on va quitter la Krajina et entrer en Republika Serpska, l'État autoproclamé des Serbes de Bosnie. Il va sûrement y avoir un contrôle sérieux. Faut bien se préparer.

Alex écoutait attentivement, assis en tailleur. Marc traçait des signes cabalistiques sur le sol avec la pointe d'un bâton. Maud somnolait. Tout à coup, Lionel haussa le ton.

— C'est pour ça que j'ai décidé qu'on ne repartirait pas demain matin.

Il y eut un instant de flottement dans le petit groupe, qu'Alex rompit avec une plaisanterie.

— On s'installe ici, alors ? C'est vrai, le coin est sympa !

— On ne repart pas avant d'avoir terminé l'inventaire des camions.

Alex tressaillit et Maud perçut que, malgré son assurance, Marc échangeait avec lui un regard inquiet.

— L'inventaire. C'est-à-dire ? fit-il crânement.

— C'est-à-dire qu'on déballe tout. Il y a de la place, ça tombe bien. On ouvre toutes les caisses et on vérifie si le contenu correspond au pro forma. Ensuite, on remballe.

Il y eut un long silence.

— On vient déjà de perdre une journée avec cette panne, objecta Alex. Tu veux en foutre une autre en l'air ? On va arriver après la guerre, à ce train-là.

Son ironie tomba à plat. Personne ne rit. Marc profita du silence pour poser calmement une question.

— C'est courant, ce genre de procédure ? Ou c'est parce qu'il y a un problème ?

— Il y a un problème.

— On peut savoir lequel ?

— Le vieux, cet après-midi, m'a dit que les miliciens

étaient très nerveux dans la région en ce moment. Je ne veux prendre aucun risque. On va vérifier la cargaison. C'est tout.

Il n'avait pas besoin de s'expliquer davantage ; les deux anciens militaires avaient très bien compris de quoi il s'agissait. Sa défiance ne pouvait que les concerner. Mais Lionel ne voulait pas de scène, encore moins de bagarre. Il salua la compagnie et partit se coucher.

— Vous éteindrez le feu, cracha Vauthier, en le suivant.

Maud était surprise par la décision mais elle n'avait pas la force de discuter. Elle avait mal dormi la nuit précédente et la marche l'avait fatiguée. Elle prit congé également.

Alex et Marc restèrent seuls près des dernières braises. Quand Maud eut tiré les rideaux dans le camion et quand la lumière s'éteignit dans la tente de Lionel et de Vauthier, qui était plantée assez loin du feu, ils commencèrent à chuchoter.

— Tu as parlé, attaqua Marc.

— Je te jure que non.

— Tu as tout raconté à la fille. Comment est-ce qu'ils sauraient, sinon ?

— Qui te dit qu'ils savent ?

— Pourquoi ferait-il fouiller le camion, s'il ne savait rien ?

— Nom de Dieu, tu vas me croire ?

Alex avait haussé le ton et Marc se retourna vers la tente.

— Pas si fort ! N'en rajoute pas.

— Je n'ai rien dit à la fille, répéta Alex avec un air entêté. Il doit y avoir autre chose. C'est peut-être cet après-midi. Tu te souviens quand on a discuté pendant la panne. On n'a pas fait attention à Vauthier.

— Ça se peut.

Marc avait répondu sans conviction. Il n'avait pas changé d'avis mais il était passé à autre chose : il n'était plus temps de se déchirer sur le passé. Il s'agissait plutôt de décider de ce qu'ils allaient faire le lendemain.

— De toute façon, maintenant, c'est trop tard. Si tu ne lui as vraiment rien dit, il faut que tu lui parles.

— Je ne comprends plus rien. Tu me reproches d'avoir parlé à Maud et maintenant tu me demandes de le faire.

— La situation a changé, c'est tout. Avant, il ne fallait pas lui parler parce qu'elle pouvait donner l'alerte. Mais si tu ne l'as pas fait, c'est différent. Il vaut mieux lui expliquer à elle de quoi il s'agit plutôt que de les laisser tomber sur le truc. L'idéal, ce serait qu'ils n'ouvrent jamais la boîte. Tu me suis ?

C'était toujours comme ça, entre eux. Marc avait immanquablement le dessus et il était souvent difficile de savoir pourquoi. Même quand Alex était sûr qu'il avait tort, il finissait par faire ce que l'autre lui disait. Ce n'était pas une question d'autorité, encore moins de grade. Alex s'était d'abord taxé d'imbécillité, de faiblesse. Et puis, il avait fini par voir là-dedans quelque chose d'assez beau, une forme particulière de l'amitié. Il avait confiance, voilà tout. Il connaissait assez Marc pour savoir qu'il faisait toujours ce qui pouvait être le mieux pour eux deux. Et il se jugeait plus encombré d'égoïsme, de lâcheté, de conformisme, que son camarade, si bien qu'il finissait toujours, malgré ses réticences, par se ranger à son opinion.

— D'accord, je lui parlerai demain matin.

Il pensa longuement à tout cela dans la tente, allongé sur le sol irrégulier et froid, et mit plusieurs heures à s'endormir.

*

Dans l'amphithéâtre de roches que constituait la carrière, l'humidité de la nuit stagnait et faisait ruisseler la paroi des tentes. Ils se levèrent plus transis encore que d'habitude. Mais le ciel était dégagé et un soleil presque chaud, un dernier soleil d'automne, monta bientôt à l'est, au-dessus des taillis. Les murs de pierres de la carrière s'illuminèrent de reflets jaune paille, les buissons qui avaient encore des feuilles prirent des teintes rousses qui réchauffaient l'œil. Maud se dit que ç'aurait été une belle journée pour voyager. Au lieu de cela, le petit déjeuner avalé, ils roulèrent les bâches des camions, sortirent les listes de produits qui composaient les cargaisons et attaquèrent l'inventaire.

Marc avait fait preuve d'un zèle inattendu, si bien que grâce à lui le premier camion fut prêt à être déchargé avant l'autre. Lionel, assisté de Vauthier, commença par celui-là.

Alex et Maud attendirent leur tour en prenant un autre café.

Ils tenaient leur quart en fer-blanc dans leurs paumes, pour se réchauffer.

— Tu n'as pas envie de faire une balade ? proposa Alex. Juste un tour à petites foulées. Ça nous dégourdirait les jambes. Ils en ont pour un bon moment.

— Bonne idée !

Ils vidèrent leurs tasses et Maud lança aux autres :

— On va faire un footing, on revient.

Ils s'éloignèrent en trottinant. La route était encore dans l'ombre et il y faisait plus humide. Leur haleine se dispersait en volutes blanches. Alex courait avec aisance, sa foulée était souple et, malgré leur allure soutenue, il n'était pas essoufflé.

— Tu sais, commença-t-il lorsqu'ils furent bien échauffés, j'ai un truc à te dire. C'est pour ça que je voulais qu'on s'éloigne.

Maud le regarda du coin de l'œil. De tout autre, elle aurait craint une confidence amoureuse, une déclaration ou des propositions sexuelles. Mais avec lui elle se sentait en confiance. Pourquoi ne redoutait-elle rien de ce garçon ?

— Vas-y. Je t'écoute.

La route, au sortir d'un long virage, avait débouché sur une plaine couverte de pâturages. Maud tendit le visage vers le soleil et plissa les yeux de plaisir.

— Tu te souviens de ce que je t'ai raconté à propos de la mine de Kakanj ?

— Les réfugiés dans les fours.

C'était l'image qui l'avait marquée. Elle suscitait en elle une sorte d'épouvante. En même temps, elle ne parvenait pas à se représenter précisément la scène. Elle en avait même rêvé. Des images de fours crématoires, vus dans un grand livre sur la déportation qui était dans la bibliothèque de ses parents, lui étaient revenues à l'esprit.

— Oui, mais je t'ai aussi parlé des pompes.

— Les pompes qui vident l'eau dans les galeries, c'est ça ?

— Les pompes sans lesquelles la mine serait inondée et inutilisable à jamais.

— Et alors ?

— Alors, elles fonctionnent au charbon.

Maud était un peu déçue. Elle s'attendait à des confidences concernant la copine d'Alex ou à quelque chose du même genre, c'est-à-dire une question humaine, concrète et sentimentale. Quelque chose de vivant, en somme. Et elle ne voyait pas pourquoi il lui parlait encore de pompes.

— Du charbon, on n'en extrait plus, je te l'ai dit, puisque la mine est à l'arrêt.

Une troupe de merles les contemplaient, posés tout près sur un rocher en forme de locomotive, et Maud les regarda en souriant.

— Alors, comment font-ils, s'il n'y a plus de charbon ? dit-elle distraitement, pour donner à Alex l'impression qu'elle s'intéressait à ce qu'il racontait.

— Au début de la guerre, la mine était toujours en service mais les livraisons ne se faisaient plus. Pendant quelques jours, ils ont accumulé du stock et puis tout s'est arrêté. Pour faire fonctionner les pompes, ils puisent dans ce stock.

Quel drôle de garçon, vraiment ! Pourquoi se montrait-il si hésitant, si gêné pour parler de ces histoires de charbon ? Quoi qu'il en soit, ça leur avait donné l'occasion de faire ce petit footing et Maud se sentait bien. Tant pis si le prix à payer était une conversation sans intérêt.

— Et il est important, ce stock ? relança-t-elle poliment.

— Tout le problème est là, justement. Ils arrivent au bout.

— L'ONU ne peut pas leur envoyer un convoi de charbon ?

— Non, c'est interdit. Les combustibles sont considérés comme des matériaux stratégiques. Les Serbes ont bien tenu compte de ça dans leur guerre. Ils sabotent tout ce qui n'est pas dans leurs zones. À Sarajevo, par exemple, ils s'en sont pris dès le début aux usines électriques pour priver la ville de courant.

Même entraîné comme il l'était, Alex avait du mal à garder le rythme en parlant autant. Il était essoufflé et Maud ralentit pour qu'il se calme. Cette conversation lui gâchait vraiment son plaisir. Elle cherchait comment changer de sujet sans le vexer.

— Il n'y a qu'une seule solution pour que les pompes continuent de fonctionner et que la mine survive, insista-t-il.

— Laquelle ?

— Extraire du charbon sur place. Pas beaucoup, juste de quoi reconstituer le stock.

— Eh bien, rien ne les en empêche, j'imagine ?

— Si.

Il n'avait décidément pas l'intention de parler d'autre chose. L'humeur de Maud commençait à virer au noir. Elle proposa de retourner vers la carrière. Alex accepta docilement de faire demi-tour. Mais au bout de cent mètres, il s'arrêta et changea de ton.

— Il faut que tu m'écoutes bien, Maud. Ce n'est pas une discussion en l'air.

Elle était frappée par son air grave et décelait dans sa voix une réelle inquiétude.

— On va s'asseoir là, dit-elle, en désignant un talus d'herbe rase que le soleil avait séchée.

— Je vais aller à l'essentiel, reprit Alex. Pour extraire du charbon d'une mine comme celle de Kakanj, il n'y a pas d'autre moyen que d'ébranler le front de mine dans une galerie. Le filon est très dur et les outils ne suffisent pas pour le fragmenter. Une fois que le front est fissuré, on peut le casser à la main ou au marteau piqueur et récolter le charbon. Mais d'abord, il faut l'ébranler.

— Et comment est-ce qu'on ébranle un front de mine ? demanda Maud qui commençait à entrevoir de quoi il s'agissait.

— Avec des explosifs.

Elle se tourna vers Alex. Il croisa son regard et elle comprit.

— Et faire venir des explosifs, c'est encore plus difficile que de faire venir du charbon, j'imagine ?

— Il n'en est même pas question. Les Serbes ne veulent rien savoir.

Elle le fixait et, tout à coup, elle eut l'impression qu'il lui était très étranger, qu'il cherchait à la manipuler.

— Pourtant, s'empressa-t-il d'ajouter, ce ne sont pas des explosifs militaires. Ce sont des bâtonnets qu'on plante dans des trous et qui provoquent de simples fissures dans la roche. Ils ne peuvent servir à rien d'autre. On ne peut pas faire sauter quoi que ce soit avec.

— Mais ce sont des explosifs.

— Il n'y a pas d'autre mot mais en fait, ça n'a rien à voir avec des engins militaires. Ce sont des pétards de chantier, si tu veux.

— Et vous en avez mis dans nos camions, c'est bien ça ?

Il hocha la tête, comme un enfant pris en faute.

— Vous avez mis des explosifs dans notre chargement !

Elle s'était levée et le regardait avec des yeux pleins de colère.

— Vous avez mis des explosifs dans notre chargement ! Vous êtes complètement cinglés ! Vous vous rendez compte des risques que vous nous faites prendre ? Vous entraînez toute une association dans vos conneries. Et ça vous est égal que trois personnes qui n'ont rien fait se retrouvent en tôle ?

Elle fit quelques pas en direction de la carrière. Alex bondit et la rattrapa. Il la saisit par le bras. Elle se dégagea et fit volte-face. C'était toujours pareil avec les mecs. On ne doit pas les croire, même quand ils paraissent sincères. Surtout quand ils paraissent sincères. Maud se sentait trahie. Elle s'en voulait d'avoir baissé la garde. Avec sa gueule d'ange, Alex était comme les autres. Lionel avait bien raison de le mettre dans le même sac que son collègue.

— Calme-toi. Si je te parle à toi, c'est justement parce que…

— Parce que tu t'imagines que tu vas pouvoir me faire du charme et me mettre dans ta combine. Tu crois que je ne te vois pas venir ?

Alex baissa les yeux.

— Je pensais que tu pouvais comprendre.

Il y avait une vraie déception dans sa voix. Maud se remit en marche vers le camp mais sans courir. Il la suivit en silence. Elle réfléchissait à la situation et, à mesure qu'elle avançait, son pas ralentissait. Elle se sentait indécise, partagée. Sa colère s'éloignait et elle envisageait maintenant ce qui allait se passer. La seule possibilité était de dénoncer Alex et de provoquer une explication. Malgré tout, cette éventualité la révoltait. Il lui avait fait confiance. Quelles que soient ses arrière-pensées, c'est à elle qu'il s'était adressé. Elle n'avait aucune envie de se comporter bêtement comme un apparatchik, comme Lionel, en somme. Elle avait au moins le devoir de l'écouter jusqu'au bout, d'essayer de comprendre.

— Pourquoi n'avez-vous pas monté un convoi tout seuls pour apporter ça ? dit-elle à part elle, sans attendre de réponse. Après tout, il y a des particuliers qui apportent de l'aide en Bosnie. Ce n'était pas la peine de mouiller une véritable organisation humanitaire…

Alex la laissa exhaler sa révolte, évacuer la tension qu'avait provoquée cette révélation. Puis il s'affala sur le bord de la route, la tête dans les mains, et, sans paraître lui répondre, il se mit à parler à son tour.

6

— Quand on fréquente un peu ces gens, dit Alex sans paraître s'adresser à personne, on ne voit plus les choses pareil.

Maud le regardait méchamment. Il allait geindre, parler de sa copine, l'apitoyer avec ses sentiments. Elle était prête à verser de la pitié dans sa colère. Mais qu'est-ce que ça changerait ?

— Ils s'en foutent, à vrai dire, continua-t-il, de ce qu'on peut leur apporter. Ils sont durs au mal, c'est incroyable. Nous autres, sans supermarché, sans pharmacie, on est perdus. Eux, ils n'ont jamais été gâtés.

Maud se demandait pourquoi elle l'écoutait. Pourtant, il avait tapé juste, peut-être par hasard. Cette question, elle se l'était posée aussi. Il y avait une guerre ; on commettait des horreurs. Et elle, qu'est-ce qu'elle faisait ? Elle apportait du chocolat et des pansements. Elle avait fini par accepter cet état de fait comme une singularité des temps. C'était comme ça et, au fond, elle ne voyait pas ce qu'elle pouvait faire d'autre. Mais elle n'en ressentait pas moins un certain malaise, une certaine honte.

— Ils savent que la guerre finira, méditait Alex. Les guerres, il y en a eu beaucoup, par ici. Elles finissent toujours.

Une charrette tirée par un mulet approchait sur la route. Un paysan tout ridé la conduisait, affalé sur son banc de bois. Il n'eut pas un regard pour eux en passant. Il semblait venu là tout exprès pour illustrer le propos d'Alex. On sentait que le vieil homme avait épousé depuis sa naissance un destin fait tout à la fois de résistance et de soumission. L'idée même de lui proposer une aide matérielle était dérisoire, totalement déplacée. Maud s'assit à son tour sur le talus.

— Ce qu'ils veulent, poursuivit Alex, c'est simplement continuer à vivre.

Le pâle soleil les caressait. Ils tournaient le visage vers sa lumière.

— Pour moi, l'humanitaire, c'est ça.

Alex, d'un coup, avait retrouvé de l'énergie. Il regarda Maud.

— Quand la guerre sera finie, il ne faut pas que tout soit dévasté, tu comprends ? Il faut que les gens puissent continuer de vivre. Dans ce pays où ils n'ont aucune source d'énergie, rien pour se chauffer et travailler, le plus important, c'est de préserver le peu qu'il y a. Cette industrie, c'est toute leur richesse.

Il marqua un temps puis livra sa conclusion, sur un ton passionné, enthousiaste, qui n'avait plus rien de coupable.

— Crois-moi : la chose la plus utile dans notre

convoi, ce sont ces petits explosifs qui vont permettre à la mine d'être sauvée.

Maud n'aimait pas les idées reçues. Elle avait toujours déploré que la plupart des gens ne soient pas capables de comprendre la complexité des choses. Les paradoxes la séduisaient. Ils étaient comme l'aliment de l'intelligence. L'idée que l'humanitaire ne fût pas ce que tout le monde pensait qu'il était, à commencer par elle quelques instants plus tôt, était une découverte troublante, une sorte de défi. Elle s'en serait voulu de ne pas le relever.

— Tu crois que l'humanitaire, ça doit consister à transporter des explosifs ? demanda-t-elle, moins pour ridiculiser le propos d'Alex, que pour l'encourager à poursuivre le jeu intellectuel qu'il avait commencé à jouer avec elle.

— Je crois que l'humanitaire, c'est beaucoup de choses. Et il y a aussi beaucoup d'acteurs sur ce terrain. Que les grandes organisations de l'ONU s'en tiennent à apporter des vivres, c'est normal. Il en faut tout de même et elles ne peuvent prendre aucune initiative en dehors du mandat qui leur est confié par les États. Mais les ONG n'ont pas ces contraintes. Elles sont libres. À quoi sert leur liberté, si elle ne leur permet pas d'aller au-delà, de faire des choses interdites ?

— À condition qu'elles le décident et que ceux qui sont sur le terrain acceptent le risque. Vous, vous n'avez parlé de rien. Vous avez mis vos explosifs dans nos camions et vous ne nous avez rien dit.

— Eh bien, maintenant, on vous le dit.

Maud haussa les épaules.

— C'est trop facile. Nous n'avons plus le choix.

— Peu importe, on vous le dit, renchérit Alex en la regardant dans les yeux. On vous dit : voilà ce qu'on a l'intention d'apporter. Et voilà pourquoi. La seule question, c'est : est-ce que ça vous paraît utile, oui ou non ?

Elle se releva en secouant la poussière qui était restée collée sur le fond de son jean.

C'était curieux : elle avait envie de rire. Cette histoire d'explosifs était le premier événement intéressant qui s'était produit depuis leur départ. Elle n'osait pas trop se l'avouer mais elle s'ennuyait dans ce convoi. À part l'excitation de conduire un camion, rien ne la faisait vibrer. La routine des journées et des nuits était sinistre, l'ambiance plombée, le paysage assez monotone. Sans le savoir, elle espérait un événement, n'importe lequel, pourvu qu'il fût inattendu. Et celui-là l'était au-delà de tout ce qu'elle aurait pu imaginer.

— C'est quoi, les risques, si on est découverts ?

— Pas grand-chose. Ils piqueront les camions et nous mettront au trou pour quelques jours. La France enverra un fonctionnaire, consul ou autre, et on nous libérera. Sinon, ça fera la une de tous les journaux télévisés du soir et les Serbes n'en ont pas envie.

Maud rit intérieurement, en imaginant sa mère, en larmes devant le petit écran. Quelle différence cela ferait ? Sa mère était de toute façon persuadée qu'elle était partie à la mort. Si sa fille avait *vraiment* des ennuis, elle ne s'inquiéterait pas plus qu'elle ne le faisait déjà. Au moins, elle aurait la satisfaction d'avoir eu raison.

— Pourtant, je t'ai observé aux check-points. Tu n'avais pas l'air si rassuré…

— Parce que vous n'étiez pas au courant. C'était ça que je craignais surtout. Si on est tous d'accord, il y a beaucoup moins de chances qu'ils découvrent quelque chose et si par hasard ils le font, on pourra s'entendre avant pour donner une explication. Ce n'est pas des trucs très impressionnants, ces petits explosifs. Si on ne tombe pas sur des spécialistes, on peut dire que ce sont, je ne sais pas, moi, des produits médicaux…

— Pourquoi ? À quoi ça ressemble ?

— Des bâtonnets enroulés dans du papier d'alu.

— Il y en a beaucoup ?

— Deux cents. Mais ils sont répartis dans plusieurs cartons.

— C'est vous qui les avez planqués avant le départ ?

— Marc, oui. Il s'est laissé enfermer un soir dans le garage de La Tête d'Or et il a ouvert certains emballages.

— Dans les deux camions ?

— Non, dans celui qu'on conduit.

Ils avaient marché assez lentement mais la conversation avait duré et ils arrivaient maintenant en vue de la carrière.

— Qu'est-ce qu'on fait ? demanda Alex.

La question s'adressait à Maud car lui n'avait guère de choix.

— Je ne sais pas, dit-elle en accélérant le pas.

Et vraiment, en étant tout à fait sincère, elle ne savait pas.

*

L'ambiance était tendue. Marc et Lionel étaient en train de resserrer les attaches de la bâche, à l'arrière du premier camion. Vauthier s'activait autour du réchaud avec l'air mauvais.

— Où étiez-vous passés, vous deux ? lança Lionel. Ce n'est pas le moment de démarrer une *love affair*.

Cette réflexion stupide eut le don d'énerver Maud. Puisqu'elle hésitait sur le parti à prendre, il fallait qu'un détail anodin fasse pencher la balance d'un côté. Elle eut vaguement conscience, tout en trouvant cela ridicule, que ces trois mots prononcés par Lionel sans y penser allaient peut-être décider de tout.

— On va attaquer le deuxième camion, reprit Lionel. Mais avant, on déjeune, comme ça on pourra repartir tout de suite après.

— Il est encore tôt pour manger, intervint Alex.

— Nous, on a bossé. On a faim.

Maud souleva le couvercle du fait-tout qui mijotait sur le feu. Une ratatouille sortie d'une boîte bouillait, et laissait surnager les saucisses que Vauthier y avait jetées. Ils se partagèrent des assiettes en plastique mal lavées, sur lesquelles collaient des restes de sauce de la veille. Maud servit tout le monde avec une louche en fer-blanc et ils allèrent s'asseoir par terre à distance les uns des autres. Rien qu'à l'idée que ce manège allait encore se reproduire des jours et des jours, avec cette tension dans l'air, ces antipathies inavouées que chaque geste trahissait, elle se prit à espérer que tout pète un bon coup et que les choses soient dites, même violemment.

Elle termina rapidement son assiette, l'essuya avec du pain et alla la porter dans la bassine de vaisselle.

— Il reste du café ?

C'était le point fort de Marc. Tous les matins, il en préparait deux litres qu'il versait dans des Thermos. Le peu de choses que Maud savait de lui, c'était qu'il était originaire du Nord et qu'il carburait toute la journée au café.

— Le grand en plastique est vide mais il y en a encore dans celui en inox, dit-il.

Maud se versa une tasse. C'était un jus à peine noir qui ressemblait à du thé et qui prenait le goût de tous les récipients dans lesquels on le conservait.

Les autres s'approchèrent pour se servir à leur tour.

— Vous avez trouvé quelque chose dans les cartons ? demanda-t-elle.

— Rien.

— C'est vraiment la peine de fouiller le deuxième bahut ?

— On a commencé, on finit, trancha Lionel.

Attirés par les odeurs de cuisine, deux corbeaux les observaient à distance. Maud remarqua que Marc regardait Alex. Elle eut l'impression que celui-ci haussait les sourcils, comme s'il avait voulu exprimer sa perplexité.

— Bon, on y retourne ? grogna Vauthier.

C'était lui le plus déterminé. Lionel, malgré ses grands airs, ne faisait que lui obéir. Influencée par les premières étapes, quand elle était encore dans le camion de tête, Maud considérait que Marc était le plus inquiétant de la bande, avec son air sombre et ses silences. Mais elle commençait à comprendre que la violence sourde qu'on sentait en permanence dans le groupe était plutôt le fait de Vauthier.

— Je finis ma clope et on y va, dit Lionel.

— Restez là !

Maud avait presque crié. Elle s'étonnait elle-même de sa réaction. Tous la regardèrent.

— Restez là, on va parler.

Ils hésitaient, se tenaient debout, leur quart à la main. Finalement, ils se rapprochèrent, et comme Maud s'asseyait par terre, ils firent de même l'un après l'autre.

— C'est inutile d'ouvrir les caisses, commença-t-elle.

Elle avait peur soudain, envie de faire marche arrière, de ne plus intervenir. Mais les regards étaient fixés sur elle. Elle se rappela tout à coup un souvenir d'enfance. Elle était à la piscine avec son frère. Ils plongeaient du bord et puis, à un moment, son frère l'avait mise au défi de sauter du grand plongeoir, celui de dix mètres. Les enfants n'avaient pas le droit d'y monter. Ils y avaient grimpé tous les deux. De là-haut, le bassin paraissait minuscule. C'était une piscine en plein air. Le soleil jouait sur l'eau, lançait des éclairs blancs. Son frère avait fait mine de s'avancer mais à peine parvenu au bord du plongeoir, il était revenu en courant, livide de terreur. Alors Maud avait approché à son tour. Elle était absolument paralysée par la panique et avait envie de déserter son propre corps. Quelqu'un, en bas, l'avait repérée et donnait l'alerte. Elle entendait des cris lointains mais un grand silence s'était fait en elle. Sa décision était prise : elle allait renoncer et redescendre avec son frère par l'escalier. Mais, à cet instant, elle avait vu les regards. Des dizaines de regards épouvantés étaient braqués sur elle. Plus de quinze ans avaient passé mais elle gardait la conviction que c'était à cause de ces regards qu'elle avait sauté. L'affaire avait beau s'être soldée par dix jours d'hôpital et une fracture cervicale qui aurait pu la laisser paralysée, elle ne se souvenait jamais de cet instant sans penser, avec une fierté secrète, qu'il avait décidé de toute sa vie.

— Je vais vous le dire, moi, ce que vous allez trouver, prononça-t-elle.

Vauthier, qui était resté à l'écart, s'approcha. Marc et Alex échangèrent de nouveau un coup d'œil. Lionel tirait nerveusement sur son mégot.

— Il y a des explosifs dans certaines caisses.

— Les salauds, j'en étais sûr ! cria Vauthier.

— Laisse-moi parler, tu veux ?

Ils étaient stupéfaits par l'annonce de Maud mais plus encore par l'autorité qui, tout à coup, émanait d'elle.

— Ce ne sont pas des explosifs militaires. Ce sont des petits pétards de chantier, pour extraire du charbon.

Bien clairement et sans être interrompue, elle expliqua tout : la mine, les pompes, les galeries qui seraient inondées d'eau. Et elle termina en donnant son opinion, qu'elle avait l'impression de découvrir elle-même en la formulant et qui, pourtant, reprenait les mots d'Alex :

— C'est sans doute le truc le plus utile dont ces gens aient besoin. Moi, je prends le risque.

Son discours se termina dans un silence lourd de menaces. Et, en effet, quand il prit fin, l'orage éclata.

— Des explosifs ! cria Vauthier. Tu veux qu'on transporte des explosifs ? Je rêve.

Il se leva brusquement.

— Je vais ouvrir ces caisses tout de suite, moi, et on va les laisser ici, leurs saloperies.

Il était hors de lui. On voyait qu'il avait envie de sauter à la gorge des deux militaires, mais c'était Marc qui semblait concentrer le plus sa haine.

Les corbeaux s'envolèrent en croassant, soulignant par contraste le silence épais qui régnait dans la carrière.

Il se passa alors quelque chose d'inattendu : Vauthier se rendit compte qu'il était seul.

Lionel, même s'il était sous son influence, était trop sensible aux rapports de force pour ne pas comprendre qu'il était en minorité. Maud et les deux militaires ne bougeaient pas. Il se dégageait d'eux une force en face de laquelle l'agitation de Vauthier ne pesait plus bien lourd.

— Essayons de réfléchir, dit finalement Lionel.

Maud comprit qu'elle avait gagné la partie.

C'était d'autant plus troublant qu'elle n'était pas sûre d'avoir raison. Elle avait sauté du plongeoir et, à l'arrivée, elle ne savait pas du tout quelles conséquences aurait cette chute dans l'inconnu.

*

La discussion, pour la forme, dura encore près de deux heures. Il s'agissait d'évacuer les objections, de peser les risques et de répartir les rôles. Mais chacun sentait de plus en plus nettement que la décision de principe était prise.

Alex était allé chercher dans ses affaires un paquet de bâtonnets explosifs qu'il avait gardé tout exprès pour montrer à quoi ça ressemblait. Et, en effet, il fallait s'y connaître pour savoir ce dont il s'agissait. On aurait dit un genre de massepain enrobé de papier brillant. À l'intérieur, cela avait la consistance de la bougie et on voyait dépasser une petite mèche torsadée. Alex suggéra de dire que c'était un cadeau pour une église de la région. Lionel reprit de l'assurance en déclarant doctement que, de toute façon, il n'avait jamais vu les miliciens ouvrir des caisses aux check-points. Il pouvait leur arriver d'en confisquer. Si on en laissait une ou deux ouvertes à l'arrière, ils se contenteraient de farfouiller dedans. Marc confirma que les bâtonnets étaient bien camouflés et qu'il faudrait vraiment passer la cargaison au peigne fin pour les trouver. Vauthier, un peu à l'écart, s'était mis à fumer. Plus personne ne faisait attention à lui. Les autres s'étaient attendus vaguement à ce qu'il déclare qu'il ne continuait pas et qu'il se débrouillerait pour rentrer par ses propres moyens mais il n'annonça rien de tel. Maud se demandait s'il était finalement aussi courageux qu'il s'en donnait l'air.

Il y eut beaucoup de questions sur les possibilités de mise à feu accidentelle des explosifs. Alex affirma d'abord que ce danger était inexistant. Mais Marc objecta qu'il fallait être honnête et qu'il y avait tout de même un risque. Il était limité mais pas nul : s'ils essuyaient des tirs, éventualité que personne ne souhaitait envisager, ou en cas d'incendie, il faudrait faire très attention. Curieusement, cette déclaration eut plutôt un effet apaisant. D'abord, elle montrait qu'il jouait franc jeu et cela renforçait la confiance. Ensuite, plus secrètement, il était probable que l'existence d'un danger, fût-il réduit, rendait la transgression encore plus excitante.

À la fin, quand les interrogations furent épuisées, il se fit comme une paix dans le groupe. Curieusement, la tension avait baissé et, si la crise s'était soldée par la mise à l'écart de Vauthier, elle avait plutôt rapproché les autres membres de l'équipe. Lionel affichait une sorte de contentement inattendu. Il avait adhéré plus facilement que Maud ne l'avait imaginé à l'explication humanitaire qu'elle avait donnée, à propos des explosifs.

Comme il était trop tard pour repartir, ils prolongèrent la conversation jusqu'au dîner. Lionel parla beaucoup. Ce qu'il dit révéla un peu mieux les raisons qui l'avaient poussé à prendre le risque de transporter ces produits interdits. Au fond, comme beaucoup de jeunes humanitaires, il nourrissait un complexe à l'égard des pionniers du mouvement. La geste héroïque du Biafra, les missions clandestines au Kurdistan, le périple des volontaires à travers les cols enneigés de l'Afghanistan occupé par les Russes pendant la guerre froide étaient devenus dans les ONG des sortes de légendes qui renvoyaient aux temps héroïques. Les plus jeunes avaient le regret d'arriver trop tard, à une époque où les missions étaient devenues moins aventureuses et plus organisées. Cette histoire de mines à sauver en emportant des explosifs fournissait une occasion unique de renouer avec la grande Histoire et de marcher sur les traces des fondateurs. En somme, c'est parce qu'il était un apparatchik de l'humanitaire, imprégné profondément par la culture de l'association qu'il servait, que Lionel acceptait si facilement d'en transgresser les règles.

Maud prépara le dîner sans même savoir si c'était son tour ce jour-là. Marc alla chercher une bouteille de vin blanc dans ses affaires. Il ne dit pas pour quelle occasion il la conservait. Tout le monde la but sans se poser la question. Tout le monde, sauf Vauthier qui fulminait toujours dans son coin.

II

ENGAGEMENT

1

Le petit matin fut toujours aussi pénible, un peu plus peut-être parce qu'ils s'étaient couchés tard et que le vin les avait échauffés. Mais le soleil était de nouveau là. Dès qu'ils quittèrent cette affreuse carrière, ce fut pour retrouver des bois roux et le vert cru des pâturages. On sentait que le beau temps ne durerait pas. D'épais nuages rampaient de l'ouest et n'allaient pas laisser longtemps sourire le ciel. Peu importait : c'était à ce moment qu'ils avaient besoin de gaieté et d'optimisme et ils en firent chacun provision.

Le mur qui isolait les deux anciens militaires du reste du groupe était tombé. Maud nota pendant le petit déjeuner que Marc et Lionel s'adressaient la parole, ce qui était inhabituel. Elle imagina que dans le camion de tête, Vauthier devait bouder à l'arrière sur sa couchette mais qu'entre les deux conducteurs la tension avait baissé. Alex était, lui aussi, de très bonne humeur. Il avait pris le premier tour au volant. Maud avait réussi à capter une station sur la vieille radio du camion. Une musique, venue d'on ne savait où, emplissait la cabine de mélodies sirupeuses qui convenaient assez bien à leur état d'esprit, à la fois serein et rigolard.

Rien, en apparence, n'avait changé. Ils conduisaient les mêmes bahuts déglingués, couverts des mêmes autocollants marqués au logo de La Tête d'Or. Pourtant, c'était comme si, soudain, cette mission était devenue la leur. Ils avaient décidé de son but et assumé ensemble un risque que personne ne leur avait imposé. Ils ne savaient pas plus qu'avant ce qui les attendait mais il leur semblait que, désormais, ils ne subiraient plus les événements de façon passive.

Maud, en particulier, était heureuse, grâce à ces discussions, d'avoir une vision plus précise de ceux qu'ils allaient secourir. Le fait de savoir que les « bénéficiaires » n'étaient pas seulement des bouches à nourrir, des ventres affamés, lui plaisait. Ils avaient des désirs d'êtres conscients, des projets pour leur avenir, la volonté de résister. En somme, ils étaient humains.

— À quoi elle ressemble, Bouba ?

Alex lui jeta un coup d'œil étonné. Lui aussi était sans doute en train de penser à ceux de là-bas.

— Bouba ? Elle est grande. Pour te dire la vérité, quand je l'ai rencontrée, je lui ai donné beaucoup plus que son âge. J'ai cru qu'elle avait au moins vingt-cinq ou vingt-six ans.

— Elle est blonde, brune ?

Il fouilla dans sa poche revolver et en tira un portefeuille. Maud tint le volant de la main gauche pendant qu'il l'ouvrait et en sortait une photo. C'était un mauvais cliché aux bords cornés. Un trait de soleil voilait toute une partie de l'image. On voyait au centre une fille avec un long visage qui n'était pas sans rappeler, en beaucoup plus jeune, celui de la grande paysanne qui les avait accueillis dans sa maison. Elle aussi avait les cheveux courts, châtains, mal coupés, et ses vêtements étaient grossiers, chemise en nylon bon marché, pantalon de toile trop large. Mais elle avait remonté les manches, laissé son col largement ouvert et prenait une pose assez gracieuse. Elle souriait avec un air de défi qui semblait dire : tout cela n'a pas d'importance. À gauche sur le cliché, on apercevait une porte épaisse aux angles arrondis, en métal noir.

— C'est ça, le four ?

— Oui.

— Où est-ce qu'elle vivait avant la guerre ?

— En ville. Son père était ingénieur.

— Elle est musulmane ?

— Pour les Serbes et les Croates, oui. Mais elle ne s'en est pas rendu compte avant.

— Comment est-ce possible ?

— Les gens des villes sont souvent très mélangés. Sa mère est de Sarajevo. C'est la fille d'un musulman et d'une Croate. Du côté du père, il y a un peu de tout, même des Albanais. Sous Tito, personne ne leur avait demandé de choisir. Ils étaient yougoslaves et ça suffisait. Au début de la guerre, ils avaient un voisin qui les détestait pour une sombre histoire de grange mitoyenne. Le voisin s'est engagé chez les Oustachi, les nationalistes croates. Dès que les combats ont commencé, il les a désignés comme des métèques. Leur maison a été une des premières à brûler.

— Et le voisin a récupéré la grange ?

— J'imagine. En tout cas, ils ont dû s'enfuir en pleine nuit. Le seul endroit où ils ont pu s'abriter, c'était la mine. Je pense que les autres auraient fini par leur faire la peau, si les Casques bleus n'étaient pas arrivés.

— Où est-ce que vous vous voyiez, Bouba et toi ?

— On se promenait ensemble dans l'usine. Je t'ai dit que je n'avais pas le droit de la faire entrer dans les bâtiments militaires, et devant sa famille, il fallait bien se tenir. Alors, on allait se balader. Même ça, c'était dangereux. Si on passait trop près des barbelés qui entourent la zone, il y avait des jeunes, de l'autre côté, qui lui criaient des insultes.

— Tu connais d'autres Casques bleus qui ont eu des histoires comme ça ?

— Pas à Kakanj. La plupart, ce sont des sapeurs du génie bien rustiques, tu sais, les gars qui défilent le 14 Juillet avec le tablier de cuir et la masse sur l'épaule. Eux, ce qu'ils veulent, c'est des putes. Ils attendent les permissions pour aller s'en taper à Split.

— Marc aussi ?

— Non, justement. Il m'a même défendu contre les autres qui me traitaient de lopette.

Alex eut un long rire triste. Le silence s'installa. Maud se décida à le rompre car elle sentait qu'Alex était en train de glisser doucement vers une mélancolie douloureuse.

— Qu'est-ce que tu comptes faire plus tard avec Bouba ?

Alex mit un temps à répondre. Il y avait un grand trou dans la route, un énorme nid-de-poule plein de boue. Il manœuvra la direction pour le contourner.

— Je veux vivre là-bas avec elle, dit-il sans regarder Maud.

Ils restèrent silencieux après cet aveu. C'était la première fois, sans doute, que Maud observait l'amour d'aussi près, un amour qui faisait prendre des risques, traverser les mondes, oublier sa propre personne. C'était à cet amour-là qu'elle avait cru longtemps. Elle avait fini par penser qu'il n'existait pas.

*

Après le déjeuner, ils avaient repris la route sous un ciel gris et bas. Avec la disparition du soleil, le froid était revenu. Le bref intermède de joie qui avait suivi la crise de la veille était bel et bien terminé. L'idée du danger était de nouveau dans tous les esprits mais un danger extérieur auquel ils allaient cette fois faire face ensemble et en toute connaissance de cause.

Ils avaient rattrapé un long convoi de l'ONU et ils suivaient les semi-remorques blancs, flambant neufs. Il était un peu plus de quatorze heures quand les véhicules de l'ONU s'arrêtèrent pour accomplir les formalités d'entrée en Republika Serpska. Des militaires serbes inspectaient les camions. Ils portaient des uniformes complets et des armes en bon état. Le point de contrôle ressemblait plus nettement à une frontière digne de ce nom. C'était certes une frontière en guerre, avec de vieux blindés soviétiques en position de tir et des casemates d'où sortaient des tubes de mitrailleuses. Mais tout était organisé, discipliné. C'était plus sérieux mais aussi plus rassurant car on n'avait pas à craindre le coup de tête d'un milicien apeuré, livré à lui-même et susceptible de réactions irrationnelles.

L'essentiel était d'ordre administratif : il s'agissait de produire des documents en règle et les leurs l'étaient.

Le convoi de l'ONU fut autorisé à passer. Lionel avança le camion jusqu'à barrière. Car la route était barrée par une vraie barrière métallique, peinte en rouge et blanc, et pas seulement par une chicane ou même une simple corde tendue d'un côté à l'autre, comme on en voyait dans les petits postes de campagne.

Le soldat qui avait pris les documents entra dans une maison dont le toit avait brûlé et où avait été aménagé un bureau au rez-de-chaussée.

Ils attendirent qu'il ressorte en bavardant tous ensemble, sauf Vauthier, qui fumait un peu à l'écart. C'était une atmosphère bizarre. Ils risquaient plus gros et le savaient mais la peur avait disparu. C'était peut-être dû au barrage lui-même qui était calme, aux militaires qui opéraient ces contrôles avec professionnalisme et exécutaient cette tâche d'un air morne et sans aucune agressivité. Mais Maud avait un autre sentiment et elle aurait juré que les autres le partageaient : elle se sentait forte. Elle avait l'impression d'avoir trouvé sa place dans cette guerre et d'y faire quelque chose de risqué mais qui avait un sens.

Lorsqu'elle était enfant, elle passait presque tous les mois de juillet chez sa grand-mère, dans le Berry. Elle l'avait souvent fait parler de la ligne de démarcation qui coupait la campagne à moins de trois kilomètres pendant la guerre. Sa grand-mère avait à peu près son âge à l'époque de la guerre et, d'après les photos qu'elle lui avait montrées, elle lui ressemblait. Elle traversait la ligne presque chaque jour à vélo, pour aller suivre des cours de couture à Bourges. La Résistance lui confiait souvent des messages. On l'avait décorée pour cela à la Libération. Maud ne s'intéressait pas du tout aux détails du réseau de résistance, aux questions politiques, aux développements du conflit. Ce qu'elle voulait savoir, c'était ce que sa grand-mère pouvait bien ressentir au moment d'approcher des soldats et quand elle mettait pied à terre pour présenter ses papiers. La vieille femme était assez embarrassée par cette question. Elle cherchait dans ses souvenirs et répondait : « Rien. » Maintenant, Maud comprenait.

Elle aussi, si on lui avait demandé ce qu'elle ressentait à cet instant, elle aurait dit : « Rien. » Car la peur l'avait quittée. Elle l'avait éprouvée pendant ces derniers jours et voilà que, maintenant, elle la cherchait et n'en trouvait plus aucune trace en elle. Son esprit et son corps étaient calmes. Son cœur ne battait pas plus vite, elle n'avait pas les mains moites, ne ressentait aucune impatience, aucune tension. Tout au plus avait-elle l'impression que les couleurs étaient plus vives, même le kaki des blindages ou le noir brillant des armes bien graissées. Et les sons semblaient venir de plus loin, comme ces pépiements d'oiseaux qui lui parvenaient d'un orme un peu déplumé qui se dressait à une centaine de mètres, en bordure de la route. Elle s'éprouvait elle-même en se disant : je suis en train de faire passer des explosifs dans une zone de guerre. Mais cette idée était loin d'éveiller en elle une quelconque panique. Évidemment, ce n'était pas de véritables explosifs et le risque était somme toute limité. Tout de même, c'était un pas hors de la bonne conscience humanitaire, un acte qui s'apparentait à un début de résistance. Et elle en était fière.

Le militaire ressortit bientôt avec les papiers dûment tamponnés. Ils grimpèrent dans les cabines et repartirent.

Le soir, au camp, Lionel donna la preuve qu'il avait lui aussi changé. Il étendit la carte qu'il tenait d'habitude jalousement pliée dans la portière de son camion et expliqua ce qu'il savait des prochains barrages. Il alla même jusqu'à demander son avis à l'équipe à propos de la route à suivre. Cette conversion soudaine à la démocratie ne pouvait avoir qu'une origine : le convoi avait, pour lui, changé de nature. Il n'était plus l'objet docile d'une organisation, dont il était le représentant, ce qui le mettait dans l'obligation de décider seul et d'imposer ses vues. C'était du moins ce qu'il croyait car c'était ainsi sans doute qu'avait procédé le chef du convoi auquel il avait pris part comme simple chauffeur la première fois. Désormais, cette expédition, par la nature particulière de son chargement, devenait l'affaire d'une équipe et ils devaient la diriger ensemble. Lionel n'avait jamais été très à l'aise dans le rôle du chef. Il l'avait rempli avec une brutalité qui était la conséquence de cette incertitude. L'affaire des explosifs, même s'il était loin de l'avoir désirée, lui fournissait un prétexte inespéré pour partager le poids de ses responsabilités.

— À partir d'ici, expliqua-t-il, la situation va évoluer tous les jours. On a encore trente kilomètres tranquilles, dans l'enclave serbe, mais ensuite, on va tomber sur des poches croates et musulmanes, et ça changera sans arrêt. C'est une vraie peau de léopard, la Bosnie centrale.

— Il y a des combats ? demanda Maud.

— Tout le temps. Mais des petits. Les zones ethniques sont entremêlées. Un jour, ils avancent de trois maisons, ils prennent un champ, quelquefois un village entier. Et puis le lendemain, les autres reviennent.

Marc ne restait plus en retrait. Il avait quitté son air menaçant depuis que Lionel avait accepté la discussion et surtout depuis que Vauthier n'était plus dans les parages.

— Est-ce que tu pourrais nous montrer l'itinéraire complet que tu as l'intention de nous faire suivre ?

Lionel étala les mains sur la carte pour effacer les plis puis suivit avec le doigt un petit ruban gris.

— Voilà notre route.

— C'est un axe secondaire, intervint Maud. Pourquoi est-ce qu'on n'a pas suivi la grande route qui longe la rivière jusqu'à Tuzla ?

— Bonne question, confirma Marc calmement. Et, à vrai dire, Lionel, il y a longtemps qu'on a envie de te la poser. Quand on t'a vu t'engager vers le sud avant Bihać, on n'a pas compris.

— Pour Kakanj, c'est le chemin le plus direct, non ?

— En effet, pour être direct, il est direct ! Malheureusement, il manque quelque chose sur ta carte.

— Quoi ?

— Le relief, pardi. Pourquoi est-ce que tu crois qu'on n'a rencontré presque personne depuis qu'on roule sur cette route ?

— On a suivi un convoi de l'ONU tout à l'heure.

— Si on était restés sur la route principale, ce n'est pas un malheureux convoi qu'on aurait suivi, c'est cent cinquante.

Lionel fumait nerveusement.

— Vous n'aviez qu'à le dire avant, si vous n'étiez pas d'accord.

Marc ne releva pas la mauvaise foi de cette réponse. Il était évident qu'avant, ils n'avaient pas voix au chapitre.

— On a pensé que tu avais tes raisons, dit-il.

— Remarque que ça ne nous dérange pas de passer par ici, il y a moins de contrôles que sur la grande route, ajouta Alex.

— Vous devriez le remercier, alors ? ricana Vauthier.

Ils sursautèrent. Personne ne l'avait entendu approcher. Tout le monde croyait qu'il était encore près des camions.

Marc se retourna vivement et fixa Vauthier. Son regard était provocant ; il exprimait le défi, le désir de se battre, le mépris. Jusque-là, la haine n'avait été le fait que de Vauthier, et Marc, qui avait bien perçu cette antipathie, s'était gardé d'y répondre. Mais depuis que le mécano les avait dénoncés, Marc ne cherchait plus à dissimuler ses sentiments vis-à-vis de Vauthier. Maud était fascinée par la rapidité avec laquelle Marc était capable de changer de registre. Devant un adversaire, il révélait une force presque animale. Ses traits, mâchoires serrées, prenaient un aspect cruel. Mais, peut-être parce qu'elle lui connaissait maintenant un autre visage, elle trouvait un certain charme à sa violence.

Quoi qu'il en soit, l'arrivée de Vauthier avait mis fin à la discussion.

— On verra ça demain, dit Lionel.

Il replia la carte et ils se dispersèrent, comme d'habitude, pour la nuit.

*

La traversée du territoire serbe fut sans problème, comme l'avait prédit Marc. Ils rencontrèrent peu de convois et, dans les villages, trouvèrent toujours des produits à acheter. Il y avait eu assez peu de destructions dans la zone. Les campagnes vivaient leur vie habituelle, rythmée par les travaux agricoles. Leur dernier jour dans ce secteur était un dimanche. Les églises orthodoxes, avec leurs murs en briques et les bulbes sur les clochers, attiraient des foules de fidèles qui venaient en tracteur, en carriole, à pied, à dos de mulet. Camions et voitures semblaient avoir disparu, sans doute réquisitionnés pour les besoins de la guerre, à moins qu'il n'y en eût jamais eu.

À la tombée de la nuit, ils quittèrent la Republika Serpska, en passant un contrôle très semblable à celui de l'entrée, mais moins encombré de véhicules militaires. En face, après un no man's land, ils découvrirent une minuscule enclave agricole. Ils ne comprirent pas tout de suite à quel groupe elle appartenait avant d'apercevoir, à la sortie du village, les deux minarets ottomans d'une mosquée. Les paysans avaient exactement la même apparence qu'en zone serbe. Pour Maud, ce n'était pas la moindre bizarrerie de cette guerre que d'opposer des gens qui parlaient la même langue, habitaient la même terre et adoptaient au quotidien les mêmes usages.

Dans le camion de tête, il y eut une courte discussion pour savoir s'il valait mieux s'arrêter là pour la nuit ou continuer. Les ombres commençaient à s'allonger. Dans moins d'une heure, l'obscurité serait complète. Marc proposait de monter le camp tout de suite.

— Demain, on sera chez les Croates, objecta Lionel. S'ils se doutent qu'on a passé la nuit ici, ils risquent de nous fouiller de fond en comble.

— Qu'est-ce que ça change ?

— Ils sont de plus en plus paranos dans ces coins. Et la réputation des Français est de soutenir les musulmans. Ils ne croiront jamais qu'on s'est arrêtés sans raison. Ils craignent toujours qu'on cache des types qui veulent sortir de la zone.

— Mais si on essaie de passer de nuit, ça va leur sembler encore plus suspect.

— Ça se fait souvent et si on se dépêche, il fera encore jour.

Lionel n'en démordait pas. Finalement, Marc céda ; ils décidèrent de continuer.

D'après les indications d'un paysan, il leur fallait quitter la petite vallée et passer le col qu'on apercevait au-dessus, pour trouver le check-point croate. Pourtant, parvenus en haut de la côte, ils ne virent rien qui ressemblait à un barrage. L'enclave devait être plus grande que prévue. La nuit tomba, sans lune. Les phares des camions, couverts de boue, éclairaient mal. Il fallait rouler lentement. Ils s'engagèrent dans la descente. Cent mètres plus loin à peine, ils essuyèrent les premiers tirs. Maud n'avait jamais entendu de coup de feu, si ce n'est au fond des bois de sapins dans les Alpes, pendant la saison de chasse. Elle ne fit pas tout de suite la relation entre les claquements qu'elle percevait au loin et les sifflements qui lui parvenaient autour de la cabine. Elle comprit en entendant une détonation plus forte qui était, en fait, le bruit d'un pneu éclaté.

Alex, lui, savait de quoi il s'agissait. Il ouvrit sa

portière et la tira par le bras. Elle se retrouva allongée sur la terre humide, dans le creux d'un fossé.

Quand la fusillade cessa, elle entendit Lionel qui criait « *Pomoć* ». Marc, qui avait un peu plus de vocabulaire, expliqua quelque chose d'une voix forte. Il se fit un long silence que troublait seulement le petit bruit d'un liquide qui s'écoulait quelque part. Puis ils entendirent des pas sur la route et comprirent que des miliciens approchaient. Ils distinguèrent d'abord leurs bottes sous le camion puis les virent apparaître au-dessus d'eux, l'arme pointée dans leur direction.

Ils se relevèrent avec des gestes lents, et se retrouvèrent tous alignés au milieu de la route, les mains sur la tête. Le faisceau d'une lampe torche les éclaira tour à tour en plein visage. On entendait toujours, du côté des camions, comme un petit ruissellement.

— Le fuel ! murmura Alex.

Un baril cylindrique était arrimé au châssis de chacun des camions, pour transporter une réserve de gasoil. Une balle avait dû transpercer un de ces réservoirs de secours. Mais lequel ? Dans l'obscurité, il était impossible de distinguer si la fuite était située sous le premier camion ou sous celui qui contenait les explosifs.

La patrouille qui les avait arrêtés était composée de trois hommes. Peut-être y en avait-il d'autres aux alentours mais ils ne les voyaient pas. Les miliciens les tenaient en joue sans bouger. Ils semblaient attendre quelque chose ou quelqu'un.

2

Les yeux commençaient à s'habituer à l'obscurité. Les miliciens étaient trois jeunes garçons apeurés, coiffés de bonnets de laine noirs, dont les bords étaient roulés. Ils avaient le doigt sur la détente de leurs armes, des pistolets-mitrailleurs qui pouvaient lâcher une dizaine de coups à la moindre pression. Le fuel coulait toujours et la flaque, sur le sol, devait être assez considérable car le filet de carburant, en tombant, rendait maintenant un son liquide.

Enfin, ils perçurent des pas sur la route. Quelqu'un approchait lentement, en faisant résonner sur le bitume la semelle ferrée de ses bottes. Les miliciens s'écartèrent sans baisser leurs armes et un nouveau personnage se planta devant les cinq étrangers. Pour autant qu'ils pussent distinguer ses traits dans l'obscurité, il leur sembla que c'était un homme très âgé, presque un vieillard. Il avait le crâne dégarni, entouré d'une couronne de cheveux blancs, et son visage était profondément ridé. Cependant, il se tenait bien droit et une impression de force et d'autorité se dégageait de lui. C'était sans doute un de ces militaires à la retraite à qui les Croates, pauvres en hommes d'expérience, avaient fait reprendre du service, pour encadrer l'armée de fortune qu'ils avaient improvisée au début de la guerre. En tout cas, à cet endroit et à cet instant, il était le chef. S'ils pouvaient espérer quelque chose, c'était de lui seul.

Il posa une question aux gamins qui tenaient les armes et l'un d'entre eux répondit quelques mots. C'est alors que Marc intervint. Il prononça une longue phrase, d'une voix calme. Maud, qui avait fait deux ans de russe au lycée sans être capable de le parler, reconnut cette langue.

L'homme s'avança et se planta devant Marc. Il y eut un instant d'incertitude. Il avait sur le visage une expression hostile, presque outragée. Maud eut l'impression qu'il allait frapper. Marc était debout, immobile, les yeux fixés droit devant lui, sans insolence cette fois.

Finalement, l'homme parla. Il demanda à Marc s'il était russe et quand il eut répondu qu'il était français, il rit et la tension retomba. La plupart des gradés de l'armée yougoslave, surtout les générations qui avaient connu la guerre, avaient été formés en Union soviétique. La parenté des deux langues slaves leur avait permis facilement d'apprendre le russe. Une conversation s'engagea car Marc le parlait aussi très couramment.

Il ne se relâchait pas pour autant et gardait docilement les mains sur la tête.

Ses explications parurent satisfaire l'officier car il ordonna à ses hommes de baisser leurs armes. Il sortit une cigarette de la poche de sa veste et l'alluma. Il allait jeter l'allumette par terre quand Marc lui fit remarquer qu'il pataugeait dans le gasoil. La flaque s'était étendue et elle suivait la pente de la route, arrivait jusqu'à eux. Le vieil homme eut un mouvement de recul. Un milicien éclaira le liquide avec sa torche et remonta jusqu'à la fuite. Le trou était situé assez haut dans le réservoir, si bien que l'écoulement était maintenant ralenti. Marc demanda l'autorisation de colmater l'orifice et l'officier la lui donna sans difficulté.

— Vauthier va nous faire ça en deux minutes, dit Marc.

Le mécano était en rage mais compte tenu des circonstances, il fut bien obligé d'obéir à Marc. Le vieux militaire dit une phrase en russe.

— Il veut que je l'accompagne pour vérifier nos papiers, traduisit Marc.

Lionel alla les chercher dans le camion. Il les remit à Marc qui suivit l'officier et disparut avec lui dans l'obscurité.

Pendant ce temps-là, toujours surveillés par les miliciens, les autres sortirent la roue de secours et le cric, et commencèrent à changer la roue. Le camion, arrêté brutalement, était en travers de la route, deux roues à moitié dans le fossé, ce qui compliquait la manœuvre de levage. L'opération risquait de prendre du temps. Maud attendait, assise sur le talus. Elle avait proposé de participer au dépannage mais ils lui avaient sèchement répondu qu'ils n'avaient pas besoin d'elle. Comme Marc ne revenait toujours pas, elle commença à s'impatienter.

— Je vais voir ce qu'il fait, dit-elle à Lionel. Ça ne devrait pas prendre des heures de contrôler des papiers.

Elle expliqua par gestes aux soldats qu'elle voulait rejoindre l'officier. Ils se concertèrent et désignèrent l'un d'entre eux pour l'accompagner. Ils n'avaient qu'une seule torche et ils la gardèrent. Maud et son ange gardien marchèrent côte à côte dans l'obscurité. Le garçon sentait la sueur, et les fossés exhalaient une odeur de boue végétale. Ils remontèrent presque jusqu'au petit col. Le point de contrôle était surtout un poste de combat, camouflé par les sapins qui couvraient la crête. C'était un bâtiment assez long en pierres sèches, sans doute une ancienne bergerie. Il était entièrement obscur mais, alors que Maud et le jeune milicien s'approchaient, un rai de lumière apparut sous une porte. Le soldat frappa trois coups et une voix lui cria d'entrer.

L'intérieur du poste était éclairé par une lampe à pétrole. L'ameublement était assez saugrenu. Un canapé moderne, type années soixante, était posé devant une table basse en verre, de forme vaguement ovale. Deux fauteuils capitonnés qui s'inspiraient du style Louis XV lui faisaient face. Autour de ce mobilier plutôt urbain, sans doute hérité du pillage d'une maison des environs, on distinguait, accrochés aux murs de pierre, des râteliers encore remplis de foin. Marc et le vieil officier, confortablement assis, étaient en grande discussion devant une bouteille de slivovitch.

— C'est toi ? dit Marc. Entre. Ils ont fini de changer la roue ?

— Pas encore.

— Alors, assieds-toi avec nous en attendant.

Il traduisit sa proposition. Le militaire opina, se leva et installa Maud avec des mimiques de galanterie qui eurent le don de l'énerver.

— Il paraît qu'avant-hier encore, il y a eu un gros accrochage ici pendant la nuit. On l'a échappé belle parce que, quand ils nous ont vus arriver, ils ont cru que ça recommençait. Notre chance, c'est que leur mitrailleuse s'est enrayée.

Marc rit et l'officier, qui avait l'air passablement éméché, se crut obligé de faire de même. Il lui manquait une dent sur le devant.

— Vaut peut-être mieux pas aller plus loin cette nuit, dit Maud sur un ton sérieux.

Le vieux soldat la regardait avec un air égrillard qui ne lui disait rien de bon.

— C'est de ça qu'il me parlait justement. Il y a un terre-plein devant le poste. Il dit qu'on peut se mettre là pour dormir.

— Je vais prévenir les autres.

— Attention, il va se vexer si tu ne goûtes pas sa prune.

Le Croate tendait à Maud un verre ébréché qu'il avait rempli presque à ras bord d'un liquide jaune paille. Elle le prit et s'assit sur un des fauteuils. Il était complètement défoncé et elle eut l'impression de tomber en arrière. Elle se retrouvait avec les genoux à la hauteur du menton.

Les deux hommes s'étaient remis à discuter. Le milicien qui avait amené Maud s'était assis sur le rebord d'une fenêtre et fumait. C'était un tout jeune garçon. Elle lui donnait quinze ans à peine. Il avait ôté son bonnet. Ses cheveux noirs bouclés étaient plantés bas sur le front. Il la regardait par en dessous. L'officier ne cessait pas non plus de jeter des coups d'œil vers elle, avec cette lueur salace dans les prunelles qu'elle avait remarquée dès son arrivée. Marc, lui, était très à l'aise. Il discutait tranquillement et semblait manifester aux miliciens une réelle sympathie.

Maud but quelques gorgées d'alcool, en s'efforçant de ne pas tousser car elle voyait que les militaires guettaient sa réaction et n'attendaient que cela pour éclater de rire. Quand ils virent qu'elle réussissait à avaler leur tord-boyaux sans rien laisser paraître, ils eurent l'air un peu déçus et l'officier reprit la conversation en russe.

L'alcool était passé mais il lui tournait la tête car elle était à jeun. Elle entendait les mots sans les comprendre. Bientôt elle contempla la scène dans un état second. Pour éviter de regarder l'officier, elle fixait les yeux sur Marc. Elle était envahie de sentiments contradictoires à son égard. D'un côté, sa dureté, la maîtrise de lui-même qu'il gardait toujours, sa violence contenue décourageaient la sympathie. En même temps, il rassurait. Dans l'univers dangereux où ils étaient désormais immergés, il était le seul qui inspirât naturellement la confiance et laissait espérer qu'ils avaient une chance d'arriver à bon port. C'était vraiment un être singulier. Maud se souvenait de ce qu'Alex lui avait dit à propos de sa générosité. C'est une qualité qu'elle associait d'ordinaire à une certaine douceur, or il semblait en être tout à fait dépourvu. D'où lui venait ce physique tout en muscles, cette dureté de manières, ces habitudes spartiates ? Les avait-il cultivées ou lui avaient-elles été imposées par la vie ? Pourquoi était-il devenu militaire ? Par idéal, par obligation, malgré lui ? Elle avait l'impression qu'il était à la fois un soldat, qu'il en avait les habitudes, les apparences, les idées mais qu'il n'en avait pas l'âme.

Ces idées se succédaient dans sa tête mais elle se rendait compte qu'elle était incapable de les diriger. Le fait qu'on parle une langue étrangère autour d'elle lui permettait de s'attacher plutôt aux gestes, aux mimiques. Elle observait celles de Marc et essayait d'imaginer l'enfant qu'il avait pu être. Elle cherchait ce qui, en lui, pouvait provenir d'un père et d'une mère. Elle s'interrogeait sur l'origine de ces cheveux très noirs et de cette peau légèrement basanée. Elle le projetait sur des paysages d'Afrique du Nord, du Moyen-Orient, de Grèce, d'Amérique latine, et s'efforçait de deviner quel décor lui aurait été le plus naturel. Bientôt, elle divaguait tout à fait. Elle se demandait s'il aurait plongé avec elle d'une hauteur de quinze mètres...

Soudain, elle sursauta. Elle sentait qu'on lui secouait l'épaule. Et, en s'éveillant, elle se rendit compte que l'alcool l'avait assommée.

Heureusement, ils sortirent presque aussitôt pour aller rejoindre les autres et elle n'eut pas à supporter longtemps les sourires ironiques des deux miliciens.

*

La roue était réparée et Vauthier grommelait en remettant le cric sous le châssis. Les deux autres inspectaient les camions et faisaient le bilan des dégâts. Une balle avait transpercé la bâche du premier camion et le second en avait reçu une à l'avant. Elle avait ricoché sur le capot du moteur et n'avait heureusement causé aucun dommage.

Pourtant, l'ambiance avait changé. L'éventualité que le chargement soit touché par des tirs n'avait pas été prise très au sérieux quand Marc l'avait évoquée. Désormais, il fallait se rendre à l'évidence : ce n'était pas une hypothèse improbable et ils en avaient la preuve. Que se serait-il passé si les explosifs avaient été atteints ? Et si le gasoil s'était enflammé sous le chargement ? Personne ne disait rien mais tous y pensaient. La légèreté faisait place à l'angoisse.

— On va dormir ici, annonça Marc. Ce n'est pas la peine de prendre de nouveaux risques cette nuit.

Lionel lui jeta un coup d'œil mauvais.

— Il y a un endroit pour planter les tentes ?

— Un peu plus haut, devant leur cantonnement.

On laisse les camions ici ; ils sont bien. Autant éviter de faire une marche arrière dans le noir et d'en mettre un dans le fossé.

— OK.

L'air frais avait dessaoulé Maud et, soudain, elle paniqua. Elle saisit Lionel par le bras et l'entraîna à l'écart.

— Rassure-moi : je ne vais pas dormir dans la cabine ?

— Qu'est-ce que tu crains ?

— Tu n'as pas vu la gueule de ces types et la façon qu'ils ont de me regarder ?

— T'en fais pas. On est là.

— Là où ? À deux cents mètres ?

— Si tu nous appelles…

— Si je vous appelle quand ils seront passés sur moi les uns après les autres ? Merci ! Je suis vraiment rassurée.

Marc et Alex étaient déjà partis vers le camp, leur sac sur le dos et les bras chargés par la tente et les duvets. Vauthier les suivait à distance.

— Qu'est-ce que tu proposes ? Il n'y a que deux places dans les tentes.

— Je vais dormir avec Alex et toi, tu t'installes ici.

— Tu vas dormir avec Alex !

La réaction de Lionel était d'une violence inattendue. Évidemment, il ne pouvait pas savoir qu'Alex était amoureux d'une autre et qu'il ne pensait qu'à elle. Maud se dit qu'elle devait le lui expliquer. Mais elle n'en fit rien. Alex n'avait certainement pas envie que tout le monde soit au courant de sa vie. Et puis, ce n'était vraiment pas le moment de se lancer dans des confidences sentimentales.

— Il ne me fera pas de mal, dit-elle. On se connaît.

Lionel hésita. Voulait-il refuser ou proposer plutôt qu'elle dorme avec lui ? Elle avait un regard dur et il craignait ses réactions, dans une hypothèse comme dans l'autre.

— Fais ce que tu veux.

— Merci.

Maud avait peur, simplement peur, et ce qui lui importait, c'était d'être à l'abri pour cette nuit. Elle grimpa dans la cabine, ramassa ses affaires dans le noir, au petit bonheur, puis s'éloigna vers les casemates, sans se retourner.

Lionel s'assit sur le marchepied du camion, se passa la main dans les cheveux et secoua la tête. Il n'y avait qu'une seule chose à faire : s'en rouler un gros.

*

Maud avait discuté longtemps dans la tente avec Alex car aucun des deux ne trouvait le sommeil.

Il lui avait expliqué qu'à Kakanj, Marc fréquentait beaucoup les soldats croates qui contrôlaient l'enclave.

— C'est-à-dire les mêmes qui veulent faire la peau à Bouba et à sa famille ?

— C'est comme ça, cette guerre. On ne comprend pas tout.

— Et pourtant, vous êtes amis tous les deux ?

— Marc n'a pas de préjugés. Sous ses airs sauvages, il s'entend facilement avec tout le monde. C'est-à-dire qu'il inspire la confiance, le respect. À Kakanj, il était autant à l'aise avec les réfugiés qu'avec ceux qui les retiennent prisonniers. Et il sait très bien que je suis amoureux d'une fille qui vit dans les fours.

— Et toi, ça ne te gêne pas ?

Alex avait réfléchi longuement avant de répondre.

— Tu sais, il se comporte juste comme les gens de ce pays le faisaient eux-mêmes avant la guerre. Ils vivaient ensemble, se mariaient ensemble, allaient à l'école ensemble.

— Oui, mais depuis, il y a eu l'épuration ethnique, les massacres. On ne peut pas faire comme s'il ne s'était rien passé. On n'est pas au pays des Bisounours.

Alex partit d'un grand éclat de rire.

— Ce n'est pas le genre de Marc du tout ! Au contraire, il est très engagé.

— Engagé pour qui ?

— Tu lui en parleras, si tu veux. Il te le dira, je pense.

Alex n'avait pas envie d'en révéler plus, à l'évidence. Maud n'avait pas insisté. Ces bribes d'informations lui avaient seulement permis de comprendre pourquoi Marc avait été si bien accueilli par l'officier du poste. Il avait dû lui parler de ses amitiés croates et peut-être avaient-ils même des connaissances communes.

Grâce à cela, pour une fois, ils prirent leur petit déjeuner dans une maison, à l'abri du froid. Mais ce fut plutôt pire que d'habitude. L'officier croate leur fit servir du café mais insista pour qu'ils l'accompagnent de grandes rasades de slivovitch. À la lumière du jour, le décor du poste de garde avait perdu le peu de romantisme que lui donnait la veille au soir l'éclairage à pétrole. C'était un trou sordide et puant. Le canapé comme les fauteuils étaient maculés de taches. Aux murs, sous les râteliers pleins de foin, un portrait de Jean-Paul II était affiché en face de posters représentant des femmes nues, constellés de chiures de mouches.

L'officier croate semblait apprécier leur compagnie. Il leur avait donné des indications assez précises sur la région. Surtout, il avait laissé entendre qu'une offensive se préparait autour du prochain poste de contrôle et qu'ils avaient intérêt à contourner la zone, en suivant un chemin forestier qui partait sur la droite.

Maud avait refusé courageusement la deuxième tournée d'eau-de-vie mais les autres durent s'exécuter. Marc et Alex avaient apparemment acquis pendant leur séjour une résistance remarquable à ce breuvage. Ils avaient surtout l'habileté de manger les tranches de lard gras qui leur étaient proposées en même temps. Lionel et Vauthier, à qui cette charcuterie rance soulevait le cœur, burent à jeun. Le regard de Lionel était de plus en plus noir. Il jetait des coups d'œil vers Maud et Alex avec une expression mauvaise. Ce qu'elle avait senti la veille sans y croire tout à fait se confirmait le matin : il avait été mortifié qu'elle aille dormir avec Alex. Jamais elle n'aurait pu imaginer qu'il serait jaloux. Mais il fallait se rendre à l'évidence : il était profondément blessé.

Quant à Vauthier, il semblait se tasser sous l'effet de l'alcool. L'ivresse comprimait sa violence comme un gaz sous pression. On le sentait sur le point d'exploser. L'énergie mauvaise qu'il avait emmagasinée risquait de donner à cette explosion une ampleur terrible.

Quand ils quittèrent finalement leurs hôtes, chacun était enfermé dans ses pensées et, pour plusieurs d'entre eux, elles étaient visiblement sombres. Tout le monde pressentait que quelque chose de grave allait se produire mais personne ne savait quelle forme prendrait la crise.

3

Le chemin qu'avait conseillé l'officier était une vieille route, étroite et mal goudronnée. Elle grimpait en lacet dans la montagne jusqu'à un col que l'on n'apercevait pas encore. Dans les épingles à cheveux, les roues patinaient, à cause de la boue qui s'était accumulée dans les ornières les jours précédents et ne séchait pas. Le camion de tête donnait des signes de faiblesse. Son moteur calait souvent et il mettait du temps à redémarrer.

L'atmosphère, dans la cabine, était lourde de menace. Lionel était toujours de sale humeur. Vauthier contenait de plus en plus mal sa colère. Marc faisait semblant d'ignorer le malaise et se montrait plein d'entrain. Il avait même essayé de fredonner mais Lionel l'avait fait taire, en grognant qu'il avait mal à la tête.

L'étincelle était venue, comme toujours, d'une phrase anodine. Après avoir forcé pour franchir un virage raide, Marc remarqua à haute voix que le moteur chauffait. Il espérait que la durite bricolée tiendrait. Vauthier bondit de sa couchette.

— Si on était restés sur la vraie route, ce serait plat et on aurait trouvé des garages.

Il y avait eu une discussion avant de partir à propos des conseils de l'officier et Marc avait plaidé pour les suivre. En somme, c'était un peu sa faute s'ils se retrouvaient sur ce mauvais chemin, où ne devaient passer que des engins agricoles ou des convois militaires. Il ne comptait pas pour autant réagir à la remarque de Vauthier. Il se contenta de sourire, en jetant un coup d'œil dans le rétroviseur.

— Ça te fait marrer, hein ? insista le mécano.

Comme il n'obtenait pas de réponse, il s'excita davantage et continua à récriminer. Tout y passait : le choix de la route, la fusillade de la veille, les explosifs dans les cartons.

— J'aurais dû me barrer, tiens.

— Te gêne pas.

Marc avait dit ça en souriant, le doigt sur le bouton de la radio qu'il maniait sans succès, pour essayer de trouver de la musique.

Le ton était monté aussitôt.

— C'est plutôt ton pote et toi qu'on aurait dû virer. Et à coups de pompe dans le cul, encore.

— Essaie. Pourquoi tu ne le fais pas ?

Lionel se tenait la tête et répétait :

— Fermez vos gueules !

Vauthier le prit à témoin, pour essayer de l'entraîner dans la querelle.

— T'es pas d'accord avec moi, Lionel ? Après tout,

c'est toi le chef, non ? Tu ne vas pas laisser ce naze décider à ta place.

— Tu sais ce qu'il te dit, le naze ? intervint Marc.

— Faudrait jamais embarquer des militaires dans des convois comme ça, insista Vauthier en secouant la tête. C'est des pourris.

— Nous, on a été militaires, on ne s'en cache pas. Mais pourquoi tu ne leur dis pas que tu es flic ?

— Qui est flic ici ?

— Mais toi, mon vieux. Tu penses qu'on ne s'en est pas rendu compte ?

Le mécano accusa le coup puis lança un flot d'injures. Marc commença par sourire. Mais tout à coup il perdit son sang-froid. Un mot l'avait-il touché en particulier ? C'est en entendant « fils de pute » qu'il avait réagi. Peut-être était-il simplement usé par une nuit sans sommeil, agitée par les cauchemars de la slivovitch ? Le fait est qu'à un moment, il lâcha le volant et saisit Vauthier par le col. Le camion s'immobilisa en travers de la route et l'autre, derrière, freina brusquement pour ne pas lui rentrer dedans. Maud, qui conduisait, vit la portière s'ouvrir et Marc sauter à terre, en entraînant Vauthier. Les deux hommes se retrouvèrent allongés l'un sur l'autre dans la boue. Les coups pleuvaient sur Vauthier. Après un moment de stupeur, celui-ci avait repris conscience et se défendait avec une force dont on ne l'aurait pas cru capable. Lui aussi savait se battre au corps-à-corps et Marc reçut plusieurs coups au visage qui le firent saigner aux lèvres et à la tempe.

Lionel était sorti en vitesse et se précipitait vers les

combattants. Pour les séparer, il tenta de ceinturer Marc. Vauthier en profita pour se dégager et frapper au ventre. Alex, qui était descendu à son tour, saisit Lionel par le bras.

— Ne t'en mêle pas. Lâche-le !

Lionel se retourna vers Alex, le visage déformé par la colère. Maud comprit que la bagarre risquait de s'étendre maintenant à ces deux-là. Elle commença par les séparer puis se tourna vers les hommes qui continuaient de se battre par terre et hurla pour les faire cesser. Marc avait repris le dessus et, après un dernier coup de poing dans la mâchoire de son adversaire, il se releva et se mit à distance.

Vauthier était salement amoché. Il avait un œil fermé par une ecchymose et se tenait le bras droit en grimaçant. Des marques bleues sur son cou montraient que Marc avait manqué de peu de l'étrangler. Il se mit à genoux, sonné comme un bœuf frappé au merlin. Ses vêtements étaient collés de boue. Maud se demanda s'il n'allait pas s'effondrer de nouveau. Mais, une jambe après l'autre, il se releva, en regardant, hébété, autour de lui. Son regard s'arrêta sur Marc qui avait sorti un jerrican d'eau et se lavait le visage.

— Toi, dit-il en pointant un doigt vers lui, je te crèverai.

*

Comme toujours ou presque quand ils s'arrêtaient quelque part, des gamins les avaient observés de loin.

Ils avaient détalé au moment de la bagarre. Qui pouvait savoir s'ils n'allaient pas donner l'alerte ? Alex était persuadé qu'ils étaient utilisés par les miliciens comme guetteurs.

De tous, il était celui qui avait l'esprit le moins en désordre. Il insista pour qu'ils remettent le plus vite possible le convoi en état de marche. Si une patrouille arrivait maintenant et les contrôlait, ils auraient bien du mal à ne pas paraître suspects. Le premier camion était toujours en travers de la route, portières ouvertes. Divers objets étaient tombés sur le sol quand Marc avait tiré Vauthier de la cabine. Lionel fouillait la boue pour retrouver sa blague à tabac qui avait roulé dans l'herbe trempée du talus. Les combattants se tenaient chacun d'un côté du camion, appuyés sur les ridelles. La boue dégoulinait sur leurs vêtements, et si Marc s'était sommairement débarbouillé, Vauthier gardait le même masque de terre noire et de sang séché.

Maud était accablée. Elle n'aurait jamais pensé qu'ils en arriveraient là. Il y avait une chose chez les hommes qu'elle ne comprenait pas ou plutôt, elle la comprenait mais ne l'admettait pas : cette complète absence de civilisation, cette acceptation innée de la violence. Elle s'attendait à y être confrontée, en se rendant dans un territoire en guerre. Mais elle n'aurait jamais cru que cela viendrait précisément de ceux qui étaient censés incarner l'humanité et la paix. C'était aussi choquant que de voir des policiers dépouiller les citoyens qui les avaient appelés au secours.

Lionel avait retrouvé son tabac. Il aspirait de profondes bouffées d'une cigarette qu'il avait roulée à la hâte et qui était toute tachée de terre.

À part Alex qui s'efforçait de ranger le champ de bataille, tout le monde restait prostré et semblait résigné à ne pas bouger. Finalement, ils reprirent conscience quand le vrombissement lointain d'un moteur leur parvint, rabattu par une bourrasque froide. Le son venait d'en haut et ressemblait au bruit d'une moto. Ils s'élancèrent en désordre vers les cabines. Mais, au moment de grimper à bord, une même idée les traversa : il n'était pas question d'enfermer de nouveau Marc et Vauthier dans l'espace confiné du même habitacle.

Lionel réfléchit rapidement. Il ne voyait que de mauvaises solutions. Finalement, il cria à Alex de les rejoindre dans le premier camion et envoya sèchement Marc vers celui de Maud.

Par extraordinaire, les moteurs, qui avaient eu le temps de refroidir un peu, démarrèrent du premier coup. Ils remirent les camions en file indienne et quand le motocycliste surgit, le convoi avait repris une allure normale.

La moto était conduite par un tout jeune homme. Il ne portait pas d'uniforme. Une mitraillette, tenue par une bretelle en cuir, lui barrait le dos. Derrière, assise en amazone, une grosse femme vêtue de noir se tenait très digne, un panier en osier sur les genoux. Ils croisèrent le convoi sans ralentir ni répondre au salut que leur adressèrent les conducteurs.

*

Au col, le chemin sortait enfin de la forêt et s'élargissait. Le panorama se dégageait. On découvrait en contrebas une large vallée couverte de forêts sombres, d'où émergeaient de loin en loin des pylônes métalliques. Leur nombre trahissait la proximité d'une ville. Et en effet, au débouché de la vallée, presque à l'horizon, on apercevait des barres d'immeubles grises.

Comme le leur avait dit l'officier, ils ne rencontrèrent pas de check-point au col. En revanche, autour de la route, on voyait nettement d'anciennes tranchées et des vestiges de combats. L'endroit était lugubre, avec ses arbres incendiés, ses carcasses entassées dans les fossés. Il était impossible de savoir de quand dataient les affrontements. Ils n'auraient pas été étonnés de voir des cadavres joncher le sol. Mais il se pouvait aussi qu'ils aient été très anciens. Il n'y avait rien ni personne aux alentours, sauf les inévitables corbeaux.

Il était l'heure de déjeuner mais compte tenu de ce qui venait de se passer, personne n'avait envie de s'arrêter et d'ailleurs, personne n'avait faim. Ils engagèrent les camions dans la descente.

Dans la cabine de tête, Alex avait pris le volant et Lionel dormait, abruti par l'alcool du petit déjeuner. Vauthier, derrière, ruminait sa haine. Alex l'entendait par moments frotter son bras en étouffant un gémissement.

— Rien de cassé, j'espère ?

— T'occupe.

Alex sentait que le mécano continuait à ne faire aucune différence entre Marc et lui. La conversation n'irait pas plus loin. Il se concentra sur la route. Un poteau indicateur troué par des impacts de balles et tout rouillé indiquait « Sarajevo : 120 km ». Dix ans plus tôt, quand la ville accueillait les jeux Olympiques, on pouvait venir se balader ici pour la journée depuis la capitale et pique-niquer en famille.

Le ciel était chargé de nuages gris, épais et menaçants. Le temps changeait vite, en cette fin d'automne. Le froid était déjà bien installé dans la montagne et le vent, qui avait tourné au nord, était glacial. Dans la forêt, il faisait sombre. Alex se demanda pourquoi ce décor lui semblait si naturellement fait pour la guerre. Il avait souvent rêvé sur ce sujet, à l'école, pendant les cours d'histoire. Chaque fois qu'une date de bataille était située au printemps ou en été, il l'imaginait comme une agréable partie de campagne, guillerette et peu sérieuse. Il ne parvenait pas à croire que la mort pût être donnée parmi les fleurs et sur des prés vert tendre. Quand il était militaire, il s'était toujours senti en sécurité avec l'arrivée des beaux jours. Il avait fallu qu'un de ses camarades soit touché par une balle en plein mois de juin et qu'il le voie allongé de tout son long sous un bosquet d'aubépines blanches, pour qu'il se rende compte du ridicule de son opinion.

— Il y a longtemps, avec Maud ?

Lionel était sorti de sa torpeur et regardait Alex avec des yeux injectés.

— Bien dormi ?

— Il me semble que je t'ai posé une question ?

— Je n'ai pas compris ce que tu voulais dire.

— Bien sûr ! Tu n'as pas compris...

Dans la descente, la route était particulièrement déformée par des ornières et Alex devait donner de grands coups de volant pour ne pas être entraîné vers le fossé.

— Non, je n'ai pas compris. Explique, s'il te plaît.

Lionel se tourna méchamment vers lui.

— Je t'ai demandé depuis quand tu couches avec Maud. C'est clair, non ?

— Je couche avec Maud ? Mais je ne couche pas avec Maud. Sauf cette nuit et il me semble que tu étais d'accord.

— Tu n'es pas obligé de mentir. Je m'en fous, moi, de ce que tu fricotes avec elle.

Alex jeta un coup d'œil dans sa direction. Sur un fond d'hébétude, une expression douloureuse se dessinait sur le visage de Lionel. Alex avait envie de prendre son compagnon par les épaules et de le secouer amicalement. Mais compte tenu de l'ambiance qui s'était installée dans l'équipe, il se garda de toute familiarité.

— Je vais te raconter quelque chose et j'espère que tu comprendras mieux ce qui se passe : je vais retrouver la femme que j'aime, à Kakanj.

— Maud est au courant ?

— Tu veux savoir exactement ce que je lui ai dit ?

Alex raconta toute l'histoire sans rien omettre. Lionel écouta ce récit et ne dit pas un mot. Alex vit qu'il se détendait aussi sûrement que s'il avait fumé un nouveau pétard. Il aurait sans doute aimé pouvoir dissimuler ses sentiments et peut-être croyait-il même y parvenir. Mais Alex lisait en lui sans peine.

— Je peux te poser une question, à mon tour ?

— Vas-y.

— Si tu veux savoir ce qu'il y a entre Maud et moi, c'est sans doute que tu...

— Occupe-toi de tes affaires, coupa Lionel.

Et il se rembrunit. Mais sa mauvaise humeur était aussi transparente que sa gaieté. Et Alex, cette fois, le prit presque en pitié. Il laissa passer un peu de temps, puis reprit la conversation sur un sujet moins sensible.

— Tu sais à quoi ça me fait penser, ces camions et nos petites aventures au jour le jour ?

— Non.

— À une BD. Mais je n'arrive pas à retrouver laquelle. J'en ai bouquiné tellement.

— Ah bon, tu aimes la BD ?

— Je ne lis que ça. Toi aussi ?

— Lesquelles tu préfères ?

— Toutes ! Mais évidemment *Corto Maltese*, *Largo Winch*, tous les trucs d'aventure.

Ils discutèrent pendant une bonne demi-heure de leurs héros favoris. Lionel était tout à fait en confiance, maintenant. La descente ne serait plus très longue et, dans certains virages, on commençait à apercevoir les premiers bâtiments de la ville. Mais Lionel, lui, s'était installé pour une longue conversation, bien calé dans l'angle entre la banquette et la portière.

Il plaisantait et quand ils riaient tous les deux, Alex avait l'impression d'entendre un soupir navré sortir de la couchette de Vauthier. Il l'imaginait haussant les épaules et les trouvant débiles.

— Tu sais que quand on m'a proposé d'être Casque bleu, j'avais l'impression que j'allais vivre des aventures comme Michel Vaillant. Tu les as lus, les *Michel Vaillant* ?

— Tu parles. Tous !

— Et toi ? Tu as choisi aussi l'humanitaire pour l'aventure ?

— J'aurais pu, dit Lionel en secouant la tête, parce que j'avais lu pas mal de trucs sur les *French Doctors* et j'étais assez fasciné. Mais ça ne s'est pas passé comme ça, à cause de mes parents.

— Qu'est-ce qu'ils font ?

— Ils sont dans la distribution. Mon père était gérant d'un petit supermarché Félix Potin à Écully et ma mère travaillait avec lui. Comme ils n'avaient pas beaucoup le temps de s'occuper de moi, ils m'ont mis en internat à Vénissieux. Ça me gonflait et pour tenir le coup, je me suis mis à fumer beaucoup. Pas ce qu'il y a de mieux pour les examens. Je voyais arriver la catastrophe, alors j'ai eu l'idée de devenir chauffeur routier. C'est pour ça que j'ai passé le permis poids lourds. Mais mon père n'a rien voulu savoir. Il me voyait dans un bureau, un truc sérieux.

Il m'a forcé à suivre une formation pour entrer dans la banque.

— Tu l'as fait ?

— Il a bien fallu.

— Franchement, Lionel, je ne t'imagine pas derrière un guichet.

— Pourtant, j'ai tenu deux ans. Petit costard, chemise blanche et cravate. Je rentrais le soir, j'étais cuit. J'avais loué un studio à Villeurbanne.

— Et pourquoi tu n'as pas continué comme ça ?

— Mon chef d'agence m'a chopé en train de fumer dans un bureau.

— Fumer ? Tu veux dire…

— Oui, bien sûr ! Note que ça ne lui faisait pas peur. Il ne se privait pas de faire la même chose le week-end. Mais à la banque, c'était strictement interdit. Surtout, il en avait assez de mes erreurs, de mes retards, tout ça. Alors, il a pris ce prétexte pour me mettre à la porte.

On voyait au loin se profiler les obstacles d'un gros point de contrôle. Alex ralentit pour que le deuxième camion les rejoigne.

— Pendant mon préavis, conclut Lionel, j'ai vu une petite annonce. Une ONG qui cherchait des administrateurs. C'était le début de cette guerre. Ils ont recruté à tour de bras. Et voilà. Bon, c'est pas le tout. Maintenant, on va dire bonjour à nos amis serbes…

*

Dans la cabine du deuxième camion, Maud et Marc n'avaient pas desserré les dents depuis qu'ils s'étaient remis en route, après la bagarre.

Maud conduisait et se concentrait sur la route. Elle avait du mal à contrôler la direction à cause des ornières et de la boue. Mais c'était le genre de problème dont elle tenait à se sortir par elle-même, et pour rien au monde elle n'aurait demandé de l'aide. C'était mieux comme ça, d'ailleurs. Les difficultés de la conduite la détournaient du malaise qu'elle éprouvait à sentir près d'elle la présence massive de Marc. C'était la première fois qu'elle était dans une telle proximité avec lui. Jusque-là, sans en avoir conscience, elle s'était toujours tenue à distance, comme s'il représentait un danger. Pourtant, elle n'en avait pas peur et, depuis le séjour chez les Croates, elle avait même commencé à changer d'opinion sur lui. Le voir se rouler dans la boue, recevoir et donner des coups avec une violence animale ne l'avait pas rendu plus effrayant. C'était même le contraire. Maud revoyait les images de ce combat. Il y avait dans cette scène quelque chose de repoussant, qu'elle avait ressenti d'abord, mais, avec un peu de recul, elle était étonnée de découvrir dans ce souvenir une beauté qui ne lui était pas apparue sur le moment. C'était comme un ballet sauvage, une pavane brutale et ardente, une vision archaïque qui renvoyait aux origines de l'humanité, à son essence. Elle en venait à se dire qu'elle haïssait toutes les formes dénaturées et civilisées de cette violence mâle mais que dans son expression la plus primitive, comme ce combat à mains nues dans la fange, elle était au contraire naturelle et même, d'une certaine manière qu'elle ne comprenait pas, désirable.

Pendant qu'elle roulait ces pensées silencieuses, Marc déployait une intense activité à son côté pour faire disparaître toutes les traces du combat. Il avait tiré des vêtements de rechange de son sac à dos et changé successivement son T-shirt et son pantalon. Ses mouvements étaient difficiles dans l'espace étroit de l'habitacle. Sans doute aussi avait-il mal. Maud n'osa pas se tourner pour voir s'il grimaçait. Elle se disait que, dans les mêmes circonstances, à supposer qu'elle eût à les subir, elle aurait agi comme lui : reprendre au plus vite sa dignité, cacher sa souffrance, ne rien livrer de ses sentiments.

Ensuite, Marc utilisa des lingettes qui traînaient dans la boîte à gants et qui devaient servir à nettoyer le pare-brise. Il se débarbouilla et frotta quelques plaies qu'il avait sur les bras et le cou, pour en retirer toute trace de sang et de terre. La lésion la plus spectaculaire était une grosse déchirure de la lèvre supérieure, sur le côté droit. Il roula un chiffon en boule et entreprit de tamponner la plaie doucement. C'était aussi un moyen de la cacher. Il était à peu près présentable quand ils rejoignirent le camion de tête et s'arrêtèrent pour passer le point de contrôle.

Cette fois, à l'entrée de la ville, c'était un véritable poste de guerre serbe qui barrait la route. Les soldats étaient vêtus de l'uniforme réglementaire de l'armée yougoslave. Leurs insignes indiquaient les grades et l'écusson tchetnik était à sa place, sur les poitrines. Des VAB des Nations unies étaient garés un peu à distance, et un groupe de Casques bleus discutaient avec des officiers serbes. On sentait un grand calme parmi les soldats car la tâche de contrôler des convois était un repos et presque une récompense, en comparaison des dangers auxquels ils étaient exposés quand ils tenaient des postes de combat. En même temps, l'atmosphère de guerre urbaine imprégnait toute la scène d'une angoisse permanente et sourde qui instillait une dose de menace dans chaque geste.

Le contrôle lui-même était moins redoutable qu'aux check-points isolés qu'ils avaient rencontrés jusque-là. Le caractère régulier de l'armée qui tenait la position rendait improbable une fouille complète, voire une tentative de chantage ou d'extorsion de marchandise. La présence de la FORPRONU était également un élément rassurant. Même si les forces internationales étaient réduites à l'impuissance et peu réactives, leur simple présence faisait d'elles des témoins devant lesquels les combattants se garderaient de commettre des exactions.

C'était la première fois qu'ils allaient traverser une grande ville en zone de guerre. L'environnement urbain générait un malaise, une peur que les campagnes qu'ils avaient parcourues jusque-là n'avaient jamais provoquée.

Marc avait discuté avec les soldats pendant qu'un gradé vérifiait les documents. Maud avait noté avec quel naturel il avait engagé la conversation avec eux. Alex avait raison : il se montrait autant à l'aise avec les uns qu'avec les autres, Serbes, Croates et consorts. Quel pouvait donc être cet « engagement » dont Alex avait parlé à son propos ?

Le contrôle accompli sans difficulté, ils remontèrent dans les camions.

— Il paraît que la ville est coupée en deux. Les Serbes n'en tiennent qu'une moitié. Les musulmans contrôlent les quartiers de la rive droite. Il y a des snipers un peu partout. Pour l'instant, c'est calme, mais il y a des offensives toutes les nuits.

— Tu l'as dit à Lionel ?

— Ils ont dû le mettre au courant. De toute façon, on va jusqu'au QG de l'ONU et on fait le point là-bas.

Le convoi remonta lentement une large avenue entourée d'immeubles en ciment. Plusieurs d'entre eux étaient éventrés par des tirs d'obus. Des traces noires d'incendie étaient visibles sur les façades. Il n'y avait aucun piéton sur les trottoirs et les rares voitures garées dans les rues étaient pour la plupart incendiées. Parmi elles, ils aperçurent un curieux engin. C'était une sorte de blindé artisanal, bricolé avec des plaques de tôle vissées sur la carrosserie d'un tracteur. Un gros éclat de mortier avait mis fin à la carrière de cette pauvre machine. Elle gisait sur le flanc, en travers d'une rue latérale.

— Au début de la guerre, dit Marc, ils ont fabriqué n'importe quoi pour se défendre. Mais en face de l'armée serbe, ça ne faisait pas le poids.

Il ne précisa pas qui était ce « ils ».

Un peu plus loin, ils entrèrent dans un quartier plus ancien. Les rues étaient pavées et des rails de tramway couraient au sol. Les bâtiments, de chaque côté de la rue, étaient de style austro-hongrois, avec des balcons en pierre et des cariatides autour des fenêtres. Le rideau de fer de tous les magasins était baissé. On aurait dit que les vieux immeubles, eux aussi, avaient bricolé un blindage de fortune, pour se protéger de la guerre.

Marc avait ouvert sa vitre. Il guettait, à travers le silence, le claquement sec de tirs lointains, qui résonnait sur les façades.

Le détachement de la FORPRONU était logé dans le bâtiment de la Poste centrale. Des sacs de sable étaient empilés de part et d'autre de la porte d'entrée, gardée par un Casque bleu pakistanais. Ils garèrent les camions sur une petite place plantée d'arbres, au centre de laquelle se dressait une statue décapitée.

Ils descendirent et se retrouvèrent, un peu gênés, dans cet espace découvert, au milieu de cette ville fantôme.

— C'est un Français qui commande les Casques bleus, annonça Lionel. Je vais aller voir si on peut rester ici aujourd'hui.

— Il n'est que deux heures, dit Alex. On pourrait rouler encore un peu.

Lionel ne prit pas la peine de lui répondre. Il avançait déjà vers le garde et ils le suivirent.

La sentinelle jeta un coup d'œil distrait sur les papiers et les laissa entrer.

Dans le grand hall de l'ancienne poste, régnait une agitation qui contrastait avec le calme de la rue. Des militaires s'affairaient autour de petits bureaux, placés un peu partout. Le plafond était très haut, surchargé de stucs et éclairé par de grands lustres en bronze. Des centaines de fils électriques étaient tendus à travers le hall. Ils étaient accrochés aux lustres, à la rambarde du grand escalier, sortaient par les fenêtres qui avaient été murées à la hâte avec des parpaings. On aurait dit les coulisses du tournage d'un film à gros budget. Les femmes et les hommes en uniforme qui s'agitaient avaient l'air de figurants prêts à entrer en scène.

— Attendez-moi ici, dit Lionel. Je vais essayer de trouver le chef de secteur.

Depuis la bagarre, il avait repris son ton de chef. Il disparut vers les étages.

Ils restèrent plantés là, au milieu du hall. Personne ne prêtait attention à eux. Alex avisa un canapé et des chaises qui avaient été poussés dans un coin et ils allèrent s'asseoir. Ils s'aperçurent alors de la disparition de Vauthier. C'était assez habituel quand ils arrivaient dans une ville et ils ne s'en inquiétèrent pas.

De vieilles revues traînaient sur une table basse. Ils en saisirent chacun une et se plongèrent dans la lecture. C'était, pour la plupart, des publications militaires, *Terre magazine, Cols bleus,* des monographies du Service de communication des Armées. Maud n'y trouvait pas beaucoup d'intérêt mais c'était bon, tout à coup, d'être assis tranquillement dans un fauteuil et de feuilleter des pages imprimées, de regarder des images colorées, de lire des mots dans sa langue.

Quand il redescendit, Lionel les trouva silencieux et attentifs. Il était accompagné par un grand gaillard, un homme d'une cinquantaine d'années, jovial, le visage mangé par une barbe poivre et sel. Il était vêtu d'un treillis sur lequel, bien en évidence à côté des cinq galons de lieutenant-colonel et du liseré bordeaux du service de santé, était accroché un écusson tricolore. Il parlait avec l'accent du Béarn et cultivait ses allures de Porthos.

— Alors, voilà nos aventuriers !

— Je vous présente le docteur Argelos, dit Lionel. Il est responsable des actions humanitaires dans le secteur.

— Mordiou, comme tu y vas, petit ! Il n'y en a pas beaucoup de l'humanitaire, dans le secteur. Si je ne faisais que ça, je serais en vacances. Mon premier boulot, c'est d'abord de soigner nos gars.

Ils se présentèrent l'un après l'autre et serrèrent à tour de rôle la grosse pogne du médecin. Lionel prit conscience à ce moment qu'ils n'étaient pas au complet.

— Vauthier n'est pas avec vous ?

— Il a dû aller faire son rapport, grogna Marc.

— Son rapport ? s'exclama le barbu avec un grand sourire.

— Il plaisante. Il va revenir tout de suite.

— Té, c'est comme ça que vous dites, vous autres, quand quelqu'un va pisser ! Bon, suivez-moi. Je vais vous montrer vos appartements.

Ils grimpèrent le grand escalier et enfilèrent un couloir interminable. Les portes qui donnaient tout le long avaient été retirées car les grandes salles de la poste avaient été divisées par des cloisons en aggloméré. C'était donc autant de petits couloirs qui débouchaient désormais sur le grand. Le barbu prit le deuxième à gauche et ouvrit une porte.

— Mon royaume en ce bas monde, annonça-t-il en les introduisant dans un petit bureau rempli de paperasses et d'ordinateurs.

La moitié d'une grande baie vitrée éclairait la pièce. L'orifice d'une balle était bien marqué dans le verre qui s'était fendu en étoile tout autour. Sur la cloison de bois en vis-à-vis, un autre trou du même calibre indiquait que le projectile avait traversé toute la pièce.

— Du 12,7, fit Alex en regardant le trou.

— Ma parole, monseigneur est un expert.

— J'ai servi comme Casque bleu dans la région pendant six mois.

— Alors, tu connais la musique. On est généralement tranquilles mais, de temps en temps… Pan ! Pan ! Ça pète et personne n'est à l'abri.

Le médecin, avec un grand sourire, montra du doigt un matelas glissé sous un des bureaux.

— Heureusement, j'étais au lit.

Il ne cherchait pas à leur faire peur, plutôt à communiquer sa joie de vivre et sa bonne humeur.

— Le colonel m'a dit que vous repartez demain. C'est bien dommage. Je n'ai guère de compagnie dans ma partie et ce n'est pas le boulot qui manque. Où allez-vous comme ça ?

— À Kakanj.

— Kakanj, Kakanj ? C'est dans les montagnes entre Sarajevo et Zenica, je me trompe ?

— C'est bien ça.

— Sacrebleu, vous n'êtes pas arrivés ! Qu'est-ce que vous allez faire là-bas ?

— C'est notre association qui a choisi, intervint Lionel qui ne souhaitait pas voir les deux anciens militaires entrer dans des considérations trop précises.

— Eh bien, ils doivent avoir leurs raisons. Moi non plus, je ne comprends pas toujours les ordres que je reçois, pas vrai ? Armagnac ou bière ?

Tout en parlant, il avait sorti des bouteilles d'un tiroir et fouillait dans celui du dessous pour trouver des verres.

— Je crois qu'on va prendre des bières, dit Alex. On les boira au goulot, ne vous tracassez pas.

— Tant mieux, parce que les verres ici, c'est plutôt rare et, en général, ils sont dégueulasses.

Il décapsula les bouteilles de bière avec le manche d'une fourchette.

— Bon, la demoiselle peut dormir ici ; moi, j'irai à l'étage des officiers. En fait, c'est là que je devrais coucher mais je préfère rester dans mon bureau. Les autres, vous pourrez vous mettre dans la pièce à côté. C'est la piaule d'un major du Bangladesh. Il est en perm et il m'a laissé sa clef. Le dîner est à partir de sept heures, dans le self, au troisième.

148

— Qu'est-ce qu'on va faire d'ici là ? demanda Marc.

Il n'avait rien dit jusque-là. Le médecin se tourna vers lui et s'approcha.

— Tourne-toi à la lumière. Dis donc, tu as pris un sacré coup sur la gueule. Comment tu t'es fait ça ?

— C'est rien, je suis tombé.

Le toubib eut un petit rire entendu.

— T'es tombé. Et moi, je suis la reine d'Angleterre. Bon, ça ne me regarde pas mais tu vas quand même me suivre et je vais t'arranger ça. Il te faudra au moins deux points de suture.

Maud observait Marc. Il avait l'air furieux. Mais, à sa grande surprise, il suivit docilement le médecin.

— Si vous voulez vous balader en ville en attendant la bouffe, allez-y. Mais je vous préviens : il n'y a guère que cette rue qui soit sécurisée.

— Il faudrait que je téléphone en France, intervint Lionel.

— Je sais, le colon me l'a dit. Tu peux utiliser ce poste. Il y a un opérateur. Tu demandes une ligne.

— Moi, je crois que je vais retourner en bas dans le hall, dit Maud que l'atmosphère confinée de cette petite pièce rebutait.

Alex l'accompagna et ils se rassirent sur le canapé.

— Tu crois que Lionel va tout raconter aux dirigeants de l'assoc' ? Les explosifs…

— Ça m'étonnerait, fit Maud.

— Et l'autre crétin de Vauthier, qu'est-ce qu'il fout ?

— Pourquoi est-ce que Marc a dit qu'il était au rapport ?

— Parce qu'il pense que c'est un flic. Et moi aussi, d'ailleurs.

— Un flic ?

— Un type qu'on vous a collé comme ça, pour qu'il profite du statut d'humanitaire et qu'il aille voir ce qui se passe dans le pays.

— Ça se fait ?

— Ah, vous êtes vraiment naïfs, vous, les humanitaires ! Bien sûr que ça se fait. Comment est-ce qu'ils infiltreraient des agents dans ce pays, les barbouzes ?

— Ils peuvent les mettre ici, par exemple, chez les Casques bleus.

— Il y en a sûrement aussi. Mais les Casques bleus ne bougent pas, ou alors, en blindés. Les seuls qui parcourent librement le pays et parlent à tout le monde, c'est vous.

— Qu'est-ce qui vous fait croire que c'est un type comme ça ?

— Son parcours, déjà. Il se présente comme un ancien autonome ! Tu parles. Un facho, oui. S'il a milité chez les anars, c'est sûrement parce qu'il était déjà en service commandé.

Alex sentait sans doute que son argument ne convainquait pas Maud.

— D'ailleurs, s'il nous en veut comme ça, c'est parce qu'il a bien senti qu'on l'avait démasqué.

Maud le regarda du coin de l'œil avec un petit air narquois.

À bout de munitions, Alex ajouta, sur un ton

péremptoire qui ressemblait à celui que prenait Lionel pour imposer ses décisions.

— Et puis, il pue le flic, c'est tout !

Maud haussa les épaules et se remit à lire.

À la cambuse, Alex avait trouvé des chewing-gums. Il lui en offrit un.

— Il y a longtemps que tu connais Lionel ?

Elle leva les yeux de son magazine.

— Que je connais Lionel, répéta Maud en revenant à elle. Heu… depuis que je suis arrivée à La Tête d'Or. J'y ai travaillé trois mois comme bénévole avant de partir dans ce convoi. Pourquoi ?

— Comme ça. C'est un drôle de type. Il cache son jeu. Il joue au dur mais c'est un sentimental.

— Peut-être.

— Il est amoureux de toi, non ? ajouta Alex en riant.

— De moi ! Qu'est-ce qui te fait dire ça ?

— Il avait peur qu'on ait couché ensemble. Il m'a fait tout un plan là-dessus et il a fallu que je le rassure…

Maud détourna le regard. C'était le genre de sujet qu'elle détestait. Elle se sentait tout à coup ramenée au statut d'objet. Elle ne voulait pas se laisser entraîner sur ce terrain. Elle coupa court sèchement.

— C'est son problème, trancha-t-elle, en se plongeant de nouveau dans sa revue.

Alex continua de mâcher son chewing-gum. Comme elle ne voulait plus parler, il s'allongea sur le fauteuil et posa la tête sur le dossier, en contemplant le plafond.

Maud faisait semblant de lire mais elle n'y parvenait pas. Elle pensait à ce qu'Alex venait de lui dire. Lionel, amoureux d'elle ? C'était bien possible, après tout. Au fond, elle était arrivée à la même conclusion sans la formuler aussi nettement. Maintenant qu'elle y pensait, ça expliquait pas mal de choses. À Lyon, il travaillait dans un petit bureau plein de paperasses et n'avait guère de raisons d'en sortir. Pourtant, elle le trouvait tout le temps sur son chemin. Il l'avait « prise sous son aile », comme il disait. Ça ne lui déplaisait pas parce qu'au début, elle ne connaissait personne. D'autant qu'il était resté très correct. Il avait joué à l'aîné, sans jamais rien laisser paraître de ses sentiments.

C'est lui qui avait insisté pour qu'elle fasse partie du convoi. Elle avait pris cela comme un signe d'amitié et de confiance et elle lui en était reconnaissante. Mais, après tout, il se pouvait qu'il ait eu des idées derrière la tête. Et quand elle avait révélé l'affaire des explosifs, s'il avait accepté de prendre le risque plus facilement qu'elle ne l'aurait cru, il était possible aussi qu'il l'ait fait pour lui plaire, pour ne pas la décevoir, relever le défi.

Si vraiment il était amoureux d'elle, ce n'était pas une bonne nouvelle. Car elle n'avait aucune intention d'entrer dans ce jeu. Il allait falloir ruser, le ménager, peut-être l'éconduire franchement s'il se dévoilait. C'était tout ce qu'elle détestait. Toujours la même histoire : ces mecs qui la prenaient pour une proie. Elle pensait qu'elle serait à l'abri dans une mission de guerre mais décidément, c'était partout pareil.

Elle rumina sa mauvaise humeur. Les photos de

chars d'assaut et de légionnaires au combat qui s'étalaient dans les pages de son magazine n'étaient pas de nature à la distraire de ces sombres pensées. Elle s'allongea à son tour et essaya de s'assoupir.

Le bruit sourd d'explosions lointaines lui parvenait de temps en temps. Un peu plus tard, en s'éveillant, elle se demanda si Marc avait crié quand le médecin lui avait suturé la lèvre. Elle espérait que oui. Et elle sourit.

*

Lionel redescendit et, comme ni Marc ni Vauthier n'avaient réapparu, ils allèrent dîner tous les trois au réfectoire. La grande salle était pleine de militaires en tenue de détente. Les soldats semblaient profiter pleinement du matériel de musculation qui était installé dans le grand couloir du deuxième étage. Plusieurs d'entre eux, malgré la température déjà fraîche, portaient des maillots de corps sans manches qui mettaient en valeur leurs biceps. Aux tables françaises, garçons et filles se mélangeaient, tandis que les Pakistanais et les Bangladeshis dînaient entre hommes et suivaient toutes les femmes qui entraient avec des regards brillants.

Comme Maud l'avait prévu, Lionel fut très fier d'annoncer qu'il avait donné des nouvelles rassurantes au siège et que tout roulait. Il lui lança en disant cela un regard où elle pouvait lire maintenant autre chose que du défi. Il se montra d'ailleurs particulièrement disert pendant le repas. Il n'avait pas osé fumer depuis leur arrivée dans les locaux de l'ONU et il avait l'œil plus frais. En même temps, il devait ressentir un manque car il s'agitait et avait l'air pressé de sortir en ville.

— J'ai discuté avec un jeune gars du bataillon qui faisait de la gym dans le couloir. Il m'a dit qu'il y a un bar assez sympa à deux cents mètres, avec de la bonne musique. Ça ne vous dit pas d'aller y faire un tour ?

— Super ! Je viens, répondit Alex.

Mais ce n'était pas son avis qui intéressait Lionel. Il gardait les yeux fixés sur Maud, avec un sourire carnassier qui lui allait très mal. Comme les ordres qu'il donnait, sa proposition, formulée sur un ton assuré, cachait mal son hésitation, sa timidité. Elle le prit en pitié et fut d'abord tentée d'accepter. Mais elle eut une vision fugitive de ce qui allait suivre. Elle préféra refuser tout de suite que de se retrouver coincée avec lui dans la promiscuité d'un bar et de devoir l'humilier.

— Non, moi, je suis crevée, je vais me coucher.

Elle détourna les yeux pour ne pas lire la déception dans ceux de Lionel. Elle craignait surtout de les retrouver pleins de haine. Heureusement, Alex se leva et entraîna son compagnon.

— Autant y aller dès maintenant. Ça nous évitera de rentrer trop tard. Il y a un couvre-feu à vingt-deux heures.

Maud resta seule à la table. Elle prit sa tête dans ses mains, pour atténuer le bruit des assiettes et les cris des dîneurs qui se réverbéraient sur les murs couverts de faïence. Elle se sentait profondément accablée. Elle n'aurait jamais imaginé se retrouver dans une situation pareille. L'humanitaire, pour elle, c'était le docteur Schweitzer, saint Vincent de Paul, Raoul Follereau, des victimes implorantes et des gens courageux et désintéressés qui venaient les secourir. Au fond, elle n'en savait rien. Elle se doutait bien que ces grands ancêtres avaient disparu et que leurs héritiers ne leur arrivaient pas à la cheville. Mais il devait bien leur rester quelque chose de leurs qualités.

Au lieu de cela, elle trouvait des êtres faibles, veules, murés dans leurs haines. Et cette guerre était un imbroglio de criminels qui se ressemblaient tous. Elle qui fuyait le machisme, elle avait l'impression d'être tombée dans le pays du monde où il régnait en maître absolu. Si au moins ses compagnons l'avaient acceptée comme l'un des leurs... Au lieu de cela, c'était le vieux jeu de la drague, l'obligation de ménager ce Lionel qui ne lui plaisait pas mais qui ne voulait pas le comprendre. Et qui allait certainement lui faire payer son amour déçu.

Pourquoi s'était-elle toujours sentie si seule dans la vie ? Depuis l'enfance, depuis toujours. Quelle blessure l'avait rendue si exigeante, si lucide ou peut-être simplement si aveugle, si folle ? Elle avait des parents unis, comme on dit, une mère au foyer, juriste prometteuse mais qui avait renoncé à exercer son métier pour élever ses enfants ; un père qui avait racheté une vieille étude de notaire, qui en avait fait la plus prospère de la ville et qui, à cinquante ans, était maintenant ventripotent et chauve ; un frère aîné qui s'était marié l'année précédente et qui attendait déjà un enfant. Pourquoi avait-elle toujours porté sur eux tous un regard si sévère ? Pourquoi n'avait-elle jamais eu d'amis ? Pourquoi était-il si difficile d'être une femme et pourquoi n'aurait-elle pas voulu ne pas en être une ?

Elle regardait dans le vague, oubliait les bruits, la laideur ambiante. La mélancolie la submergeait.

Ces questions lui venaient douloureusement à l'esprit ce soir, alors qu'elle avait toujours eu pour règle de ne pas penser à tout cela, de se battre, de se noyer dans l'action. Mais où ces combats, ces révoltes, ces choix l'avaient-ils menée ?

Combien de temps resta-t-elle prostrée ainsi, à rouler ces pensées noires ? Elle l'ignorait. À un moment, il lui sembla voir passer Vauthier à l'autre bout de la grande salle. Il était avec des hommes en uniforme. Mais il lui tournait le dos et elle s'en désintéressa aussitôt. Plus tard, la tablée voisine se leva et elle se rendit compte que le bruit diminuait beaucoup. Il n'y avait plus dans le réfectoire que quelques retardataires qui mangeaient seuls.

Soudain, très loin, dans l'encadrement de la porte d'entrée ouverte à deux battants, elle aperçut Marc. Il scrutait la salle et cherchait probablement le groupe. Elle lui fit un petit signe pour qu'il la rejoigne. Pendant qu'il avançait vers elle, elle essuya discrètement ses yeux. Marc portait sur le côté droit du visage un pansement très blanc sur sa peau mate.

Elle se demanda pourquoi, d'un seul coup, elle se sentait si légère.

Quand la salle à manger avait fermé, Maud et Marc s'étaient retrouvés dans le couloir avec une bouteille de bière à la main. Quelques soldats en tenue de gym soulevaient encore de la fonte mais la plupart étaient déjà dans leurs chambrées. Le large corridor éclairé au néon sentait la sueur et l'eau de toilette de supermarché.

Marc n'avait pas plus envie que Maud de dormir. Elle le suivit à travers les bancs de musculation jusqu'à une porte qui donnait sur l'extérieur. Il avait eu le temps d'explorer le bâtiment et visiblement, il savait où il allait. Ils tombèrent sur un escalier de secours en métal qui grimpait sur toute la hauteur de la façade arrière du bâtiment. De là, on découvrait la campagne du côté serbe de l'enclave et sur cet axe il n'y avait pas à craindre de sniper. La lune s'était levée au-dessus des collines. Sur le fond bleuté du ciel, se dessinait la ligne de crête ourlée de forêts.

L'escalier était le refuge des insomniaques qui fumaient seuls ou discutaient par petits groupes, assis sur les marches. Ils montèrent tout en haut et s'installèrent sur le dernier palier, qui était inoccupé. Marc fumait assez rarement mais il avait un vieux paquet de cigarettes dans sa poche. Il en offrit une à Maud.

— Pas trop pénible, les points de suture ? demanda-t-elle.

— Ça va.

— Tiens, j'ai aperçu Vauthier. Je crois qu'il était avec des militaires.

— Il a dû retrouver des collègues barbouzes, pour traîner en ville.

— On pourrait peut-être le laisser ici ?

— Ça m'étonnerait qu'il veuille.

— Tu n'as pas peur qu'il te fasse des ennuis ?

— Ce n'est pas son intérêt. S'il est en mission, comme je le crois, il doit plutôt s'écraser et aller jusqu'au bout.

Dans la pénombre, elle ne voyait que la tache blanche du pansement, sur le visage de Marc. Cela le rendait plus humain, plus vulnérable, comme si, en déchirant sa cuirasse, la plaie avait mis l'homme à nu. Maud se sentait moins intimidée.

— Pourquoi est-ce que tu as choisi de devenir militaire ?

Elle aurait tout aussi bien pu dire : pourquoi as-tu quitté l'armée ? Les deux choses lui semblaient aussi énigmatiques l'une que l'autre.

— Je n'ai pas choisi. Ça s'est trouvé comme ça.

Il n'y avait aucune réticence dans son ton. Elle se dit qu'elle pouvait lui poser d'autres questions.

— On ne t'a pas forcé, tout de même ?

— Quand je portais un uniforme, il y avait un petit insigne dessus, un pin's rond, qui faisait que les autres savaient tout de suite à quoi s'en tenir. Mais c'est vrai que je ne le mets plus. De toute façon, pour les civils, ça ne voudrait rien dire.

— C'était quoi, cet insigne ?

— Les enfants de troupe. Je suis militaire depuis l'âge de cinq ans.

Le petit nuage de fumée qui sortait de sa bouche se dessinait sur le bleu sombre du ciel éclairé par la lune. Maud eut l'impression qu'il riait doucement.

— Mon père était légionnaire. Il venait de par ici, à ce qu'il paraît. Je ne l'ai pas connu. Je crois que c'était un Hongrois de Voïvodine. C'est une province de la Serbie, au nord. Il est arrivé en France à vingt ans et il s'est engagé.

— Et ta mère ?

— Il l'a rencontrée au Liban, quand il servait dans la FINUL.

— Elle est libanaise ?

— Palestinienne. Elle est née dans un camp de réfugiés. C'était la troisième de cinq filles et son père était très strict avec elles. Un jour, ma mère était partie du camp, pour un homme, je pense, et la famille n'a plus jamais voulu entendre parler d'elle.

— Tu l'as connue ?

— À peine. C'est une drôle d'histoire. Je n'ai jamais trop su ce qu'elle faisait quand elle a rencontré mon père. Mais il ne devait pas être le seul, si tu vois ce que je veux dire. En tout cas, quand je suis venu au monde, il était déjà reparti avec son unité.

— Tu es né à Beyrouth ?

— À Tyr. Mais je n'y suis resté que quatre ans.

— Ton père est revenu te chercher ?

— Non, il est mort. Au Tchad, pendant une opération.

— Alors, comment t'es-tu retrouvé dans les enfants de troupe ?

— C'est ma mère, tu comprends. C'était une femme très simple, mais maligne comme on est obligé de l'être quand on n'a rien ni personne pour vous protéger. Dès sa sortie de la maternité, elle a demandé à voir le commandant de la FINUL en me tenant dans les bras, et elle a donné le nom de mon père. Comme elle n'obtenait pas de réponse, elle se pointait au QG tous les jours. Elle menaçait de parler aux journalistes, d'écrire au Secrétaire général de l'ONU, si le père ne reconnaissait pas son enfant.

Les soldats qui discutaient sur le palier du dessous se levèrent pour aller dormir. Ils étaient désormais seuls sur l'escalier et la campagne devant eux était silencieuse. Des chiens se répondaient dans les lointains.

— Un jour, on lui a annoncé que mon père était mort. Ça ne l'a pas découragée. Elle a dit que dans ces cas-là, c'était la France qui devait me reconnaître.

— Et elle y est arrivée ?

— Il faut croire qu'elle a trouvé les arguments et que les militaires ont eu peur du scandale. On m'a

160

raconté aussi qu'elle était très proche d'un officier français à ce moment-là. Il l'a peut-être aidée. Quoi qu'il en soit, j'ai été accepté comme orphelin de guerre et envoyé dans un foyer militaire dans le nord de la France.

Marc avait parlé le regard dans le vague, vers les crêtes qui s'assombrissaient. Soudain, il s'interrompit et tourna la tête vers Maud.

— Pourquoi tu me fais parler de tout ça ? Ça t'intéresse ?

— J'aime bien savoir, c'est tout.

Elle se sentait gênée, comme prise en faute, et s'étouffa un peu avec la fumée de sa cigarette.

Elle ne voulait surtout pas qu'il l'interroge à son tour. Sa petite famille normale et ses révoltes de fille mal dans sa peau lui paraissaient plus que jamais ridicules. Mais il ne dit rien et le silence s'installa.

Il y avait quelque chose en Marc qui forçait le respect, une sorte de gravité dont Maud comprenait mieux maintenant l'origine. Elle pensait au blindé de fortune qu'ils avaient rencontré le matin le long d'une avenue. Marc était comme ça : on avait vissé des plaques de tôle tout autour. Mais tout autour de quoi ? Il était capable de se battre comme une bête sauvage dans la boue et, en même temps, elle voyait encore son air désemparé quand le médecin barbu l'avait emmené pour lui recoudre la joue…

— Pourquoi retournes-tu là-bas, toi ?

— Où ? À Kakanj ?

— Oui.

Il réfléchit un long moment. Elle avait l'impression qu'il hésitait.

— Pour accompagner Alex, dit-il enfin.

Cela sonnait faux mais elle n'osa pas le lui dire tout de go. Elle chercha d'un autre côté.

— Tu as quitté l'armée après ton retour ou pendant ta mission ?

— J'ai démissionné à Kakanj.

— Tu peux dire pourquoi ou tu ne préfères pas ?

— Ce serait un peu long à expliquer. On en parlera une autre fois. Demain matin, il va falloir se réveiller très tôt. Tu sais ce qu'on dit des militaires : ils sont toujours debout aux aurores, même s'ils n'ont rien à faire…

Il se mit lentement debout, en secouant ses jambes engourdies. Il attendit qu'elle se lève à son tour pour commencer à descendre. La cage de fer de l'escalier vibrait sous leurs pas. Elle se tenait un peu au-dessus de lui, si bien que leurs têtes étaient à la même hauteur. Avec un autre homme, elle aurait gardé ses distances, dans la crainte d'un geste familier. Mais avec lui, elle avançait en confiance. À un moment, ils se trompèrent de palier et un petit instant de confusion les poussa l'un vers l'autre. Il s'excusa et ne tenta pas d'en profiter. Elle lui en fut reconnaissante.

Pourtant, quand elle referma sa porte, elle regarda sa chambre vide et se sentit terriblement seule.

*

Le lendemain matin, une pluie fine et continue tombait sur la ville. Les nuages noirs laissaient passer à grand-peine une lumière plombée. Le mauvais temps avait calmé l'ardeur des tireurs et l'on n'entendait plus dans les rues que le ruissellement des chéneaux crevés. Les soldats qui sortaient du QG avaient revêtu d'étroits cirés marron qui leur descendaient jusqu'aux chevilles. Le gros casque bleu leur faisait des têtes énormes et ils avaient des airs de champignons vénéneux, qui prêtaient à rire.

Le convoi s'était aligné dans la rue. Pendant que les moteurs chauffaient, Alex et Marc, les cheveux trempés, mal protégés par de vieux K-way sans capuche, vérifiaient la fermeture des bâches que la pluie vernissait. Tout le monde était prêt sauf Vauthier, que l'on n'avait pas revu depuis la veille au soir.

— On le laisse, tant pis, dit Alex.

Il avait posé ses mains trempées sur la vitre à demi ouverte et parlait à Lionel qui était appuyé, les bras croisés, sur le volant.

— S'il décide de rester, il reste. Mais on ne peut pas partir sans rien lui dire.

— Je ne vais tout de même pas le chercher partout pour le supplier !

— Pas pour le supplier. Mais si tu peux le trouver et lui demander ce qu'il compte faire, ça nous ferait gagner du temps.

Alex lança un juron et se dirigea vers les sacs de sable de l'entrée. Au même moment, Vauthier s'élançait dehors et ils se cognèrent presque devant la sentinelle.

— Qu'est-ce que tu fais ? Tout le monde t'attend.

Le mécano était vêtu d'une canadienne qu'ils ne lui avaient jamais vue. Il s'était rasé et ses lèvres paraissaient plus fines encore que d'habitude. La bagarre avec Marc lui avait laissé un gros bleu sur la tempe mais il l'avait tartiné de crème et on le remarquait à peine. Quand il entra dans le camion, un parfum mentholé très fort envahit la cabine. Lionel fit une grimace.

— Un peu plus et on s'en allait sans toi, dit-il.

Alex se trémoussait pour retirer ses vêtements dégoulinants.

— Pas de ma faute. Il y a à peine une heure que je suis rentré, déclara tranquillement Vauthier qui avait repris possession de la banquette arrière.

Lionel agita la main par la portière pour faire signe à Marc qui était au volant du deuxième camion. Puis il passa bruyamment la première.

— Toujours à l'écoute des populations, reprit-il d'un air goguenard, en jetant un coup d'œil à Vauthier dans le rétroviseur intérieur.

— J'étais avec deux putes.

Il ricanait et, voyant le trouble de ses jeunes interlocuteurs, il continua sur le même ton.

— Franchement, vous devriez essayer. Deux belles filles bien jeunes et bien actives. Je dirais même affamées !

— Ferme-la, grogna Alex.

— Croyez-moi, ça vous détendrait mieux que vos histoires de puceaux.

— Ta gueule !

Cette fois, c'était Lionel qui avait hurlé et il avait l'air tellement hors de lui que Vauthier se tut et recula au fond de la couchette.

En quelques mots, il avait tué l'ambiance et la conversation. Ils traversèrent la ville en silence et, bientôt, ils entendirent des ronflements rauques monter de la banquette arrière.

La limite entre zone serbe et zone musulmane correspondait à la rivière. Elle était autrefois traversée par deux ponts mais celui du centre-ville avait été détruit l'année précédente. Le seul qui restait était situé dans un des faubourgs, à l'est. C'était un pont moderne à structure d'acier, avec deux piles en béton. Un checkpoint était installé à chaque extrémité. Le pont lui-même était un no man's land placé en permanence sous la menace de batteries de mitrailleuses. N'étaient autorisés à traverser que les convois de l'ONU et les humanitaires.

Il pleuvait toujours et l'eau, qui ruisselait sur le calot des soldats serbes et imprégnait leur treillis, accentuait encore leur nervosité. Ils contrôlèrent les documents de mauvaise grâce et firent avancer les camions dans le sas qui précédait l'entrée sur le pont lui-même. La traversée s'effectuait obligatoirement à pied. Seul devait rester dans les cabines un chauffeur par camion.

Pendant cette étape confortable et quasiment officielle, ils avaient un peu oublié ce qu'ils transportaient. Mais maintenant, alignés derrière cette barrière, dans le silence du check-point où les incidents, leur avait-on dit, étaient fréquents, au milieu de ces soldats muets, tendus, en alerte, ils avaient tous à nouveau conscience du danger. La barrière se leva en grinçant. Lionel et Marc allumèrent les moteurs. Les trois autres, à pied, devaient marcher devant, pour que les véhicules ne puissent jamais dépasser l'allure de leur pas. Il leur était interdit de porter un chapeau ou quoi que ce soit qui dissimule le visage. La pluie tombait sans discontinuer, dense, plus froide encore sur ce pont exposé au vent glacial qui longeait la rivière. À un signal, ils avancèrent lentement.

Maud sentait ses cheveux coller sur son front. Ses cils étaient pleins d'eau. Alex serrait son col et frissonnait. Seul Vauthier, avec sa veste chaude et son crâne luisant sur lequel la pluie semblait rebondir, montrait avec un mauvais sourire qu'il était à l'aise.

Les trottoirs, de chaque côté, avaient été dégarnis de leur revêtement, sans doute pour récupérer les tôles épaisses qui les couvraient et pouvaient servir de blindage. La chaussée était jonchée de débris divers, laissés par les combats. Ils reconnurent un casque cabossé et des lambeaux d'uniforme. Le pont, vu de la berge, n'avait pas l'air très long ; pourtant, sa traversée au pas était interminable.

Ils voyaient, à l'autre extrémité, se préciser la masse grise du poste bosniaque. On ne distinguait aucune tête, aucune silhouette. Ses défenseurs devaient rester cachés et les observaient.

Ils avaient à peine dépassé le milieu du pont quand

le premier camion cala. Son embrayage fatigué était trop sollicité à cette allure ralentie. Ils s'arrêtèrent, en évitant de se retourner. Lionel actionnait nerveusement le démarreur mais le moteur chaud ne voulait pas se remettre en route. L'attente se prolongea. Derrière le barrage, il leur semblait voir des ombres bouger.

Le moteur ne redémarrait toujours pas. Alex et Maud échangeaient des regards inquiets. À un moment, le camion eut quelques soubresauts puis, dans un hoquet, fit un bond en avant qui les surprit. Le pare-chocs les frôla. Ils se retournèrent ensemble. Derrière eux, à l'extrémité du pont, ils entendirent le déclic d'une arme.

Maud eut un instant de panique. Son premier réflexe aurait été de courir, de crier. Alex lui toucha la main et elle se maîtrisa. Tant qu'à s'enfuir, autant que ce fût par le rêve. Elle fixa son regard sur un lampadaire tordu qui pendait dans le vide au-dessus de la rivière et un souvenir lui vint. Elle n'avait pas six ans quand un jour d'été, à la montagne, pendant un pique-nique, elle avait grimpé sur un flanc de falaise. Un pas, puis deux, puis cinquante. Elle s'était retrouvée très haut, sans moyen de redescendre. Le vide la terrifiait. Elle voyait ses parents, tout en bas, qui criaient. Elle avait envie de courir vers eux, de se jeter dans leurs bras. Il avait fallu faire venir les secours. Toute la nuit, elle qui ne voulait jamais qu'on la touche, elle avait dormi serrée contre sa mère. Cette histoire ressemblait un peu à celle du plongeoir. Elle n'y avait jamais pensé. Elle se demanda soudain si tout ne s'expliquait pas comme ça : le danger était le seul moyen pour elle de briser les obstacles qui la séparaient de l'amour.

Enfin, le moteur toussa, hoqueta puis repartit. Ils le laissèrent reprendre un régime régulier puis se remirent en marche. C'est alors que Maud prit conscience que Vauthier n'était plus avec eux. Les mains en l'air, lentement, il s'était avancé seul vers le check-point bosniaque et avait expliqué ce qui se passait. Ils le retrouvèrent en train de distribuer des cigarettes.

Le contrôle des véhicules et des papiers fut assez rapide. L'obsession des miliciens à cet endroit était visiblement un attentat. Ils inspectèrent soigneusement le dessous des châssis et les cabines. Ils parurent rassurés en voyant que le chargement était composé de cartons empilés. Ils en retirèrent trois ou quatre sans les ouvrir, juste pour vérifier qu'il n'y avait rien de caché derrière. Quand ils surent qu'il s'agissait d'un convoi français, ils appelèrent quelqu'un, et un petit homme vêtu d'un survêtement bleu les rejoignit. Il portait une énorme ceinture autour du ventre sur laquelle étaient alignées des balles en cuivre. Deux pistolets étaient glissés de chaque côté dans la ceinture et leur long canon noir lui descendait jusqu'au milieu des cuisses.

— Vous êtes français ?

— Eh oui, mon vieux, répondit Vauthier, personne n'est parfait.

— Paris ?

— Lyon, dit Lionel.

— Lyon ! Félicitations. Un grand club, l'OL. On les rencontrait tous les ans et chaque fois, on se prenait deux-zéro.

C'était un ancien footballeur professionnel. Il avait fait toute sa carrière à Lens. Il les invita à prendre un café turc dans un petit abri installé un peu plus loin. Ils s'installèrent sur des tabourets, à l'abri d'une bâche en toile cirée tendue sur des ferrailles.

Ce n'était pas le moment de s'éterniser. Ils avaient encore une longue route à faire et l'étape de la veille avait été très courte. Mais l'homme avait envie de parler et ils pouvaient en tirer des informations précieuses.

— Ma femme et mes enfants sont toujours en France. Moi, je suis revenu dès le début de la guerre pour me battre. En fait, on était trois dans le club, trois Yougos comme on disait à ce moment-là. Tous d'ici. Les deux autres ont été tués.

— Comment est la situation en ce moment ? demanda Lionel.

— Ici, ç'a été très chaud dès le début. Il faut dire qu'en face, on a l'armée serbe.

— Mais en Bosnie centrale, là où l'on va ?

— Ça change tous les jours. À première vue, tout devrait être calme puisque les Croates et nous, on est censés être alliés, maintenant. Malheureusement, la vérité, c'est que cette histoire de Fédération croato-musulmane, c'est un truc inventé à Sarajevo pour amuser la galerie. Il n'y a plus de grandes offensives, c'est entendu. Mais les coups de main, c'est tous les jours, toutes les nuits, surtout.

— Des coups de main entre Croates et musulmans ?

— On ne sait jamais trop. D'autant qu'il y a aussi les paramilitaires serbes qui s'infiltrent partout et qui massacrent en faisant croire que ce sont les autres.

— C'est quoi leur intérêt ?

Le footballeur haussa les épaules. Il connaissait assez les Français pour savoir qu'ils ne comprenaient rien à cette guerre. Il fallait tout leur expliquer, comme à des enfants.

— Leur intérêt, c'est que les autres ne s'entendent pas entre eux pour combattre l'armée serbe. Et puis, pour eux, tuer des gens, surtout des musulmans, c'est un devoir. Et un business aussi. Ils ne repartent jamais les mains vides.

— La route est sûre, quand même ? insista Lionel.

— Je vous dis : ça dépend des moments. Mais, de toute façon, il ne passe pas grand monde par ici. Il y a bien quinze jours que je n'ai pas vu un convoi civil traverser le pont. La dernière fois, c'était des Anglais d'Oxfam. Si vous aviez une carte routière, je vous montrerais où ça risque de chauffer.

Lionel retourna jusqu'au camion et revint avec la carte.

Le footballeur leur indiqua approximativement la position des prochains check-points et le contour des enclaves qu'ils allaient traverser.

Ils lui demandèrent où on pouvait s'approvisionner.

— C'est encore ici que vous trouverez le plus de choses. Venez, je vais vous conduire chez un de mes cousins qui tient un magasin.

Du café turc jusqu'à un entrepôt de fruits et légumes, en passant par un poulailler installé dans un garage et par une étable où un vieux paysan vendait du lait et du fromage blanc, il était presque onze heures quand ils purent finalement se remettre en route.

La rive musulmane de la ville était constituée par de petits faubourgs pavillonnaires et des zones industrielles qui avaient subi de gros dégâts. Très rapidement, ils se retrouvèrent dans la campagne. La pluie avait cessé mais l'eau imprégnait tout. Elle stagnait dans les sillons des champs et dans les fossés. La route ressemblait à une rivière à la surface de laquelle auraient affleuré de petits îlots de glaise. Pour le déjeuner, ils s'arrêtèrent dans un sous-bois et mangèrent debout, en pataugeant sur un sol détrempé, couvert de feuilles argentées.

Dans une côte, ils furent dépassés par un convoi de l'ONU qui roulait à vive allure, en soulevant des gerbes de boue. Ils durent même s'arrêter pour nettoyer les pare-brise qui en étaient couverts.

De nombreuses maisons, abandonnées et défigurées par des incendies ou des tirs, témoignaient de la violence des combats dans la région. D'autres villages étaient intacts et prospères. La guerre, ici, avait pris l'aspect d'un phénomène surnaturel. On ne voyait nulle trace de miliciens ou d'instruments militaires.

La destruction, visible çà et là, paraissait être tombée du ciel, comme une foudre. Le malheur ressemblait à un décret divin qui ne devait rien aux hommes. Pourtant, ces dommages étaient récents et l'absence de combattants ne signifiait pas que la guerre était terminée. Elle indiquait seulement que, plus qu'ailleurs, le danger était caché, tapi dans les bois sombres qui entouraient les villages, niché dans le creux des vallons, les replis des montagnes. Il pouvait à tout moment en sortir et frapper.

5

Maud et Marc conduisaient à tour de rôle, sans rien dire. La conversation de la veille avait installé entre eux une certaine gêne. Maud se demandait si son compagnon ne regrettait pas ses confidences. Elle l'observait à la dérobée. Il avait de nouveau l'œil dur, aux aguets. Il était tendu, comme à l'affût. En somme, il avait retrouvé son comportement habituel. Maud se dit qu'il ne pouvait sans doute pas desserrer l'étau de la discipline, sauf en de rares moments, comme la nuit précédente. C'était un peu frustrant car elle avait l'impression de mériter sa confiance. En même temps, elle n'aurait pas aimé qu'il prenne prétexte de leur brève complicité pour la traiter avec familiarité. Faute de s'y retrouver dans ces sentiments contradictoires, elle se taisait, elle aussi, et scrutait le paysage.

Malheureusement, il était défiguré par les constructions. Depuis deux semaines maintenant qu'ils avaient quitté l'Italie, le décor était tristement semblable. La nature pouvait être belle, dans les endroits où elle était intacte. Mais tout ce qu'avaient bâti les humains semblait marqué du sceau de la laideur. Jour après jour, c'était le même spectacle accablant : maisons en briques ou en parpaings, couvertes du même toit à quatre pentes, sempiternels check-points construits comme des taudis, trognes de brutes, variations infinies sur le thème toujours identique de la méfiance et de la saleté.

Sous la douche brûlante, dans le QG de l'ONU, Maud avait connu un moment de soulagement, en voyant la crasse s'écouler, en peignant ses cheveux mouillés qui avaient retrouvé leur souplesse. Mais maintenant, elle n'était plus aussi sûre que le miracle se reproduirait. Elle finissait par se dire que toute cette grisaille, cette boue, cette violence lui collait trop à la peau pour qu'elle puisse espérer s'en débarrasser jamais. Discrètement, elle se regarda dans le miroir qui était fixé sur le pare-soleil. Elle se trouvait vieillie, abîmée. Elle cultivait le naturel depuis toujours. Il était pour elle comme une forme nécessaire de franchise. Pourtant, en cet instant, elle avait envie de peindre des couleurs sur son visage, de faire briller du rouge sur ses lèvres. Elle eut la tentation de demander à Marc ce qu'il pensait d'elle. Mais aussitôt, elle se trouva ridicule et rabattit le miroir d'un geste brusque.

Marc sursauta. Il jeta un coup d'œil vers elle et sourit.

— Tu trouves le temps long ?

— Non, ça va.

— Tu veux conduire ?

— Tout à l'heure.

— C'est ça qui est terrible dans ce pays. Il est moche.

Elle le regarda avec étonnement. Avait-il deviné ses pensées ou partageaient-ils les mêmes ?

— Ça doit être mieux l'été ?

— À peine. De toute façon, dans ces montagnes, le paysage est toujours triste.

Ils traversaient un village. Le bas des murs était taché par la boue grise et des charrettes à foin piquaient du nez dans les cours.

— Ici, la seule chose qui mette un peu de couleur dans le paysage, c'est le sang.

Maud scruta le visage de Marc avec effarement. Il était impassible et ne souriait pas. Comment pouvait-on dire une phrase pareille ? Et quel sens devait-elle lui donner ? Est-ce qu'il disait cela pour le déplorer ou était-ce là ce qui l'attirait dans ce pays ?

Le sang… Un temps, elle avait pensé devenir médecin et c'est l'idée du sang qui l'en avait dissuadée. Le sang lui faisait horreur. Et pourtant, n'était-ce pas le spectacle de l'horreur qu'elle aussi était venue chercher ? N'était-ce pas le sang qu'ils avaient tous en commun : les militaires, les victimes, les humanitaires ? Elle était profondément troublée.

Jamais un check-point ne lui avait paru si bien placé que celui auquel ils durent s'arrêter peu après. Maud était soulagée de pouvoir sortir un moment du camion et respirer librement. Mais dès qu'elle fut dehors, elle remarqua que l'air glacial sentait le bois brûlé. Elle scruta les alentours. La charpente calcinée d'une maison dépassait au-dessus des taillis. Il lui semblait qu'elle fumait encore et les miliciens avaient l'air très nerveux.

C'était des paysans ; ils avaient tous le visage barré par la même moustache noire et des toques de mouton sur le crâne. On aurait dit qu'ils étaient cousins et peut-être l'étaient-ils, après tout.

De loin, Maud voyait que Lionel et Alex parlementaient avec eux. Ils ne devaient pas se comprendre. Un des Bosniaques, plus ridé encore que les autres et vêtu d'une veste trop longue, faisait de grands gestes en montrant la route. Il n'avait pas l'air menaçant, plutôt apeuré. Elle s'approcha.

— Que se passe-t-il ?

— On ne sait pas bien, répondit Alex. Ils ont l'air de dire qu'il y a un problème un peu plus loin.

— Ils nous laissent continuer quand même ?

— C'est ce qu'on ne comprend pas.

— Ça y est, intervint Lionel, en se retournant. On peut y aller.

Les paysans discutaient maintenant entre eux. Certains n'avaient pas l'air d'accord avec le petit vieux qui leur avait donné l'autorisation de passer. Il se défendait avec de longues tirades et, pour conclure, il cracha par terre.

Ce n'était pas la peine d'attendre que la querelle dégénère et qu'ils changent d'avis. Lionel grimpa en vitesse dans le camion et fit signe aux autres de démarrer tout de suite. Le village qu'ils traversèrent était désert. Dans deux maisons, de courtes flammes, rosies par les gouttes de pluie qui pénétraient du dehors, sortaient par les fenêtres. Devant l'une d'elles, la porte d'entrée gisait, arrachée, sur le sol. Tout cela se passait à quelques dizaines de mètres des miliciens qui les avaient arrêtés. Ils comprenaient maintenant qu'il ne s'agissait pas d'un check-point. D'ailleurs, il n'y avait ni chicane ni barrage. Ils avaient dû simplement tomber sur un groupe de villageois en armes qui étaient sortis du maquis après une attaque. À moins qu'ils ne l'aient perpétrée eux-mêmes, on ne savait trop. En tout cas, le hameau était vide et ils se demandèrent où étaient ses habitants. Avaient-ils réussi à se mettre à l'abri ? Étaient-ils cachés dans les maisons ? Dans les rues boueuses, une bande de chiens crottés couraient en tous sens et reniflaient sous les portes.

Un des bâtiments, assez peu différent des autres, était flanqué d'une petite tour ronde coiffée d'un toit pointu et ornée d'un croissant vert en métal. Ce devait être la mosquée du village. Un gros trou crevait sa façade et, par les portes grandes ouvertes, on voyait que l'intérieur était complètement calciné. Faute de meubles sans doute, l'incendie s'était arrêté.

Ils continuèrent sans ralentir et se retrouvèrent de nouveau en pleine campagne, au milieu des pâturages et des taillis. La nature semblait tout ignorer du drame des hommes. Mais c'était une nature triste qui portait en elle le malheur.

Moins d'un kilomètre plus loin, ils furent de nouveau arrêtés par des militaires mais, cette fois, en approchant, ils virent qu'il s'agissait de Casques bleus. À quelques mètres des hommes qui barraient la route, était stationné le convoi de l'ONU qui les avait dépassés à grande vitesse. Les portes arrière des blindés étaient ouvertes. On distinguait, à l'intérieur, quelques soldats alignés sur les banquettes, leur arme entre les jambes et qui fumaient.

Ils garèrent les camions derrière le dernier blindé et descendirent sans couper les moteurs. Parmi les gradés qui déambulaient autour des véhicules blancs des Nations unies, ils reconnurent plusieurs hommes qu'ils avaient croisés dans les couloirs du QG et notamment un adjudant-chef du Train. Alex, qui avait joué aux cartes avec lui dans le bar, s'approcha.

— Il y a un problème, ici ?

— Un petit, oui.

L'adjudant-chef des Casques bleus avait un accent parisien. En parlant, il soulevait sa visière, comme il l'aurait fait avec une casquette.

— Argelos, le toubib, est là-bas, si vous voulez des explications.

Là-bas, c'était au milieu d'un champ qui n'avait pas été labouré et sur lequel les pailles courtes laissées par la moisson flottaient à la surface d'un lit de boue noire. De loin, on ne voyait qu'un attroupement kaki et un bouquet bleu clair de casques. Ils avancèrent tous les quatre dans le champ. Vauthier, lui, comme d'habitude, faisait bande à part. Il avait préféré se mêler aux hommes qui restaient près des blindés.

Des soldats allaient et venaient de la route jusqu'au lieu de l'attroupement. Certains portaient des civières, d'autres dépliaient de grands sacs en plastique noir. Personne ne parlait mais soudain, une voix puissante cria des ordres. C'était celle du médecin.

— Ne faites pas n'importe quoi, les gars ! S'il y a des morceaux, tâchez de ne pas les disperser.

Il était accroupi par terre et ils ne le virent qu'en se faufilant parmi les soldats. Maud eut un haut-le-cœur. Sur le sol gras, une cinquantaine de corps, peut-être plus, étaient étendus dans des positions grotesques. Les bras et les jambes étaient tordus, les têtes formaient un angle douloureux avec les troncs, certains visages étaient plongés dans la boue. Sur la masse grisâtre de ces corps, habillés pour la plupart de vêtements ternes aux couleurs passées, la seule couleur vive était celle du sang.

Des flaques écarlates s'étalaient sur les poitrines, coulaient des membres, étoilaient les têtes et formaient, sur la grisaille du décor et du ciel bas, comme autant de taches somptueuses.

Maud ne pouvait détacher son regard de ce spectacle. Le dégoût qu'elle ressentait était si puissant qu'il la paralysait. En même temps, elle était fascinée. Dans ce paysage en deuil, la seule chose vivante était ce sang, qui sortait des morts.

L'air humide diluait les odeurs, et c'était la vue seule qui semblait porter les violents remugles de chairs broyées et d'humeurs répandues. Maud fut tout à coup saisie d'une nausée. Elle eut à peine le temps de se retourner pour vomir.

Argelos se releva, toujours au milieu du charnier, et

reconnut les humanitaires au premier rang du cercle des vivants.

— Tiens, vous êtes là, vous autres !

— On est passés dans le village et on a vu qu'il y avait eu des combats, prononça Lionel, soulagé de pouvoir parler au médecin, dire n'importe quoi plutôt que de rester silencieux, à contempler les cadavres.

— Des combats ! Un massacre, oui. Tu ne vois pas qu'il n'y a que des femmes et des enfants ?

Maud s'était reprise et avait rejoint les autres. En entendant le médecin, elle trouva la force de regarder de nouveau le groupe macabre qui s'étalait sur le sol. Et, à cause des mots qu'Argelos avait prononcés, elle vit les choses différemment. Elle n'avait d'abord aperçu qu'une masse indistincte de corps suppliciés. Maintenant, elle distinguait des êtres particuliers. Elle reconnaissait en eux d'anciens vivants. Ces dépouilles dénaturées avaient dû être des femmes et des enfants, qui respiraient, marchaient, mangeaient, peu de temps auparavant. Une mère serrait encore son bébé contre elle. Maud se demanda lequel des deux avait été tué le premier. Le visage de l'enfant n'était qu'une plaie ; la balle qui l'avait frappé devait avoir été tirée à bout portant. Mais le corps de la mère semblait intact.

— Qui a fait ça ? demanda Maud.

— Va savoir. Les paysans disent que ce sont des mercenaires qui travaillent pour un chef de guerre serbe.

— Vous le connaissez ?

Argelos s'était retourné pour donner des ordres à

deux brancardiers qui attendaient, sans oser poser leur civière toute neuve dans la boue.

— Bien sûr qu'on le connaît. Il s'appelle Arkan. Il traîne souvent en ville et je l'ai même vu deux fois au QG sortir du bureau du colonel.

— Alors, vous allez l'arrêter ? insista Maud.

— L'arrêter !

— Mais s'il a massacré des femmes et des enfants…

— Qu'est-ce qui nous le prouve ? Si on l'accuse, il dira très sérieusement que ce sont des Arabes à la solde des Bosniaques qui ont fait le coup. Et il y aura au moins dix personnes pour témoigner en sa faveur.

— Le groupe de ce type-là, renchérit le sous-officier parigot, c'est ni dieu ni maître. Comme les autres égorgeurs qui rôdent dans le coin, il n'appartient pas à l'armée régulière. Officiellement, personne ne le contrôle.

— Quand même, insista Maud, on doit pouvoir l'empêcher de nuire. Vous êtes nombreux, vous pouvez en venir à bout facilement…

— Tu crois quoi ? Qu'on fait la guerre, nous aussi ? Déjà, il faudrait que quelqu'un à New York nous donne l'ordre de le buter, ce qui n'est pas trop leur genre. Et si on s'y mettait, il ne faut pas croire qu'il se laisserait faire comme ça. Il a des mortiers et des RPG, tout ce qu'il faut pour faire de beaux trous dans nos fenêtres. Tu t'en souviens, de ma fenêtre ?

Marc, qui n'avait pas dit un mot jusque-là, saisit Maud par le coude.

— Allez, on repart. On ne sert à rien ici.

Sa voix était calme et Maud, qui tremblait d'émotion, sembla reprendre ses esprits en sentant la main ferme de Marc autour de son bras. Les autres aussi eurent du mal à s'arracher à ce spectacle.

— Bonne route, les enfants, leur cria Argelos avant de reprendre son travail macabre, et faites attention à vous !

Une fois remontée dans le camion, Maud se mit à parler. Elle décrivait la scène, notait des détails, faisait des commentaires qu'elle jugeait elle-même stupides. Elle se sentait incapable de supporter le silence. Elle avait besoin d'extérioriser son émotion, de dire n'importe quoi mais de parler. Elle n'attendait pas de réponse. C'est tout juste si elle remarquait que Marc restait silencieux, les mâchoires serrées, et regardait la route avec un air méchant.

— Quand même, remarqua-t-elle à un moment, c'est curieux qu'on ait eu cette conversation juste avant.

Marc jeta un coup d'œil dans sa direction et haussa les épaules. Ce geste de mépris la fit taire. Elle se dit qu'après tout, il était un militaire, un homme qui avait tué, lui aussi. Et elle se mit à le détester.

*

Dans le premier camion, au contraire, l'ambiance était plutôt à la concorde et au pardon. Comme Lionel et Alex restaient silencieux, Vauthier se mit à raconter ce qu'il avait appris en discutant avec les soldats. Ses compagnons avaient envie de le faire taire, comme d'habitude. Mais le spectacle auquel ils venaient d'assister leur faisait prendre en horreur la violence et la haine. N'étaient-ils pas eux-mêmes sur la voie du meurtre, si peu que ce fût, en prenant cet homme en détestation ? Il était antipathique et peut-être suspect, ils le trouvaient grossier et veule, mais était-ce une raison pour le traiter avec violence ? Ils se souvenaient du combat avec Marc et se disaient que la guerre commence comme cela. Après ce qu'ils venaient de voir, ils avaient envie de se montrer meilleurs, de prendre leurs distances avec la sauvagerie qui était en tout homme et en eux aussi. Sans se concerter, Lionel et Alex firent un effort pour écouter Vauthier et même lui répondre.

Habitué à se faire rabrouer, Vauthier commença par s'étonner de cette nouvelle sollicitude. Quand il comprit que l'attitude de ses compagnons avait changé pour de bon, sans trop se poser de questions sur les raisons de cette métamorphose, il prit lui aussi un ton moins provocateur et laissa de côté l'ironie et la grossièreté dont il usait d'habitude avec eux. Si bien qu'au bout d'un moment, ils purent mener tous les trois une conversation normale.

— Les gars m'ont raconté qu'à dix bornes d'ici, dit Vauthier, il y a un ancien centre de vacances vide. On pourrait s'arrêter là-bas cette nuit.

— C'est sur la route ou il faut prendre une transversale ?

— Il paraît qu'on va passer devant une barrière en

bois, avec un truc marqué en cyrillique et un dessin, genre deux gamins qui se tiennent par la main. Il suffit de soulever la barrière et de faire cinq cents mètres sur un petit chemin.

— Il y a un gardien ?

— Non, il était serbe, et comme c'est une zone musulmane, il a foutu le camp.

— C'est peut-être un bon plan.

*

Le centre de vacances était un bâtiment tout en longueur construit dans une clairière entourée de hauts arbres. Les pièces du rez-de-chaussée ouvraient sur une large terrasse, bordée par une balustrade de bois. L'architecture était d'un modernisme triste et sans fantaisie. On imaginait bien les responsables du Parti inaugurant l'édifice, en enchaînant les phrases creuses à la gloire de la jeunesse, du sport et du socialisme. Depuis lors, la guerre civile était venue compléter cette vision, en apportant la touche finale à ce tableau radieux. Les baies vitrées étaient brisées, le mobilier avait été pillé. Quelqu'un avait même allumé un feu de camp pour la veillée au beau milieu du grand salon, dont le plafond et les murs étaient noirs de suie.

La pluie avait cessé quand ils arrivèrent. Un semblant de soleil, hésitant et sournois, se glissait sous la jupe grise des nuages que le vent du soir avait soulevée. Ils entrèrent par une porte-fenêtre éventrée et visitèrent les pièces, une torche à la main. Le complexe était trop grand pour que les pillards pussent le ravager de fond en comble. Ils s'étaient contentés de faire un exemple avec les grandes salles du devant et quelques chambres. Mais ils en découvrirent plus d'une dizaine encore meublées et protégées par des vitres intactes. Ils sortirent les duvets du camion et, luxe inouï, s'installèrent à un par chambre. Ni l'eau ni l'électricité ne fonctionnaient mais ils disposaient de tout le nécessaire pour s'éclairer et faire cuire le repas. Pour l'eau, une source coulait dans un bassin de pierre, près du parking. Ils en chauffèrent une pleine bassine et se la répartirent pour faire leur toilette dans les salles de bains collectives. Vauthier confirma ses bonnes dispositions en se remettant à cuisiner pour tout le monde.

Avec la nuit, un froid humide se répandit dans les pièces livrées aux courants d'air. Suivant l'exemple des précédents occupants, ils allumèrent un feu dans le salon et dînèrent assis par terre tout autour, surplombés par un nuage de fumée. Puis ils allèrent tous se coucher, en essayant de ne pas penser à ce qu'ils avaient vu dans la journée. Ni surtout aux groupes d'assassins qui écumaient la région.

6

Amollie par la chaleur du duvet, Maud s'endormit presque aussitôt. Elle fit des cauchemars douloureux dont elle ne se souvint pas mais qui l'éveillèrent.
Elle regarda l'heure au cadran phosphorescent de sa
montre. Il était deux heures et demie. Le sommier
de fer grinçait quand elle se tournait pour chercher
le sommeil. Finalement, elle décida de se lever et de
sortir sur la terrasse pour regarder la nuit. Une lueur
étrange venait du dehors. En ouvrant la fenêtre, elle
vit qu'il avait neigé. La couche blanche était fine. Elle
couvrait le sol et les arbres et brillait sous un halo de
lune. Maud enfila un blouson matelassé par-dessus sa
polaire et sortit. C'était la première fois depuis qu'elle
était entrée dans ce pays qu'elle ressentait une émotion esthétique aussi vive. La neige, surtout la première de l'année, est comme ces accessoires de mode
qui donnent du chic à la tenue la plus banale. Les bois
gris, la pelouse miteuse, le parking bétonné avaient
acquis grâce à elle un charme inattendu.

Maud avança jusqu'à la balustrade. Son rebord

était arrondi et la neige n'avait pas pu s'y déposer. Elle s'y appuya et contempla le paysage. Le souvenir des corps abattus lui revint malgré elle. Elle se demanda quelle forme ils auraient pris sous la neige et si elle serait parvenue à les rendre beaux, eux aussi. Son esprit vagabondait et elle perdait la notion de durée. Depuis combien de temps était-elle là quand elle vit une silhouette sortir du couvert des premiers arbres et traverser la pelouse livide ? Elle ne bougea pas, espérant que l'homme ne l'avait pas vue. Car c'était un homme, large d'épaules et qui avançait d'un pas lent. De qui pouvait-il s'agir ? Devait-elle éveiller les autres et donner l'alerte ? Soudain, elle entendit son nom et reconnut la voix de Marc qui l'appelait en chuchotant.

— C'est toi ? dit-elle. Tu ne dors pas non plus ?

Il se planta en contrebas devant elle.

— Non, je suis allé me promener sur la route.

— Le temps s'est dégagé ; c'est beau.

— De la route, on voit les sommets au loin. Tu veux faire un tour ?

— J'arrive.

Elle chercha l'escalier et le trouva du côté opposé au parking. Marc était assez légèrement vêtu. Il tenait les mains enfoncées dans les poches de son jean, pour se réchauffer.

— Tu veux monter prendre un pull ?

— Non, quand on marche, ça va.

Ils traversèrent le bois en suivant une allée sur laquelle la neige n'avait pas tenu. Très vite, ils débouchèrent sur la route. Il fallait avancer encore un peu pour sortir du couvert et rencontrer une zone dégagée. Ils marchaient lentement côte à côte.

— Tu n'as pas dormi ? demanda-t-elle.

— Non.

— C'est le charnier…

— Oui.

Elle était surprise qu'il avoue si franchement son émotion.

— Tu as dû en voir d'autres, pourtant.

— Justement.

Ils avaient dépassé la limite des forêts et devant eux le paysage ondulait à perte de vue. Il descendait en pente douce jusqu'à une vallée invisible puis, tout à coup, butait contre la barrière lointaine des montagnes enneigées.

— C'est même pour ça que j'ai quitté l'armée.

— Parce que tu ne supportais pas les massacres ?

— Parce que je ne supportais pas qu'on assiste à ça sans rien faire.

Elle était étonnée. Pas un instant, elle n'avait pensé qu'il y avait quelque chose à faire pour *empêcher* l'horreur. Tout au plus pouvait-on tenter *ensuite* de secourir les victimes. La pensée humanitaire la conditionnait plus qu'elle ne l'aurait cru. Marc lui révélait une autre possibilité, à laquelle elle s'interdisait jusque-là de penser.

— Et qu'est-ce que tu voudrais faire ?

Il s'anima.

— Tu les as vus ? Tu as vu les gars de l'ONU, avec

leurs mitraillettes et leurs blindés, à ramasser les cadavres, à jouer les nurses ou les fossoyeurs ? J'ai fait ça un moment, moi aussi. Et puis, j'en ai eu assez.

— Argelos a été clair : ils n'ont pas les moyens de coincer les coupables. Il faudrait arrêter tout le monde. Il y a des criminels partout, dans cette guerre.

Marc la regarda et, malgré l'obscurité, elle sentit dans ce regard le mépris et la colère. Elle s'en voulut de l'avoir contredit ; elle n'avait pas envie de discuter. Elle voulait seulement comprendre et surtout le comprendre.

— Explique-moi, alors.

À la lumière blafarde des champs enneigés, le visage de Marc était dépouillé de sa dureté. Ses traits étaient peints avec une palette d'ombre. Seule sa bouche était clairement dessinée. Maud eut soudain envie d'y coller ses lèvres, de sentir son souffle, son humidité palpitante, sa vie. Elle qui se dérobait au désir des autres éprouvait un vertige inattendu, envahie par le sien propre, auquel elle s'était si rarement livrée. Il avait fallu que la peur, la fatigue, l'horreur creuse en elle une galerie bien profonde pour que jaillisse cette source brûlante dont elle ne soupçonnait pas l'existence.

— Il y a des criminels de tous les côtés, dit Marc d'une voix sourde, et il y a des victimes de tous les côtés, c'est entendu. Mais on ne peut rien faire si l'on s'arrête à ça.

Maud s'en voulait de ne pas s'intéresser suffisamment à ses paroles, d'être concentrée sur le trouble qu'il faisait naître en elle. Lui semblait ne pas la voir.

Il continuait à lire dans sa rage intérieure, le regard pointé vers l'avant. Mais ses lèvres, en prononçant les mots, prenaient pour elle des formes adorables.

— À un moment, poursuivit-il, il faut définir ce qui est la cause et ce qui est la conséquence. Parmi tous ceux qui se battent, il y en a qui se sont approprié la puissance pour écraser les autres. L'ancienne armée yougoslave, tout l'appareil de l'État ont été confisqués par une clique à Belgrade et les autres se défendent.

Maud s'était un peu reprise et elle voulait montrer qu'elle était attentive.

— Tu veux dire que les responsables sont les Serbes ?

— Pas les Serbes en tant que Serbes. Il y a chez eux de pauvres types forcés de se battre, des gens honnêtes, sensibles, des victimes aussi. Mais les Serbes comme héritiers de l'État yougoslave, les nationalistes serbes qui ont profité de l'effondrement du pays pour entreprendre leur projet hégémonique.

Tout cela était abstrait pour elle. Elle avait toujours détesté la politique, ses simplifications, ses mensonges. Mais elle aimait l'idée qu'à un moment, les choses prennent une direction, un sens. Qu'il ait tort ou qu'il ait raison, Marc choisissait un camp, il rejetait l'impuissance et la résignation. C'est la seule chose qu'elle retenait de ses paroles. Elle repensa aux femmes et aux enfants assassinés et à la révolte stérile qui l'avait accablée devant le spectacle de ces cadavres dont la mort resterait impunie. Toutes les injustices valaient mieux que cette injustice-là.

190

Ils s'étaient arrêtés et elle s'était plantée devant lui. Leurs visages étaient proches. Elle sentait son souffle. Elle entrouvrit les lèvres et il les prit.

Il la serrait fort contre lui et elle suivait avec des mains impatientes le relief de ses muscles qui affleuraient sous sa chemise de laine. Leurs baisers étaient violents, avides, comme s'ils avaient trouvé dans ce corps-à-corps le moyen d'exprimer toute la révolte et toute la passion, toute la rage et tout le désespoir dont, un instant plus tôt, ils étaient silencieusement dévorés.

— Viens, murmura-t-il, en se détachant d'elle et en l'entraînant par la main.

Ils revinrent sur leurs pas, qui étaient inscrits dans la neige, mais leurs traces nouvelles étaient confondues, car ils marchaient en tenant leurs corps serrés l'un contre l'autre. Ils grimpèrent l'escalier de la terrasse en se bousculant et montèrent à l'étage du bâtiment où étaient aménagés de grands dortoirs. Il n'y avait plus aucun obstacle à leur désir, seulement la voluptueuse résistance des vêtements qu'ils se retiraient mutuellement, avec des gestes maladroits et fébriles. L'air froid du dortoir, la toile rêche du matelas et les montants de fer du lit trop étroit ne faisaient qu'accroître leur ardeur. Leur étreinte désordonnée avait l'allure d'un combat, un combat où il n'y aurait ni vainqueur ni vaincu et dont le but ultime était de ne plus former qu'un seul corps, dressé contre la violence du monde qui l'entourait.

Maud, jamais, n'avait voulu subir cette épreuve

car elle la voyait comme une insupportable humiliation. Chez tous les garçons qui l'avaient approchée, elle sentait la même impatience à prendre le pouvoir sur elle, en lui infligeant cette blessure, et elle n'avait jamais éprouvé pour aucun d'entre eux assez d'amour pour s'y soumettre. Elle était vierge par orgueil, par défi. Mais là, dans ce lieu qu'elle n'aurait pas su nommer, dans l'inconfort d'une maison dévastée, elle accueillait sans crainte cette douleur intime, tant elle la désirait. Et l'homme qui la lui faisait connaître était comme l'instrument d'une force qui le dépassait lui-même et dont elle désirait s'emplir. Elle sentait le sang couler d'elle et elle imaginait au grand jour la tache rutilante briller dans ce décor sinistre. Ils partageaient ce sang comme ils avaient partagé celui des femmes massacrées. Mais c'était le sang de la vengeance et du combat, de la vie et du plaisir. Elle cria.

Ils s'arrêtèrent un instant, guettèrent des bruits à l'étage du dessous. Mais rien ne troublait le silence et ils reprirent leur étreinte.

Quand leurs forces s'épuisèrent enfin, ils restèrent enlacés mais le froid revint et glaça la sueur qui couvrait leurs corps. Marc la couvrit de sa chemise et descendit silencieusement chercher un duvet. Il l'ouvrit et ils s'en couvrirent.

Il caressait ses cheveux en désordre et contemplait son visage sur lequel la lueur de neige qui entrait par la baie vitrée jetait une fine poudre bleutée.

— Tu es si belle, dit-il.

Et elle le crut. Ce compliment qu'elle avait toujours

repoussé comme un jugement indiscret, elle l'acceptait de lui et désirait pouvoir toujours en être digne.

Elle l'embrassa de nouveau à pleine bouche. Du bout sensible de ses doigts, elle caressa rêveusement les tatouages qui couvraient les bras de Marc, ces mêmes tatouages qui avaient provoqué d'abord son dégoût et qui, dans la pénombre, ressemblaient au relief damassé d'un tissu précieux.

À un moment, il se redressa sur un coude et la regarda avec un air grave.

— Il faut que tu saches.

— Quoi ?

Un instant, elle crut qu'il allait lui révéler quelque engagement irrémédiable qui rendait leur amour impossible et elle eut peur. Mais il était revenu à son idée fixe, à son combat.

— Dans les camions…

— Eh bien ?

— Ce ne sont pas des pétards de chantier que j'ai placés.

— Non ? Quoi, alors ?

— Quinze kilos d'explosifs militaires. Des vrais, avec les détonateurs. Assez de matériel pour faire sauter un pont de cent mètres de longueur.

Elle n'aurait pas aimé qu'il lui parle d'amour. Leur amour, c'était cela : le secret partagé, le risque, le combat. Il avait un air grave d'enfant sérieux, en guettant sa réponse. Elle le regardait sans rien dire. Il voyait un sourire fixé sur son visage et s'inquiétait de ne pas en deviner le sens.

Elle, en cet instant, avait la vision de tout. Elle comprenait que le plus important pour lui, c'était ce projet, ses rêves fous, la rage qui l'habitait et dont elle ne connaissait pas l'origine. Tout le reste et même l'amour passeraient après. C'était terriblement désespérant et, pourtant, elle sentait que cela lui plaisait. Lentement, elle tendit le bras vers lui et souleva une mèche alourdie de sueur qui tombait sur son front.

— Je t'aime, dit-elle.

Il l'embrassa et le désir revint.

Une aube sale, filtrée par les arbres gris que le vent avait débarrassés de leur neige, les éveilla. Ils se hâtèrent de retourner à leurs chambres et de se coucher, chacun dans son lit, dans leurs duvets froids. Les autres dormaient encore et ne s'aperçurent de rien.

Seul Vauthier, couché sur le dos, entrouvrit les paupières quand Marc passa devant la porte ouverte de sa chambre. Leurs regards se croisèrent dans la pénombre.

III

POURSUITE

1

Il y avait plusieurs jours que Marc projetait de quitter le convoi. Il était convaincu que Vauthier en savait plus long qu'il ne le laissait paraître et qu'il n'allait pas tarder à mettre à exécution ses désirs de vengeance. Il avait proposé à Maud de s'enfuir dès la nuit suivante.

— S'enfuir ! Mais comment ?

— Dans notre camion.

— Ils vont nous suivre.

— Pas si on prépare bien l'affaire.

C'était une proposition assez effrayante. S'enfuir voulait dire rompre totalement avec l'association, entrer dans une logique de vol et de guerre. C'était un chemin sans retour. Mais n'était-il pas la conséquence inéluctable de la présence d'explosifs à bord ? Les événements s'enchaînaient trop vite pour que Maud ait vraiment le temps de réfléchir. Il y avait eu le massacre puis cette nuit inattendue, intense, et maintenant la fuite. Tout cela semblait obéir à une mécanique implacable et puissante qui la dépassait.

— Et Alex ?

— Il ne sait rien. Il est persuadé que j'ai mis ses pétards de chantier dans le chargement.

— Tu vas lui dire ?

— Non.

Maud était assez séduite par l'idée qu'il leur fallait s'enfuir. Mais abandonner Alex lui déplaisait.

— Quand même, on pourrait l'emmener.

— Ce ne serait pas raisonnable. Ses réactions sont imprévisibles. Il va m'en vouloir à mort de ne pas l'avoir tenu au courant de ce que j'allais faire.

— Pourquoi ne lui as-tu rien dit ?

— On n'a pas la même vision des choses. Il ne partage pas mon engagement. C'est même plus grave : il ne le comprend pas. Son affaire de pompes et de mine de charbon ne tient pas debout. C'est une question qui se posera quand il y aura la paix. Pour l'instant, ce qu'il faut, c'est la victoire. Tous les moyens doivent être employés à ça, y compris l'humanitaire. Il ne veut pas le comprendre.

— Tu le savais avant de partir.

— Dans le plan initial, il n'y avait pas de problème. Je devais l'accompagner tranquillement à Kakanj. Il aurait découvert la substitution au moment de retrouver sa copine et ça aurait atténué le choc. Mais il y a eu toutes ces histoires, ce flic dans le convoi… Maintenant, on n'a plus le choix.

— C'est moche quand même. Il est ton ami…

Marc pinça les lèvres. Il était évident qu'il n'assumait pas ses actes sans ressentir un malaise. Mais il n'était pas dans sa nature de l'avouer.

— De toute façon, en pratique, ce serait trop risqué. Nous, on est autonomes dans notre camion. Lui, il est dans l'autre équipage. Si on le met dans le coup, on a toutes les chances que ça foire.

Maud n'avait pas insisté. Après tout, c'était leur affaire. Et elle n'était pas mécontente, au fond d'elle, de vivre cette aventure seule avec Marc.

Au petit matin, ils avaient quitté le centre de vacances tous ensemble et le convoi avait roulé sans encombre dans la campagne. Marc et Maud avaient mis au point pendant qu'ils conduisaient tous les détails de l'opération qui devait leur permettre de fausser compagnie aux autres pendant la nuit suivante.

La couche de neige était trop fine pour tenir sur la terre encore chaude, si bien que des trous grisâtres apparaissaient un peu partout. Le paysage redevenait terne et sale. Ils avaient croisé un convoi humanitaire norvégien qui roulait en sens inverse et rentrait à vide. Le soir, ils avaient bivouaqué dans un pâturage où la neige avait presque entièrement fondu. Ils avaient repris la première répartition des tentes. Alex et Marc avaient dormi ensemble et Maud était restée dans le camion. Chacun savait ce qu'il avait à faire.

Maud avait réglé l'alarme de sa montre sur quatre heures. Elle s'était levée silencieusement. Elle avait sorti sa torche et le petit outil que Marc lui avait confié.

L'essentiel était d'éviter le bruit. Elle avait bien repéré la valve du pneu, à l'arrière du camion de Lionel. Marc

avait insisté sur la nécessité de faire sortir l'air lentement, pour éviter que la valve ne se mette à siffler.
Malheureusement, en appuyant sur le petit cylindre
métallique, Maud avait senti une résistance inattendue. Il avait fallu qu'elle presse très fort pour la
vaincre. La valve, en cédant, avait émis un sifflement
si intense et si aigu qu'elle avait tout lâché. Dans l'air
glacial, les sons portaient, et sur ce pré désert, il n'y
avait aucun animal, rien qui puisse produire un tel
bruit. Elle avait longuement écouté le silence. Rien
n'avait bougé dans les tentes. Elles étaient plantées à
une vingtaine de mètres des camions et elle opérait
sur la roue arrière gauche, qui en était la plus éloi-
gnée. L'angoisse se calma.

Ses mains tremblaient quand elle essaya de nouveau. Le sifflement se déclenchait au début de la
pression. Il fallait appuyer très fermement, sans être
surprise cette fois, et laisser ensuite l'air s'écouler avec
un chuintement grave qui risquait beaucoup moins
de donner l'alerte. Elle pensa à Marc, à sa détermination, à son calme, et elle fit comme s'il était à ses
côtés. Elle pressa la valve avec force. Le même sifflement en sortit mais plus bref, et l'air se mit à s'échapper régulièrement. Maud sentait le souffle sur son
visage et prenait garde de maintenir la pression sur
la valve, pour ne pas renouveler le bruit. Ses doigts
étaient engourdis par le froid et l'énorme pneu mettait du temps à se vider. Elle grimaçait de douleur car
une crampe raidissait sa main et menaçait de lui faire
tout lâcher. Enfin, elle nota que le pneu se déformait

et cela lui donna l'énergie de résister jusqu'à ce qu'il s'affaisse en entier. Il fallait que le pneu soit complètement à plat, faute de quoi leurs poursuivants pourraient être tentés de ne pas le réparer tout de suite. Quand elle se détendit enfin, la jante touchait le sol.

Marc la rejoignit silencieusement un peu plus tard. La veille au soir, il avait introduit un somnifère dans la gourde d'Alex. Il savait que celui-ci ne dormait jamais sans avoir de l'eau à proximité et qu'il se réveillait deux ou trois fois par nuit pour en boire. La dose devait être plus que suffisante car il ne bougea pas quand ils mirent leur camion en marche. En revanche, Lionel avait bondi hors de sa tente dès le premier tour de démarreur. Ils avaient pris soin la veille de se garer assez loin du premier camion et dans le sens du départ. Dans le rétroviseur, Maud vit Lionel courir pour tenter de les rattraper mais il était pieds nus sur le sol boueux. Il glissa, tomba et se releva. Le camion avançait lentement sur le pré. Lionel se remit à courir. Il réussit à s'agripper au pare-chocs arrière mais en rejoignant la route, le camion fit un bond en passant sur un petit talus. Lionel lâcha prise. Maud eut une dernière vision de lui, étalé de tout son long dans la boue mêlée de neige. Il était en maillot de corps et la lumière blafarde de la lune lui donnait l'air d'un cadavre.

*

Jamais, depuis le départ, le camion n'avait roulé à un tel régime. Marc tenait l'accélérateur enfoncé en permanence, et comme la route était plate et rectiligne à cet endroit, le vieux quinze tonnes avançait à grande vitesse. La suspension fatiguée tremblait sur les cailloux et faisait entendre des craquements impressionnants aux endroits où les ornières étaient profondes. Maud se tenait à la portière, vitre ouverte, et se penchait dehors de temps en temps pour voir si elle apercevait quelque chose derrière.

Mais le camion de Lionel restait invisible.

La route montait légèrement, ce qui leur était favorable. Leur camion, ils le savaient, était légèrement plus puissant que l'autre. Marc gardait les mâchoires serrées, le regard fixé sur la route car les phares éclairaient mal. Ils ne se détendirent qu'avec les premiers rayons de l'aube, qui rendaient la conduite rapide moins hasardeuse.

— Ça va leur prendre combien de temps pour réparer, à ton avis ?

— C'est nous qui avons le gonfleur.

— Ils peuvent mettre la roue de secours ?

— Tu sais qu'on n'a pas réparé celle qui a été touchée par une balle. L'autre est avec nous. Et puis, j'ai retiré leur cric hier soir.

Ils se regardèrent et partirent d'un grand éclat de rire.

Les nuages étaient moins épais que la veille. On apercevait même, vers l'est, un coin de ciel dégagé que l'aube rosissait.

— Sors les papiers, si on tombe sur un contrôle.

Avant de partir de Lyon, Marc et Alex avaient fait

des photocopies de tous les documents. Ils laissaient Lionel sortir fièrement les papiers du convoi à chaque check-point mais ils avaient exactement les mêmes. Ils étaient dissimulés dans le pare-soleil côté passager. Une fente avait été aménagée dans le rectangle rembourré ; ils y avaient glissé les papiers et ils l'avaient refermée avec un morceau de scotch noir. Maud les sortit de leur cachette et les examina.

— Mais… ils indiquent qu'il y a deux camions et ils donnent les noms de cinq personnes.

— Je sais.

— Nous ne sommes plus que deux. Et avec un seul camion. Les miliciens vont se méfier.

— Non, regarde bien : les listes de chargement sont sur deux feuilles séparées. Cherche la nôtre et déchire l'autre. Pour les chauffeurs, il suffit de barrer trois noms. On dira que les autorisations avaient été demandées pour cinq personnes par sécurité mais que finalement deux ont suffi. De toute façon, ne t'inquiète pas. Tu as vu comment ils contrôlent, en général…

Maud savait que, de temps en temps, ils pouvaient tomber sur des fonctionnaires tatillons. Pourtant, le calme de Marc la rassurait. Il avait l'air sûr de son fait et il avait certainement ses raisons.

À un moment, en début de matinée, des rayons de soleil percèrent au ras des arbres, de vrais rayons et un vrai soleil, si pâle et froid qu'il fût. Un petit groupe d'ânes à poil long, rassemblés sous les branches d'un chêne, tendaient le museau vers la lumière. De petits ruisseaux scintillaient à travers les pâturages. Maud avait envie d'embrasser Marc. Mais il avait son visage tendu et fermé. C'était celui que Maud appelait en elle-même son visage de jour car elle connaissait désormais la douceur de son autre visage, celui qu'il ne laissait découvrir que la nuit. Elle se dit qu'elle attendrait le soir pour s'approcher de lui. À ce propos, un doute lui vint.

— Où est-ce qu'on va dormir ?

— Ici, dans le camion, dit Marc en tapant du plat de la main sur la banquette. En roulant. Au moins pendant deux jours.

— On va conduire à tour de rôle pendant la nuit, c'est ça ?

— Exactement.

— Avec les phares qu'on a, tu n'as pas peur qu'on se plante ?

— On fera attention.

Jusque-là, il y avait eu l'excitation de la rencontre, la préparation de leur fuite, qui n'était guère plus qu'un jeu. Tout à coup, Maud prit conscience de la situation. Elle roulait dans un camion bourré de dynamite, au cœur d'un pays en guerre, poursuivie par des gens qui n'hésiteraient pas à les signaler comme des voleurs. Elle avait voulu s'engager mais elle se rendait compte à quel point l'engagement des humanitaires n'en est pas un. Il leur arrive de prendre des risques et parfois de se trouver en mauvaise posture. Reste qu'ils sont étrangers au combat. Avec l'histoire des pétards de chantier, elle avait accepté une première transgression mais qui ne portait pas vraiment à conséquence. Même avec un tel chargement, ils restaient encore des humanitaires et pourraient obtenir le soutien de l'opinion publique, si jamais les Serbes les arrêtaient.

Avec de véritables explosifs, c'était tout autre chose. Ils étaient hors la loi. La France qui ne voulait pas être entraînée dans la guerre les désavouerait. En cas d'arrestation, ils seraient traités comme des criminels de guerre. Ils avaient franchi une ligne invisible dont Maud percevait l'immense valeur symbolique. Ils étaient bel et bien devenus des combattants. Ils avaient désormais des ennemis et des amis. Et rien ne protégeait plus leur vie.

*

Lionel était assis dans la boue froide à côté de la roue dégonflée, complètement abattu. Vauthier le rejoignit sans se presser. Il avait pris le temps de s'habiller et de se chausser en sortant de la tente. Il se pencha pour regarder le pneu.

— Il est simplement dégonflé.

— Comment peux-tu le savoir ? grommela Lionel.

— Parce que j'ai entendu la gamine ouvrir la valve cette nuit.

— Tu l'as entendue ! Et tu n'as rien fait ?

— Si.

— Quoi donc ?

— Je me suis rendormi.

Lionel s'était relevé et saisissait Vauthier à deux mains par le col.

— Tu t'es rendormi ! Tu te fous de moi. Tu étais dans le coup, alors ?

Lionel, avec ses bras malingres, tirait sur Vauthier mais il était bien incapable de le faire bouger. L'autre écarta doucement les mains qui l'avaient agrippé.

— Je vais regonfler le pneu, dit Lionel.

— Ne te fatigue pas. Ils ont certainement piqué la pompe.

Lionel le regarda d'un air accablé. Vauthier le prit par l'épaule.

— Viens. On va parler de tout ça tranquillement.

— Tranquillement, pendant qu'ils se barrent avec le camion ? Chaque heure qui passe, ils avancent. Et nous on est là comme des glands.

— T'inquiète pas. Ils n'iront pas loin.

Vauthier sourit, avec ses lèvres pincées. Il n'avait vraiment pas l'air de plaisanter et la haine qu'il vouait à Marc brillait toujours dans ses petits yeux mobiles. Lionel le lâcha et ils marchèrent vers les tentes. Alex sortait de la sienne, les cheveux en bataille, les paupières gonflées.

— Je ne sais pas ce qui m'est arrivé. J'ai pioncé…

— Tu as bu de l'eau hier soir ? demanda Vauthier avec un air absent.

— Comme toutes les nuits.

— Je te conseille de vider ta gourde. Ton petit camarade a dû y mettre une bonne dose.

— Une dose de quoi ?

— Il a endormi Alex ? dit Lionel. C'était prémédité, alors ?

— Mais de quoi vous parlez, vous deux ? Et puis, où est le deuxième camion ?

— Bien sûr que c'était prémédité, fit Vauthier. Heureusement que, nous aussi, nous avons prémédité des choses.

Il était le seul à avoir tous ses esprits. Les deux autres, à peine vêtus, avaient des yeux hagards et des gestes maladroits.

— Bon, allez vous habiller. Moi, je vais préparer un petit déjeuner sérieux. Et on va discuter de l'affaire en détail.

Le soleil pointait au ras des arbres quand ils se réunirent tous les trois, assis sur des caisses, autour du réchaud. Ils tenaient leur quart entre les paumes, pour se réchauffer. Lionel avait glissé un joint derrière son oreille et attendait d'avoir bu son café pour l'allumer.

— Alors, qu'est-ce que c'est que cette histoire de préméditation ?

— Il faut remonter un peu plus loin, dit Vauthier. Au QG où on s'est arrêtés, vous vous souvenez que j'ai retrouvé des amis ?

— Oui.

— Parmi eux, il y a des gens bien informés.

— Des barbouzes ?

— Disons des agents français avec un uniforme de l'ONU sur le dos.

— Qu'est-ce qu'ils t'ont dit ?

— Je leur ai demandé de se renseigner sur ces deux-là, dit Vauthier, en regardant Alex.

— Ne dis pas *ces deux-là*. Tu vois bien que…

— Qu'il t'a baisé comme nous autres ? Je suis au courant. Mais, à ce moment-là, je ne savais pas.

— Alors, raconte ce qu'ils t'ont dit, insista Lionel.

— Je ne peux pas vous donner tous les détails. Il y a une enquête en cours en France et ça reste confidentiel. Si je résume, je dirai ceci.

Il se redressa et prit un air important, comme s'il adoptait le ton solennel d'un juge ou d'un procureur.

— Il y a deux mois, des explosifs de guerre ont été volés dans un arsenal à Orange. On n'a pas encore retrouvé le coupable mais il est certain qu'il a agi avec des complicités internes et qu'il s'agissait d'un ancien militaire.

— Mais les pétards de chantier ne sont pas des explosifs militaires, s'écria Alex. Je les ai achetés moi-même à une entreprise de travaux publics…

— Laisse-le finir ! Continue, Vauthier.

— Merci. J'en viens à l'essentiel puisque vous êtes impatients. Tout porte à croire que c'est notre ami commun qui a dérobé ces explosifs et qu'il les a placés dans le camion numéro deux.

— Comment le sais-tu ?

— Le signalement correspond et mes amis ont eu un tuyau par un indic.

Alex avait l'air sonné. Ces nouvelles le stupéfiaient. En même temps, elles apportaient la réponse aux questions qu'il n'avait pas cessé de se poser à propos de Marc. Il n'avait jamais très bien compris pourquoi il avait accepté avec tant d'enthousiasme de l'accompagner. Il n'avait pas d'amie à Kakanj, lui. Pour autant qu'Alex le soupçonnait, il se moquait pas mal de savoir si les pompes de la mine continueraient à marcher ou non. Leur amitié était réelle mais pas assez profonde pour expliquer que Marc prît tant de risques pour s'engager dans cette mission. S'il avait son propre plan, tout devenait plus clair. C'est pourquoi, malgré son étonnement, Alex eut l'immédiate certitude que les renseignements de Vauthier étaient exacts.

— Et mes pétards de chantier ? dit-il. Qu'est-ce qu'il en a fait ?

— Il s'est servi de toi, mon cher Alex, j'ai le regret de te le dire. Il avait besoin d'un binôme pour conduire son camion et il connaissait tes lubies, à propos de la mine de Kakanj.

— C'est pas des lubies !

— Non, bien sûr, dit suavement Vauthier. Quoi qu'il en soit, il a placé de vrais explosifs dans le chargement et pas les tiens.

— De vrais explosifs ? Il a mis de vrais explosifs ?

— Oui, mon vieux. C'est un gars sérieux, lui. Il ne rigole pas avec des histoires de pompes à eau.

— J'ai jamais pensé qu'il me ferait un coup pareil.

— Et pourtant, il l'a fait. Malheureusement pour lui, ça ne s'est pas passé comme il voulait. Tu as trop parlé et Lionel a changé les équipes. Il s'est retrouvé avec Maud.

— C'est pas possible, gémissait Alex, la tête dans les mains. Pas possible…

— Mais, reprit Vauthier, le doigt levé, l'animal est malin. Il a plus d'un tour dans son sac. On lui a collé Maud dans les pattes. Qu'à cela ne tienne ! Il s'est arrangé pour qu'elle tombe amoureuse de lui. Ça n'a pas dû être trop difficile, avec sa belle gueule et son air ténébreux.

— Qu'est-ce que tu dis ? coupa Lionel. Maud amoureuse de lui ? Alors, là, arrête ton char. Elle n'a jamais été amoureuse de personne. C'est bien son problème, d'ailleurs.

Son ton indiquait assez que cette plaie-là n'était pas refermée.

— Cesse tes enfantillages, s'il te plaît. Il faut te rendre à l'évidence : elle n'a jamais rien eu à foutre de toi. Et aujourd'hui, encore moins.

— Tais-toi ! cria Lionel, en se levant d'un bond.

Il avait repris le visage grimaçant qu'Alex lui avait vu quand il l'avait soupçonné.

— Pourquoi veux-tu que je me taise ? Dans la vie, il faut apprendre à regarder la vérité en face, sinon on n'arrive à rien. Et la vérité, c'est que ta prétendue copine est raide amoureuse du sieur Marc.

— Tais-toi.

Lionel avait répété ces mots machinalement. Mais il s'était rassis, le regard dans le vague, et la colère était en train de laisser la place à l'accablement.

— Dans le centre de vacances, continua Vauthier impitoyablement, ils ont passé la nuit ensemble, au premier étage. Je te fais grâce des traces qu'ils ont laissées. Elles indiquent que la jeune personne, en effet, n'avait pas d'expérience. Mais maintenant, elle connaît la vie…

La tête dans les mains, Lionel garda le silence. Puis il se redressa, calme, résigné. L'autorité de Vauthier exerçait sur lui un effet apaisant. Il détestait ses paroles mais, curieusement, cette révélation mettait fin à un mensonge auquel il ne croyait plus lui-même. Il était presque soulagé. C'est sans agressivité qu'il se tourna vers Vauthier.

— Pourquoi as-tu attendu qu'on en soit là pour parler ? Pourquoi n'as-tu pas tout raconté quand on était dans le QG ? On le faisait boucler et l'affaire était réglée.

— Dans le QG, j'aurais pu le faire arrêter, c'est entendu. On l'aurait mis au trou et il aurait été jugé. Mais il est très habile. Il aurait pu nier, voire nous mettre dans le coup et nous faire tomber avec lui.

— C'est vrai, concéda Lionel.

— De toute façon, reprit Vauthier, je n'avais aucune envie qu'il aille en tôle.

— Et pourquoi donc ?

— Parce que je préfère m'en occuper moi-même.

Il se fit un long silence. La lumière jaune paille du soleil rasant faisait ressortir les plaques de neige sur le fond noir du sol boueux. Lionel, penché sur la flamme bleutée du réchaud, jeta un coup d'œil vers Alex et vit que celui-ci, embrumé par la drogue que Marc lui avait administrée, somnolait de nouveau, appuyé sur un coude.

— C'est ça, renchérit Lionel en haussant les épaules, on va s'en occuper nous-mêmes. Et comment, tu peux me le dire ?

— On va d'abord réparer le camion tranquillement. Je suis sûr qu'on trouvera une ferme aux alentours, avec une pompe ou un compresseur.

Puis, sur un ton plus bas, Vauthier ajouta :

— Pour le reste, pas d'inquiétude : ils auront ce qu'ils méritent. Et il vaut mieux que nous ne soyons pas dans les parages quand ça se produira.

— Qu'est-ce que tu leur as préparé ? demanda Lionel.

Vauthier fit mine de s'emmitoufler dans sa canadienne neuve. En désignant Alex du menton, il lança à Lionel un clin d'œil entendu, pour lui recommander la prudence.

— C'est une région dangereuse, poursuivit-il à voix basse. Tu l'as vu hier. Il y a des miliciens incontrôlés, des bandes de tueurs qui circulent. Ils sont capables de causer pas mal de dégâts.

— Tu veux dire… qu'ils vont tomber sur des types comme ça ? sursauta Lionel. Comment le sais-tu ?

— Une intuition, peut-être.

Vauthier chercha un bonnet dans sa poche pour couvrir son crâne dégarni. Lionel était livide.

— Ne me dis pas que tu as mis un contrat sur leurs têtes…

Vauthier ne répondit pas. Il souriait avec une expression mauvaise, cruelle. Il était facile de comprendre qu'il n'avait aucune intention d'en dire plus.

Lionel n'insista pas. La perspective de se rendre complice d'un assassinat lui faisait très peur. En même temps, si les choses devaient se passer comme ça, il ne pourrait s'empêcher d'en ressentir un réel plaisir. En somme, l'idée de vengeance le séduisait, à condition de ne pas en assumer la responsabilité. Vauthier, lui, n'avait pas ces pudeurs.

À cet instant, avec sa grosse tête de rouquin et ses petits yeux vifs, Lionel le trouvait presque sympathique.

2

Ils conduisaient à tour de rôle et Maud avait tenu le volant pendant trois heures. Maintenant, elle était revenue sur le siège passager et elle était censée dormir un peu. Mais elle se sentait trop excitée pour trouver le sommeil.

— Combien de temps ça va nous prendre d'arriver à Kakanj ?

— On ne va pas à Kakanj.

Elle se redressa.

— Ah, bon ! Et on va où, alors ?

— Là où on nous attend.

Cette réponse, venant de quelqu'un d'autre, l'aurait exaspérée. Elle détestait qu'on ne réponde pas à ses questions, comme si elle n'était pas digne de recevoir des informations sérieuses. Mais elle commençait à connaître Marc. Il ne disait jamais plus qu'on ne lui avait demandé. C'était sans doute le résultat de son éducation militaire. Si on voulait en savoir davantage, il suffisait de l'interroger encore.

— Qui est-ce qui nous attend et où ?

Il détacha sa main gauche du volant et se frotta les yeux. C'était le seul signe de fatigue qu'il s'autorisait. Il faisait ce geste aussi quand il était sur le point de commencer un long discours. Autant dire que cela lui arrivait assez rarement.

— Alex t'a raconté quoi, au juste, sur Kakanj ?

Cette question avait pour but, à l'évidence, de déterminer à partir de quel point il devait commencer son récit, en espérant avoir à en dire le moins possible.

— Il m'a parlé de sa copine Bouba. Et puis, il m'a dit que tu allais souvent chez les Croates qui encerclent le camp.

— C'est tout ?

— En gros, oui. Je ne te cache pas, d'ailleurs, que ce qu'il m'a dit m'a étonnée. Il paraît que ce sont des salauds, ces types. Ils jettent des pierres aux réfugiés quand ils approchent des barbelés.

Marc attendit d'avoir négocié un long virage descendant pour reprendre la parole.

— Des salauds, il y en a de tous les côtés. Tu n'as jamais été dans des pays en guerre ?

— Jamais.

— La guerre civile, c'est exactement ça : le triomphe des salauds. On les voit sortir de partout. On s'étonne même qu'il y en ait autant et qu'on ne les remarque pas plus d'habitude.

Maud hocha la tête. Elle les voyait bien, elle, les salauds. Elle les voyait dans tous les milieux et dans toutes les circonstances ; elle les démasquait malgré leur déguisement. Au fond, se dit-elle, peut-être que je vois le monde depuis toujours comme s'il était en guerre.

— Mais, reprit Marc, ça n'a pas d'importance. Les salauds sont un produit de la guerre, pas sa cause. La plupart du temps, les véritables responsables, ceux qui déchaînent la violence et provoquent les guerres, sont des gens très bien. Des gens sincères, généreux, instruits. Enfin, passons. Ce n'est pas le sujet.

— Ce n'est tout de même pas une raison pour s'acoquiner avec des salopards.

— Les Croates qui encerclent Kakanj ne sont pas tous des salopards.

Maud n'avait pas l'air très convaincue.

— Je veux bien mais Alex m'a raconté ce qu'ils ont fait à la famille de Bouba...

— Évidemment. Dès que la guerre a commencé, tous les frustrés, les voisins jaloux, les pervers se sont déchaînés. Mais il n'y a pas que des gens comme ça parmi ceux qui se battent.

L'éclaircie du matin n'avait pas duré. De gros nuages noirs avaient envahi le ciel et des bancs de brouillard enveloppaient la route dans certains creux de vallée. Marc ne ralentissait pas dans ces zones mais il redoublait de vigilance car, à deux ou trois reprises, ils avaient failli foncer dans des charrettes qui sortaient de la brume au dernier moment.

— Je connaissais bien les réfugiés de la mine et je peux dire que je les aimais. Ce n'est pas très difficile, d'ailleurs. Ce sont des gens désarmés, des femmes et des enfants, des victimes. Pardon pour tes amis les humanitaires, mais c'est à la portée de tout le monde d'aimer des victimes.

Maud aurait pu discuter ce point. Elle se demandait si les humanitaires, Lionel par exemple, aimaient vraiment les victimes. Ou si, à travers elles, ils n'aimaient pas simplement l'idée de pouvoir aider quelqu'un, c'est-à-dire de lui être supérieur. Mais c'était une autre question.

— En tout cas, dit Marc, c'est autrement plus difficile d'aimer des combattants, des gens debout, qui se battent et qui ne tendent pas la main pour être nourris.

Il se tourna un instant vers elle et lui sourit. C'était un sourire grave, un peu triste, et elle avait l'impression qu'il ne s'adressait pas à elle.

— C'est vrai, je me suis fait quelques bons amis, chez les Croates. Toutes sortes de gars. De simples soldats, notamment, des types qui faisaient la guerre malgré eux et qui n'avaient de haine pour personne.

— Ils ne sont pas obligés de se battre, dans ce cas.

— Tu sais, quand l'État s'effondre, tu n'as pas le choix. Tu défends ta terre. Tu protèges les tiens. C'est difficile pour nous d'imaginer ça.

— Peut-être.

— Ces soldats de base ne sont pas les plus intéressants. Ils n'ont en général pas compris grand-chose à ce qui se passe. Ils connaissent ce qu'il y a autour d'eux, c'est tout, et ils obéissent. Mais il y a aussi des gens qui voient plus loin.

— De vrais militaires, c'est ça ?

Maud avait souri en faisant cette remarque. Mais Marc n'était pas sensible à sa plaisanterie.

— Pas nécessairement. Pas du tout, même. En fait, c'est une armée improvisée. La plupart des hommes qui se battent là-dedans ne sont pas des militaires de métier. Moi, je suis devenu ami avec un médecin et un architecte. Ils s'étaient mis des galons pour ressembler à de vrais officiers. Mais ils restaient d'abord des civils.

— C'était quoi, leur rôle ?

— Le médecin s'appelle Filipović. Il était cardiologue à Banja Luka. Au début de la guerre, quand les Serbes ont bombardé Vukovar, il est parti là-bas pour soigner. Mais très rapidement, il a pris les armes. Il est devenu colonel en deux mois. Quand je l'ai connu, c'était lui qui commandait le secteur de Kakanj.

— Et l'architecte ?

— C'est un gars plus jeune, trente-cinq ans à peu près. Il s'appelle Martić. Il était tout juste diplômé quand la guerre a commencé. Il venait de Mostar. Il s'était enfui quand des musulmans avaient « nettoyé » son quartier. À Kakanj, il était devenu artilleur en chef. Comme il disait, il s'occupait de détruire les maisons, au lieu de les construire. Mais il avait toujours l'impression de rester dans sa partie…

Marc jeta un coup d'œil à Maud, un petit sourire au coin des lèvres. Elle se dit qu'il ne manquait pas d'humour. Mais c'était un humour sombre, toujours orienté vers la destruction et la mort.

Elle attendait qu'il continue son récit mais il freina

brutalement. Il restait silencieux et scrutait le brouillard, penché en avant, l'air inquiet.

— Qu'est-ce que c'est, là-bas ? dit-il.

Ils n'avaient pas rencontré de contrôle depuis qu'ils avaient faussé compagnie aux autres. C'était peut-être normal car le dessin des enclaves dans cette région était capricieux. Peut-être aussi avaient-ils franchi une frontière non gardée mais c'était peu probable. En tout cas, ils devaient rester très vigilants : dans la brume de plus en plus épaisse, il était possible de tomber sur un check-point sans l'avoir repéré avant.

À quelques centaines de mètres devant eux, des formes sombres barraient la route. De loin, pourtant, cela n'avait pas l'air d'un check-point. On aurait dit plutôt un convoi arrêté, avec des hommes qui déambulaient autour.

— Ils n'ont pas l'air d'avancer, dit Maud. Tu crois qu'ils nous ont vus ?

Marc coupa le moteur et serra le frein à main. Ils étaient cachés par un rideau d'arbres et, avec le brouillard, les gens sur la route ne les avaient sans doute pas vus. Il fallait seulement espérer qu'ils ne les avaient pas entendus arriver. Marc réfléchissait à toute vitesse. Ça avait tout l'air d'une espèce d'embuscade. Mais préparée par qui ? Il était peu probable que Lionel et les autres aient pu donner l'alerte auprès des Nations unies. Ils étaient loin d'une base quand ils les avaient quittés. Mais, évidemment, une coïncidence était toujours possible. Un convoi de l'ONU avait pu passer par là, qui aurait signalé leur fuite à toutes les unités, grâce à son réseau de radios. À moins que ce soit autre chose, pensa Marc. Et dans ce cas, il n'y a que de mauvaises hypothèses…

*

Comme Vauthier l'avait supposé, ils n'avaient eu aucun mal à trouver une ferme dans les environs. Le fermier, fait exceptionnel, n'était pas parti pour la guerre parce qu'il vivait seul. Sans sa présence, son exploitation aurait été perdue. Il était venu lui-même gonfler la roue avec une pompe électrique alimentée par une batterie. Ensuite, ils avaient pris le temps de s'habiller et de ranger tranquillement les tentes et les ustensiles de cuisine. Maintenant, ils roulaient sur une route presque rectiligne, bordée d'aulnes secs. Lionel, au volant, remâchait d'une voix sourde des couplets de rap. Vauthier était assis, très calme, sur le côté droit de la banquette avant. Alex n'avait pas encore éliminé tout son sédatif et il dormait sur la couchette à l'arrière.

— Dis-moi un truc, Vauthier. Les amis barbouzes que tu as rencontrés en ville l'autre jour, tu travailles pour eux ?

— On peut dire ça, oui.

— Donc, tu ne t'es pas engagé à La Tête d'Or seulement pour voir du pays.

— En effet.

— Tu nous surveillais.

— Absolument pas.

Dans le ton de Lionel, on ne pouvait déceler aucune réprobation. Il était de plus en plus reconnaissant à Vauthier d'avoir sauvé la situation. Il éprouvait maintenant pour lui une curiosité qui touchait à la fascination.

— Tu ne nous espionnais pas ?

— Non.

— Je t'avoue que j'ai du mal à comprendre.

— C'est pourtant simple. Mes copains barbouzes, comme tu dis, avaient besoin d'infos sur ce qui se passe dans ce pays, les zones de combat, les forces en présence, les lignes de front. C'est pour ça qu'ils m'ont confié cette mission. Dans un convoi comme celui-ci, on bouge, on traverse des régions où personne d'autre ne va, on peut parler librement à tout le monde. C'est pour ça que je suis parti avec vous. Certainement pas pour m'intéresser à vos petites histoires d'ados boutonneux.

Lionel n'était pas très heureux de savoir que son convoi était surveillé par les services de renseignement. En même temps, il était assez flatté que Vauthier lui fasse suffisamment confiance pour lui en parler franchement. De toute façon, maintenant, il se sentait de son côté.

— Évidemment, quand j'ai compris que vous étiez infiltrés par ces deux anciens militaires, j'ai bien été obligé d'en informer aussi mes commanditaires. Et j'ai bien fait : comme ça, ils ont pu faire des recoupements et savoir ce que préparait ce fils de pute.

Alex, à l'arrière, grogna en essayant de s'asseoir. Il

avait les cheveux en bataille et se frottait les yeux. Quand il vit qu'il était réveillé, Vauthier se tut. Il tripotait sa boucle d'oreille et ses petits yeux louchaient légèrement, comme chaque fois qu'il était en colère.

3

Ils étaient toujours arrêtés et, autour d'eux, le brouillard épaississait. Ou peut-être était-ce à cause de la nuit qui commençait à tomber. En tout cas, on y voyait de plus en plus mal. Marc n'alluma pas les phares et ils se retrouvèrent bientôt dans le noir.

— Tu crois qu'ils nous ont vus ? demanda Maud.

— Ils auraient avancé.

— Si c'est un check-point, c'est dangereux de se planquer juste avant, non ?

— Je ne crois pas que ce soit un check-point.

— Pourquoi ?

Ses questions visiblement énervaient Marc. Il était concentré et cherchait une solution. Les formes, au loin sur la route, n'avaient pas bougé. Plus inquiétant, elles n'avaient pas non plus allumé de feux, alors que l'obscurité était maintenant totale. Marc ouvrit la portière et descendit sur la chaussée. Elle n'était pas suffisamment large pour que le camion fasse un demi-tour sans manœuvrer, d'autant qu'il braquait mal. Les fossés, de chaque côté, étaient comblés par des broussailles. Marc les sonda, en avançant prudemment une jambe. Ils étaient très profonds et si une roue s'y enfonçait, il n'y aurait aucun moyen d'en ressortir. Il marcha quelques instants pour s'assurer que derrière eux, il n'y avait pas une entrée de champ ou une portion plus large. Mais il ne trouva rien. Il revint au camion et remonta sur son siège.

— Alors, demanda Maud, qu'est-ce qu'on fait ?

Elle était gagnée par la peur, et la présence de Marc agissait de deux manières opposées. C'était lui qui avait provoqué cette alerte. En quelque sorte, c'était sa peur qu'elle ressentait. En même temps, par sa présence, il la rassurait. Elle s'en remettait d'avance à sa décision.

— Tu vas te mettre au volant et moi, je vais pousser le camion en marche arrière. La route est légèrement en pente et le sol est assez plat. Je devrais arriver à le lancer. Garde la portière ouverte et tâche de bien surveiller la trajectoire. Il y a des fossés de chaque côté. Si je vois que tu dévies, je taperai sur la tôle du capot.

Maud glissa jusqu'à la place du conducteur. Dans l'obscurité, elle se heurta à Marc qui n'était pas encore descendu. Ce fut plus fort qu'elle, elle l'agrippa et le saisit par le cou. Elle ne voyait pas son visage et elle tâtonna pour trouver ses lèvres. Elles étaient encore dures et pincées, comme lorsqu'il avait son visage de jour. Mais au contact de sa bouche, elle sentit qu'elles s'entrouvraient et ils prolongèrent leur baiser. Dans cette nuit sans lune, avec le froid qui s'insinuait, le danger, cette étreinte était comme un refuge, un déni du monde. Maud n'avait pas envie qu'elle prenne fin et un désir plus profond et plus total l'envahit. Mais Marc la repoussa et descendit sur la route.

Elle mit un long instant à reprendre contenance.

— Allons-y, dit-il.

Elle ôta le frein à main, s'assura que le changement de vitesse était au point mort, puis, le corps penché à l'extérieur et les mains sur le volant, elle se prépara. La chaussée obscure apparaissait à peine plus claire que les bas-côtés.

— Quand tu veux.

Elle sentait que Marc s'arc-boutait et poussait de toutes ses forces car il gémissait. À un moment, il lâcha prise en soufflant bruyamment. Le camion n'avait pas bougé.

— On recommence, dit-il.

Elle donna un nouveau signal. Il se remit à pousser. Cette fois, elle eut l'impression que le camion reculait légèrement mais il retomba vers l'avant.

— Je vais dégager les roues. Il doit y en avoir une qui est coincée dans une ornière.

Elle l'entendit qui faisait le tour et grattait le sol.

Ils essayèrent de nouveau à quatre reprises mais sans succès. Marc remonta dans le camion. Maud sentait qu'il réfléchissait intensément et elle ne lui posa aucune question. Un peu plus tard, il lui sembla que le silence avait pris une qualité particulière. Bientôt, elle se rendit compte que des flocons tombaient sur le pare-brise.

Ils eurent la même idée : si la neige tombait suffisamment, elle amortirait les sons. Elle pourrait même recouvrir leurs traces. Les hommes, là-bas au loin, avaient dû se mettre à l'abri dans les voitures. Ils entendraient moins les bruits du dehors. Ils attendirent un long moment. La neige tombait toujours. Le paysage commençait à prendre une teinte blafarde qui permettait de distinguer le sol clair du ciel toujours noir. Marc descendit, fit le tour, et Maud lui céda la place au volant. Il actionna le démarreur. Le diesel se mit en marche au deuxième coup.

Sans perdre un instant, il enclencha la marche arrière et commença à descendre. En donnant de petits coups sur la pédale de frein, il put utiliser la faible lumière des feux stop pour se guider. Lentement, sans à-coups, il parvint à reculer d'une centaine de mètres. À cet endroit, le camion n'était plus visible par les hommes postés en embuscade. Marc alluma les phares. Un chemin forestier très étroit et boueux partait sur la gauche. La neige, retenue par les sapins qui le bordaient, ne couvrait pas encore le sol. Il engagea le camion sur le chemin. Trente à quarante mètres plus haut, celui-ci débouchait dans une clairière. De longs tas de bûches soigneusement empilées attendaient sans doute d'être chargés. Marc gara le camion le long d'un de ces murs. Puis il coupa le contact.

— On va passer la nuit ici ?

— Oui. Demain, j'irai voir si le barrage est toujours là.

Le froid humide avait envahi la cabine. Il n'y avait pas de chauffage électrique dans ce camion-là et pas de couchette non plus.

— Qu'est-ce qu'on fait ? On monte une tente ?

— Il vaut mieux qu'on reste dans le bahut. Si jamais il se passe quelque chose…

Maud sortit une deuxième polaire et se couvrit. Elle déplia son sac de couchage et s'en servit comme d'une couverture.

— Allonge-toi sur la banquette, lui dit-il.

L'habitacle était assez étroit et, en s'étendant, elle se retrouva avec la tête sur les genoux de Marc.

— Et toi ? Tu ne vas pas pouvoir dormir comme ça.

— Ne t'inquiète pas.

Il lui caressait les cheveux et, pour la première fois, elle regretta qu'ils soient si courts. Elle aurait aimé le couvrir de longues mèches soyeuses, pour qu'il sente leur douceur sous ses doigts et pour qu'elles le réchauffent un peu.

Le bois était absolument silencieux. Sous le duvet, Maud sentait se diffuser la chaleur de son corps. Elle était bien décidée à veiller mais, en quelques instants, elle s'endormit profondément.

*

Quand Maud s'éveilla, un jour pâle était levé. Elle se rendit compte que Marc avait remplacé ses genoux par un sac à dos, en guise d'oreiller. Il n'était plus dans la cabine. Elle regarda autour d'elle. La neige avait cessé mais elle avait dû tomber une grande partie de la nuit car le sol était blanc et les branches couvertes d'un épais manchon scintillant. La clairière était plus vaste que dans son souvenir et des cabanes de bûcheron occupaient tout un côté. Marc était assis à l'entrée de l'une d'elles et faisait chauffer de l'eau sur un réchaud qu'il avait sorti du camion. Elle remit ses chaussures et descendit le rejoindre.

— Tu n'as pas dormi ?

— Pas beaucoup. Tu veux du café ?

Il lui tendit un quart fumant.

— Ils sont partis.

— Comment le sais-tu ?

— Je suis monté jusqu'en haut de la côte et je les ai surveillés à la jumelle.

— Tu sais qui c'était, finalement ?

— Une bande de types en uniforme mais sans insigne, des paramilitaires apparemment.

— Les égorgeurs qui ont massacré les villageois ?

— Ceux-là ou d'autres.

— C'est nous qu'ils cherchaient ?

— Peut-être.

Elle buvait son café brûlant à petites gorgées.

— On s'est peut-être inquiétés pour rien ?

— Tant pis. Il valait mieux ne pas prendre de risque.

— Tu crois que Vauthier et les autres ont réussi à donner l'alerte ?

— C'est possible. Mais, de toute manière, maintenant, ça n'a plus beaucoup d'importance. Dans cinq kilomètres, on quitte la route.

— On quitte la route ! Mais pour aller où ?

Ils étaient déjà sur un axe très secondaire où il ne passait presque personne. Elle n'imaginait pas qu'on puisse engager le camion dans un chemin plus petit, sauf sur quelques mètres pour se cacher.

— On va couper par la montagne.

Marc avait l'air de savoir ce qu'il faisait et elle ne posa plus de questions.

Ils mangèrent chacun deux tranches d'un vieux pain dur que Marc avait coupées avec son couteau de poche. Puis ils rembarquèrent tout et partirent.

La sortie du bois se fit sans difficulté. Ils se retrouvèrent sur la côte qu'ils avaient gravie la veille. Le petit jour sur la neige donnait aux pâturages et aux bois de sapins un air alpin qui était familier à Maud. Elle se croyait en vacances. Il lui revenait en mémoire des odeurs de raclette et de tablées familiales qui éveillaient en elle des sentiments mêlés. Elle se sentait terriblement seule dans cette promiscuité affectueuse et joyeuse, pendant les fêtes passées en famille à la montagne. Jamais elle n'avait plus cruellement mesuré tout ce qui la séparait des autres et d'autant plus qu'ils étaient proches. Mais, la journée, elle allait skier seule hors des pistes. Elle se perdait dans les bois, finissait souvent à pied, en portant ses skis. Elle arrivait au chalet à la tombée de la nuit, comblée de rêves et n'entendant même pas les reproches que ses parents lui faisaient pour son imprudence. Ces souvenirs-là étaient l'image la plus claire qu'elle se faisait du bonheur.

Comme Marc l'avait annoncé, ils trouvèrent un embranchement quelques kilomètres plus loin. À première vue, le chemin qui partait sur la gauche avait simplement l'air de mener à une ferme. Mais Marc avait sorti une carte d'état-major très précise qu'il gardait dépliée sur le tableau de bord. Il montra à Maud l'étroite ligne qui coupait vers les montagnes. Ils s'y engagèrent. Personne n'était passé là depuis la veille. Ils laissaient derrière eux sur le sol blanc de neige deux traces parallèles et orphelines.

*

Il avait fallu toute une journée et deux nuits à Alex pour qu'il émerge complètement des vapeurs du somnifère.

Il sortit de la tente où il avait dormi seul et s'étira. Vauthier et Lionel étaient encore couchés. Il lui semblait se rappeler qu'ils avaient discuté longuement la veille mais ses souvenirs étaient confus, à cause des médicaments. Il se fit chauffer un café et le but lentement, assis sur un pliant.

Le sol était couvert de neige. Il pensa à Bouba qui devait avoir froid, dans son four lugubre. Il avait envie d'être près d'elle. Jamais une femme ne l'avait autant bouleversé. Certains jours, il se demandait vraiment pourquoi elle avait ce pouvoir.

Pour Alex, la neige, c'était le monde de son enfance. Petit, il l'adorait. Tout l'automne, il guettait l'arrivée des premiers flocons. Il ne pouvait y avoir pour lui de Noël sans neige. Cela s'était produit une fois et il en avait été très malheureux. Puis il était allé à l'école, assez tard car sa mère restait à la maison et préférait le garder. C'est à l'école qu'étaient venues les premières plaisanteries. Elles n'étaient pas vraiment méchantes et ses camarades ne faisaient que répéter pour se moquer de lui ce que, probablement, ils avaient entendu chez eux. Leurs blagues tournaient toutes autour du contraste entre le noir de sa peau et le blanc de la neige. Pour la première fois, il avait pris conscience du caractère singulier de sa situation. Il n'était pas seulement un Noir parmi les Blancs. Il était un Noir dans la neige. Un Noir relatif, car il était métis, mais dont la couleur ressortait plus violemment sur la blancheur absolue de la neige. Et il s'était mis, sinon à la détester, du moins à la craindre.

Cela ne l'avait pas empêché de vivre, ni même d'être heureux et d'avoir des amis. Mais il avait gardé cette blessure secrète, cette impression d'avoir été jeté par la vie dans un endroit où il n'aurait pas dû se trouver. Il avait le sentiment d'une injustice qu'il ne pouvait reprocher à personne mais qui faisait de lui un exilé, quelqu'un qui ne se reconnaissait pas dans la terre où il était né. Les filles qu'il avait fréquentées ne pouvaient pas le comprendre. C'était des Blanches, des montagnardes qui vivaient dans le cadre qui leur correspondait. À Grenoble, il avait rencontré une Antillaise mais elle avait quitté la Martinique à l'âge de douze ans. Elle n'avait donc rien vécu de ce qui avait été son enfance à lui. Et puis, un jour, sous son casque bleu, il avait vu Bouba. C'était un jour de neige comme celui-là. Il avait reconnu en elle le même exil. Un exil dont les causes étaient différentes puisque c'était la guerre mais un exil tout de même, un arrachement. Il avait eu le sentiment qu'il comprenait sa douleur, et qu'elle comprendrait la sienne. Grâce à elle, il cessait d'être une victime pour devenir le contraire : celui qui tenterait de sauver quelqu'un de plus malheureux encore. Il y avait beaucoup de cela dans son amour pour Bouba. Et ce projet d'aller vivre là-bas avec elle après la guerre, c'était comme la guérison d'un exil par un autre exil.

— Tu rêves à quoi ?

Il n'avait pas entendu venir Lionel, qui était debout derrière lui.

— À rien. Tu veux un café ?

— Merci. Avec deux sucres.

Alex touilla la poudre dans l'eau chaude, mit les sucres et tendit le quart à Lionel.

— J'ai été dans les vapes toute la journée, hier.

— Il t'a mis la dose !

Lionel s'assit en face de lui et souffla sur le liquide brûlant.

— Dis donc, j'ai peut-être rêvé, vu l'état dans lequel j'étais, mais vous n'avez pas parlé de les faire descendre par des paramilitaires ?

— Les faire descendre ! Tout de suite les grands mots.

— C'est quoi l'idée, alors ?

Lionel était un peu gêné. Il ne pouvait nier tout à fait. Mais il ne voulait pas pour autant révéler le fond de l'affaire à Alex, en qui il n'avait aucune confiance. Surtout, il ne tenait pas à prendre la moindre responsabilité dans l'histoire.

— Il s'agit simplement de leur faire un peu peur, je crois.

— Un peu peur ? Avec des assassins ? Vous ne pouvez pas faire ça !

Alex, tout à coup, prenait conscience de la gravité de la situation. Son état comateux l'avait tenu à l'écart de la décision. Maintenant, il était peut-être trop tard.

— Vous êtes complètement fous ! Marc a fait une connerie, d'accord. Je suis le premier à lui en vouloir. Mais le livrer aux égorgeurs pour ça ?

— Écoute-moi bien, Alex. On est en zone de guerre. On ne peut pas tout contrôler. Si les paramilitaires lui font la peau, ce ne sera pas notre faute. Il n'avait qu'à pas partir tout seul devant.

— Vous pouviez le dénoncer à l'ONU, le faire coffrer. Mais pas le tuer !

— Et lui, il n'a pas pris le risque de nous tuer, avec ses explosifs ?

Vauthier s'était levé à son tour et il entrait dans la conversation, en regardant Alex d'un air mauvais.

— Qu'est-ce qui se passe ?

— Il s'inquiète de ce qui va arriver à son copain.

— J'ai toujours pensé qu'ils marchaient ensemble, ces deux-là. Ils ne sont pas militaires pour rien.

— C'est pas la question, brailla Alex. Militaire ou pas, vous n'avez pas à le faire descendre.

Tout à coup, il eut une autre idée.

— Et Maud ? Vous allez la supprimer aussi ?

— Tu as peut-être loupé un épisode, vu ce que

tu avais bouffé. Mais je te rappelle qu'ils couchent ensemble. Elle est complice.

— Ils couchent ensemble ! répéta Alex, abasourdi.

Il regarda Lionel qui souriait de travers. Puis il se leva brusquement.

— C'est ça, ta raison pour la laisser crever ? Tu lui reproches de t'avoir dit non et d'être amoureuse de Marc. T'es qu'un jaloux ! Un pauvre type !

— Tu vas la fermer ?

— Laisse, intervint Vauthier, on a compris, maintenant. On l'a toujours su d'ailleurs : il ne lâchera jamais son pote. On aurait dû les laisser partir tous les trois, comme ça, à l'heure qu'il est…

— Toi, le flic, avec ta haine…

— Notre ami nous livre le fond de sa pensée, dit calmement Vauthier en plissant les yeux. M'est avis qu'à la prochaine rencontre avec l'ONU, nous allons devoir le confier aux autorités pour le faire rapatrier.

— Vous n'aurez pas besoin. C'est moi qui vais partir. Vous me dégoûtez.

Sur ces mots, Alex s'éloigna et entreprit de plier sa tente avec des mouvements brusques.

Vauthier fit des signes à Lionel pour qu'il se calme.

— Laisse-le dire. On s'en fout. De toute façon, ça doit déjà être réglé à l'heure qu'il est.

Ils terminèrent tranquillement leur petit déjeuner et rangèrent à leur tour le campement. Puis ils se rembarquèrent dans le camion.

Alex était à l'arrière, silencieux et buté. Lionel conduisait sans dire un mot et Vauthier chantonnait, pour montrer qu'il était d'humeur joyeuse et nullement affecté par les insultes.

La brume de la veille s'était dissipée. Le ciel restait plombé mais lumineux et le paysage sous la neige révélait des formes douces, sensuelles, qui ne laissaient plus rien deviner de la guerre.

Vers dix heures, ils aperçurent un groupe d'hommes qui avançaient au loin sur la route. La plupart allaient à pied mais ils étaient suivis par deux jeeps.

— Ma parole, dit Vauthier, on dirait nos amis miliciens.

Alex, à l'arrière, se redressa.

Ils continuèrent de rouler et bientôt ne furent plus qu'à quelques mètres des miliciens.

— C'est bien eux. Je reconnais Arkan, le grand, avec un bonnet noir.

Les paramilitaires entourèrent le camion, en brandissant leurs armes. Vauthier sauta à terre et approcha d'Arkan. Dans le camion, Alex et Lionel n'entendaient pas ce qu'il disait mais ils voyaient qu'il s'expliquait avec animation. Les miliciens avaient des trognes féroces. Ils étaient beaucoup plus effrayants que tous ceux qu'ils avaient rencontrés jusque-là. Aux checkpoints, on trouvait généralement des militaires disciplinés qui accomplissaient leur tâche d'un air morne, ou bien des paysans plus ou moins valides qui n'étaient bons à rien d'autre. Là, ils avaient affaire à des combattants véritables et de l'espèce la plus dangereuse : celle des tueurs. Ils avaient le regard froid d'hommes qui ne connaissent ni la peur ni la pitié.

À mesure que le chef rebelle s'expliquait, on voyait Vauthier s'assombrir. Il revint vers le camion et Lionel ouvrit sa vitre pour lui parler.

— Qu'est-ce qu'ils disent ?

— Ils ne les ont pas trouvés.

— Tu plaisantes ?

— J'ai l'air ?

— C'est pas possible !

— Arkan est formel. Ils ont remonté toute la route et ils n'ont pas rencontré le camion.

Alex se sentait soulagé mais il prit garde de ne rien laisser paraître.

— C'est incroyable. Où est-ce qu'ils ont pu passer ?

— Ils ont dû se planquer. Il paraît qu'il y avait beaucoup de brouillard hier soir. À moins que…

— À moins que quoi ?

— Fais voir la carte.

4

— Il arrive où, ce chemin ?

Maud regardait la carte mais ce n'était pas très clair. L'étroit passage qu'ils empruntaient se ramifiait au moment de franchir les montagnes. Il y avait apparemment plusieurs possibilités.

— On va voir où ça passe le mieux, dit Marc.

— Mais pour aboutir où ?

Marc changea de main sur le volant et, tout en conduisant, pointa un doigt sur la carte étalée sur les genoux de Maud.

— Par là. À l'est de Zenica. C'est toujours l'enclave de Kakanj mais on n'ira pas dans la ville. On restera plus à l'ouest.

— C'est là qu'on nous attend ?

— Oui.

— Qui ça ? Tes deux copains, le médecin et l'architecte ?

— Entre autres.

C'était un peu pénible, à la fin, de devoir arracher

des informations comme ça. Maud replia la carte d'un coup sec.

— Tu ne crois pas que tu pourrais me dire franchement ce qu'on va faire ? Je suis embarquée là-dedans avec toi. Je prends les mêmes risques. Il me semble que j'ai le droit de savoir.

Marc ne dit rien. Il sortit un mouchoir de sa poche et s'essuya le nez. Elle se demanda si elle l'avait vexé. Après tout, tant pis. Quand il avait ce visage-là, elle se sentait loin de lui. Elle ne voyait plus de raison de supporter ce qu'elle n'aurait toléré de personne.

— Je voulais tout te raconter, hier. Mais on a été interrompus.

Il disait vrai et répondait sur un ton calme. Elle s'en voulut d'avoir été trop agressive.

— Les deux hommes dont je t'ai parlé et qui sont devenus mes amis sont des gens qui voient loin. Ils ont bien compris que leur intérêt était de lier leurs forces avec les musulmans contre la Serbie.

— Ce qui ne les empêche pas de menacer les réfugiés qui sont dans la mine.

— Ça, c'est le jeu malsain des gamins du coin. Mais à un autre niveau, celui des chefs, c'est différent ; ils collaborent. Oui, je sais, c'est assez difficile à comprendre.

— Je peux y arriver, je crois.

Il lui sourit et tendit le bras pour poser la main sur son genou. Elle tressaillit, moins à cause de ce geste que de l'émotion physique qu'il provoquait en elle.

— Continue.

— Avec les musulmans de la zone voisine, mes deux amis ont élaboré un plan. C'est un peu en dehors de leurs compétences mais c'est comme ça aussi, dans cette guerre : il y a beaucoup d'initiatives locales. Les armées ne sont pas très centralisées.

— C'est quoi, leur plan ?

— L'idée est simple, même si la situation est compliquée. Les Serbes de Bosnie ne peuvent continuer à encercler les autres groupes et à les bombarder que s'ils sont ravitaillés en armes et munitions par la Serbie. Pour les couper de leurs approvisionnements, il faudrait les empêcher d'utiliser les routes qui mènent à Belgrade.

Maud avait rouvert la carte et tentait de s'y retrouver.

— Pour ravitailler la Bosnie centrale, c'est cette route-là qu'ils empruntent. Tu la vois ?

C'était un axe facile à repérer, symbolisé par un large ruban rouge.

— Comme ils n'ont ni aviation ni artillerie digne de ce nom, le seul moyen…

— C'est de faire sauter ce pont.

Maud avait mis le doigt sur le point où le ruban rouge croisait le trait bleu vertical qui indiquait la rivière Drina. Marc sourit. Elle eut l'impression qu'il l'avait laissée conclure, comme un enfant à qui on souffle la réponse. Mais elle se fit elle-même le reproche d'être trop sur ses gardes et elle préféra sourire.

— Ils n'attendent plus que nos explosifs, dit Marc.

Maud était prise d'une sorte de vertige. Les armes qu'ils transportaient — car il fallait appeler les choses par leur nom, il s'agissait d'armes — n'étaient plus seulement un chargement interdit qu'ils devaient passer en contrebande. Elles étaient l'instrument d'une action de guerre, une action décisive qui pouvait changer la face du conflit. Une action qui, à terme, sauverait peut-être des vies mais qui, dans l'immédiat, allait en supprimer d'autres. En un mot, ils allaient tuer.

Le chemin était vraiment étroit, à peine plus large que le camion parfois. La neige vierge lui donnait une allure débonnaire mais elle masquait un sol irrégulier. Le gel n'était pas suffisant pour rendre la boue solide et, souvent, les roues patinaient. À un moment, l'horizon se dégagea devant eux et ils aperçurent des sommets et des cols d'altitude. Le spectacle aurait été simplement beau si ces hautes terres n'avaient pas constitué l'obstacle qu'ils allaient devoir franchir. Elle demanda ses jumelles à Marc et scruta les lointains. Les pentes étaient pour la plupart couvertes de forêts et on ne distinguait pas de route, aucune maison. L'ensemble avait l'air assez inhospitalier et désert.

— Tu es sûr que ça passe, à cette saison ?

— On va bien voir.

Avec l'avancée de la matinée, le ciel s'éclaircit. Les nuages cessèrent de former un plafond gris et se morcelèrent en paquets arrondis qui flottaient sur un fond bleu pâle. La température, à l'extérieur, s'était un peu élevée et la neige avait fondu sur le chemin, qui était plus chaud que les champs. Désormais, il formait un ruban noir qui serpentait sur le tapis blanc du

240

paysage. Ils passèrent au large de plusieurs fermes et s'arrêtèrent devant l'une d'elles. Une fermière, la tête couverte d'un fichu à fleurs, accepta de leur vendre des œufs, du lait et un gros pain qu'elle avait cuit elle-même dans son four.

Vers le début de l'après-midi, ils virent deux avions de chasse déboucher dans le ciel au-dessus des montagnes dont ils étaient maintenant très proches. Les avions volaient à basse altitude. Les pilotes avaient dû les repérer car ils effectuèrent un court virage et passèrent une deuxième fois à la verticale du camion. Les Serbes étant interdits de survol par l'ONU et les autres n'ayant pas d'aviation, il s'agissait probablement de chasseurs appartenant à l'un des pays de la coalition internationale.

— Qu'est-ce qu'ils cherchent ?

— Va savoir !

Le plus étrange était que, sous les ailes des avions, on distinguait nettement la forme allongée de missiles sol-air. Les avions disparurent aussi soudainement qu'ils étaient venus, et Marc se remit à fixer la route sur laquelle ils avançaient lentement.

— On est en zone quoi, ici ? demanda Maud.

— Le dernier check-point était croate, si je me souviens bien.

— Il y en aura d'autres devant ?

— Ça m'étonnerait. De l'autre côté de la montagne mais pas avant. Il n'y a personne dans ce coin.

Marc était plus détendu depuis qu'ils avaient quitté la route principale. L'ambiance dans la cabine était presque joyeuse. Maud essaya de capter une station de radio. Elle finit par tomber sur un poste inconnu qui émettait de la musique traditionnelle balkanique, avec des sons de tambours et de clarinette.

— Si je faisais des sandwichs ?

— Bonne idée.

En fouillant dans une caisse derrière les sièges, elle dénicha un reste de jambon et une motte de beurre enveloppée dans un papier sulfurisé. Le pain de la paysanne était moelleux et frais. Ils mangèrent sans s'arrêter.

— Délicieux.

— Tu sais ce qui manque ? Des tomates.

Ils rirent tous les deux. Pour la première fois depuis le début de leur échappée solitaire, le reflux de la peur laissait poindre en Maud une sorte de bien-être optimiste qui lui donnait envie de chanter. Elle prit le volant un peu plus loin. Marc, à côté d'elle, sombra dans un sommeil lourd que les cahots du chemin ne troublaient pas.

Elle en profita pour enlever ses grosses lunettes. À vrai dire, elles ne lui servaient presque à rien. Elle n'était que très légèrement myope. C'est à l'adolescence qu'elle avait insisté pour porter des verres et elle avait choisi des montures de plus en plus grossières, pour s'enlaidir. Elle se regarda dans le rétroviseur. Marc allait la découvrir ainsi. Elle espérait qu'il la trouverait belle.

De temps en temps, elle jetait un coup d'œil vers lui et scrutait ce visage endormi. Ses traits s'étaient relâchés et révélaient un autre personnage. Ce n'était plus le guerrier tendu qu'il était dans la journée, ce n'était pas non plus l'homme abandonné au désir qu'elle avait aperçu pendant l'amour. Il paraissait beaucoup plus juvénile et vulnérable, presque apeuré. Dans le sommeil, il avait l'expression d'un enfant sans défense et sans affection, triste et blessé. Elle était troublée par les sentiments qui l'habitaient quand elle regardait ce visage. Elle avait souvent imaginé l'amour mais c'était toujours comme une absence, comme une force qu'elle sentait en elle mais qui ne trouvait pas à s'employer. Elle préférait l'enfouir, loin des regards, au point qu'elle-même, la plupart du temps, oubliait son existence. Il y avait, dans leur grand chalet de vacances, une pièce qui n'était occupée par personne et que ses parents appelaient la chambre d'amis. Sa mère avait mis beaucoup de soin à la décorer. Mais il n'y venait jamais personne. Ainsi était jusque-là ce compartiment de l'esprit que Maud appelait l'amour. Plutôt que de le voir vide, elle aimait mieux ne pas en ouvrir la porte. Et voilà qu'un homme y était entré et que tout, dans cet espace secret, semblait préparé pour l'accueillir. Est-ce qu'il en était de même pour lui ? Elle ne parvenait pas à le croire. Quelle place occupait-elle dans son esprit ? Avait-il jamais réfléchi à cela ? Il connaissait le désir, mais l'amour ? Y avait-il un espace en lui pour accueillir quelqu'un ? Elle ne le croyait pas. Curieusement, cette idée n'affaiblissait pas son propre sentiment, tout au contraire. Elle le plaignait de ce manque. Il avait transformé son esprit en forteresse, tout mobilisé pour se défendre contre le monde extérieur. Il devait être le premier à souffrir de ce vide cruel. Mais la douceur de son visage endormi montrait qu'il ne s'en consolait pas tout à fait. Au fond, concluait-elle, ils n'étaient pas si différents l'un de l'autre, même si leurs vies ne se ressemblaient pas.

*

— Tu crois vraiment qu'ils ont pu s'échapper par ce petit chemin ?

Un mégot froid au bec, Lionel fixait la carte routière.

— Il n'y a pas d'autre solution, grommelait Vauthier. Je suis un vrai crétin de ne pas y avoir pensé avant.

Lionel avait la mine bouleversée. Il avait cru à un dénouement facile et voilà que tout était remis en question. Marc avait réussi à s'en tirer et tout s'annonçait beaucoup plus compliqué.

Après sa conversation avec Vauthier, Arkan et ses égorgeurs avaient continué leur route macabre, en cherchant de nouvelles proies.

— Ils ont beaucoup d'avance, dit Lionel, les mains à plat sur le volant, les épaules basses. On ne va jamais pouvoir les rattraper.

— Sur le chemin qu'ils ont pris, ne t'inquiète pas, ils ne pourront pas aller très vite. Ni très loin. Démarre le camion.

Ils se remirent en route. Un lourd silence régnait dans la cabine. Chacun était livré à ses pensées.

Alex, toujours assis sur la couchette à l'arrière, était gagné par une colère à contretemps. Tant que Marc et Maud couraient un danger immédiat, il ne pensait qu'au moyen de leur venir en aide. Maintenant qu'il les savait en sécurité, au moins provisoirement, Alex se mit à penser douloureusement à la double trahison dont il était victime. Ce qui le rendait le plus furieux, c'était d'avoir été abandonné. Il avait toujours agi de façon loyale avec Marc. Il ne comprenait pas pourquoi celui-ci ne l'avait pas emmené dans sa fuite. L'autre trahison, c'était d'avoir échangé les explosifs et de ne lui en avoir rien dit. À cause de cela, la mine de Kakanj ne serait pas sauvée et la région, si la paix revenait un jour, serait ruinée. Curieusement, cela affectait même ses sentiments pour Bouba. Alex avait toujours envie de la rejoindre mais quelque chose était affaibli, brisé peut-être. Il comprenait que, pour lui, elle représentait plus qu'elle-même. Il s'était lancé dans cette aventure avec l'idée de sauver non pas une seule personne mais un pays tout entier. C'était évidemment ridicule ; en même temps, il y tenait. Comme s'il avait voulu, par cet acte dangereux, s'approprier ce coin de terre, le faire sien. Désormais, y retourner ne serait jamais qu'un exil de plus.

Alex rumina sa colère et, peu à peu, elle s'émoussa. Au fond, il comprenait Marc, même s'il ne partageait pas son engagement. Ils avaient deux conceptions irréconciliables de la guerre. Il n'y avait pas de compromis possible. Marc avait agi conformément à ses convictions. Il ne lui en voulait pas. De même, d'un point de vue pratique, compte tenu de l'urgence, il était impossible d'organiser une évasion à trois. Ne pas l'emmener, c'était aussi un moyen de ne pas l'associer à une aventure à laquelle il n'adhérait pas.

Finalement, il arrêta sa décision : il devait continuer. Parce qu'il l'avait promis à Bouba, parce qu'elle l'attendait. Et parce qu'il ne pouvait pas laisser ces porcs exercer leur vengeance sur Marc et Maud, quelque grief qu'il pût avoir contre eux. Mais pour continuer, il fallait rétablir un semblant de confiance, les empêcher à tout prix de se débarrasser de lui à la première occasion.

— Qu'est-ce que vous allez faire, si vous les rejoignez ? demanda-t-il.

— Tu te fais vraiment du souci pour ton petit camarade ! ricana Vauthier. C'est touchant. D'autant qu'il ne s'est pas beaucoup préoccupé de toi.

Alex se recula sur sa couchette et haussa les épaules.

— Je sais. Ça m'est égal, ce que vous lui ferez. J'ai bien réfléchi : c'est un salaud.

Lionel lui jeta un coup d'œil étonné.

— Ah, mais tu vois, dit Vauthier en lui donnant un coup de coude dans les côtes. Il y a de temps en temps des bonnes nouvelles. Faut jamais désespérer. Même des militaires…

L'après-midi était très avancée quand ils parvinrent à l'embranchement qui menait vers les montagnes. Ils mirent pied à terre à l'entrée du chemin. La neige avait fondu, là aussi. En regardant attentivement, on découvrait pourtant les traces du camion de Marc, qui restaient encore visibles dans le sol boueux.

— Ils veulent traverser la montagne par là ? s'écria Lionel en scrutant l'étroit chemin qui disparaissait dans les collines. C'est impossible, les camions ne pourront jamais passer.

— C'est bien ce que je te disais. Ils sont cuits, fit Vauthier, avec un mauvais sourire.

— On y va quand même ?

— Et comment ! Mais d'abord, on va dîner tranquillement ici et monter les tentes.

— On a plus d'une journée de retard sur eux...

— Aucune importance. Ils vont être bloqués tôt ou tard. Autant être bien en forme quand on leur tombera dessus.

Alex, pendant qu'ils montaient le camp, continuait à réfléchir sur la conduite à tenir. Il parvint à la conclusion qu'il ne devait pas attendre que les deux autres le livrent à l'ONU. La meilleure solution était de s'emparer du deuxième camion et de prendre la fuite à son tour. Il se demanda s'il y avait dans les médicaments qu'ils transportaient un produit susceptible de les droguer, comme Marc l'avait fait pour lui.

La première précaution à prendre, c'était de s'emparer des clefs du camion. En général, la nuit, elles restaient en place. Ils avaient eu des difficultés un matin à débloquer la direction. Depuis, ils ne prenaient plus le risque de retirer les clefs. Pourtant, ce soir-là, Vauthier eut soin de les garder avec lui. Il passa devant Alex en faisant sauter le trousseau dans sa main, et lui jeta un regard ironique. Il fallait trouver autre chose. Alex alla se coucher tout de suite après le dîner, laissant les deux autres autour du feu.

Lionel aussi se posait des questions depuis qu'ils avaient rencontré Arkan. Il avait accepté l'idée de faire régler le problème par les paramilitaires, mais il était beaucoup plus réticent à se lancer lui-même dans la traque. Cette course-poursuite commençait à l'inquiéter. Jusque-là, vis-à-vis de La Tête d'Or, il n'avait rien à se reprocher. Marc était responsable de tout, depuis le changement de nature du chargement jusqu'à cette fuite qui s'apparentait à un vol pur et simple. Mais maintenant, en engageant son propre camion sur cet itinéraire hasardeux, en cherchant une confrontation qui risquait d'être violente, en sortant du périmètre dans lequel ses papiers l'autorisaient à rouler, Lionel, en tant que chef de mission, aurait à rendre des comptes, et il savait que cela pourrait lui coûter sa place. Vauthier le laissa fumer son joint jusqu'au bout, sans rien dire.

— Tu ne crois pas…, commença Lionel en gardant les yeux fixés sur les flammes, … qu'on pourrait les laisser se planter tout seuls ?

Vauthier jouait à incliner sa bouteille de bière, ce qui modifiait le son flûté que rendait le vent dans le goulot.

— Tu as vu dans quoi ils s'engagent ? continua Lionel à qui le silence de son coéquipier rendait un peu de courage. Un chemin agricole ! On ne sait même pas si ça passe. Et de toute façon, c'est en dehors de la zone où on est autorisés à circuler. On n'a aucune idée de ce qu'ils vont découvrir là-bas. Si ça se trouve, ils vont tomber en pleine bagarre sur une ligne de front.

Comme Vauthier ne disait toujours rien, il poursuivit.

— Je propose qu'on continue sur la route, conclut Lionel avec animation. Dès qu'on peut, on les signale pour qu'ils soient cueillis de l'autre côté par les Nations unies.

Vauthier ne disait toujours rien et Lionel finit par croire qu'il était d'accord. Il osa enfin le regarder en face, en arborant un large sourire. Mais ce qu'il lut dans les petits yeux fixes de son interlocuteur le refroidit d'un coup.

— C'est ça ! dit tranquillement Vauthier avec une grimace de sourire. Tu vas aller expliquer à l'ONU qu'un de tes chauffeurs s'est enfui avec un camion d'explosifs. Pour que le monde entier sache que la France envoie de la dynamite dans ses convois humanitaires.

Lionel baissa le nez. Alors Vauthier, patiemment, expliqua à Lionel pourquoi ils n'avaient pas le choix.

Les intentions de Paris étaient claires. Ses correspondants lui en avaient donné les grandes lignes : il ne fallait pas que ce camion arrive à destination. C'était une question politique, qui les dépassait tous. L'intervention française dans ce conflit se bornait à fournir des contingents à l'ONU. Mais le gouvernement refusait absolument de se laisser entraîner dans la guerre. Or, ces explosifs militaires, il n'y avait aucun doute, étaient destinés aux belligérants, ceux de la coalition croato-musulmane. Ils allaient faire sauter une route, une caserne, un pont, Dieu sait quoi, et la France serait tenue pour responsable de cet acte hostile. Elle risquait d'être entraînée dans la guerre. Ce serait une catastrophe, et l'association de Lionel serait la première victime. Au contraire, si on réglait le problème à temps, tout le monde serait satisfait, et Lionel recevrait des félicitations officielles, etc., etc.

— Voilà l'idée générale. Pour la mettre en pratique, c'est à nous de choisir les méthodes et les moyens.

Vauthier laissa le temps à ses paroles d'infuser dans l'esprit toujours tourmenté de Lionel. Puis il changea de ton. Une joie mauvaise illumina son large visage.

— Tout est pour le mieux, finalement, puisque j'ai un compte à régler avec ce monsieur et toi avec sa jeune compagne.

Lionel sourit faiblement. La tirade de Vauthier l'avait convaincu qu'il n'avait pas d'autre choix que de se lancer dans cette chasse à l'homme. Mais elle n'avait en rien diminué ses craintes. Même l'idée de vengeance n'éveillait plus en lui le moindre enthousiasme.

Vauthier comprit qu'il allait devoir le surveiller de très près.

Le lendemain matin, ils se remirent en route. Les traces étaient toujours visibles et ils n'avaient qu'à suivre. Il y avait peu d'embranchements et guère de possibilités de se tromper.

Le temps s'était radouci car le vent, pendant la nuit,

avait tourné au sud. Il apportait un air tiédi au soleil de l'Adriatique qui ne suffisait pas à réchauffer le sol mais rendait les lointains brumeux. Des nuages élevés filaient dans le ciel. On sentait que s'ils crevaient, ils donneraient de la pluie mais plus de neige.

*

À la tombée de la nuit, Maud crut que Marc, qui avait pris du repos pendant la journée, allait de nouveau décider de ne pas s'arrêter. Et elle fut agréablement surprise quand il engagea le camion sur une aire et coupa le contact.

— On ne peut pas continuer sans phares sur un chemin pareil, dit-il.

C'était vrai mais elle le connaissait assez, désormais, pour savoir qu'il ne se serait pas spontanément résigné. Il avait du mal à quitter son personnage diurne, concentré et dur.

— Même si tu n'as plus besoin de lunettes !

Il la regarda en souriant et elle vit qu'il avait compris. Elle éclata de rire et se blottit contre lui.

Ils restèrent un long moment dans le camion silencieux, à reprendre leurs esprits. Puis, sans qu'ils sachent bien qui des deux avait fait le premier mouvement, ils se retrouvèrent dans les bras l'un de l'autre, à s'embrasser fiévreusement. Ils se déshabillèrent avec maladresse, en se cognant contre le tableau de bord, et firent l'amour sur le tissu rêche de la banquette.

Ils restèrent ensuite enlacés, immobiles, épuisés par

leur élan. Le vent sifflait autour du camion et la neige donnait à la nuit un éclat bleuté, soyeux et plein de volupté.

Il fallut qu'ils se mettent à frissonner dans l'habitacle sans chauffage pour qu'ils trouvent la force de se relever, de se rhabiller et de sortir. Ils firent cuire un fricot et montèrent la tente. Puis ils se glissèrent dans le même sac de couchage et s'endormirent.

5

Avant le danger, avant le combat, il y eut cette matinée paisible qui resterait pour eux deux le moment le plus heureux de ces jours étranges.

La montagne leur fut d'abord accueillante. Quand Marc engagea le camion dans les premiers lacets, il n'y avait pas encore d'arbres autour de la route. Le regard embrassait la plaine couverte de neige qu'ils venaient de parcourir. La voie était étroite, à vrai dire plutôt un chemin qu'une route véritable, et il était impossible de s'y croiser. Mais il ne devait guère y avoir de trafic à cet endroit. D'ailleurs, sans la carte pour affirmer que ce chemin traversait la montagne, on aurait dit qu'il s'agissait simplement d'un accès forestier, réservé aux débardeurs de bois.

Le moteur ronflait mais n'avait pas l'air de faiblir et la pente restait régulière. Le ciel était énigmatique et ne laissait rien deviner de ses intentions. On y trouvait de tout, des paquets de nuages noirs, des trouées bleu pâle et, vers l'ouest, une lueur jaunâtre qui sentait la pluie.

Maud continuait de somnoler, ou tout au moins le faisait-elle croire car elle avait envie de rêver. Pour rien au monde, elle n'aurait livré ses pensées à Marc. Car elle évoquait des sujets qui lui auraient certainement déplu. Elle imaginait une vie avec lui, pas toute la vie, seulement une autre vie, celle qui, peut-être, suivrait cette mission. Ils étaient si parfaitement accordés, dans cet univers bizarre d'inconfort et de risques, qu'elle se demandait ce que pourrait devenir leur relation dans un cadre normal. Ce mot avait-il un sens pour Marc ? Avait-il jamais vécu une vie qui ressemblât à celle de tout le monde ? Et elle-même, comment l'aurait-elle regardé dans un quotidien banal ? Elle ne s'était ouverte à l'amour que dans cette ambiance de danger et de combats où elle prenait sa part, où les rôles sociaux et sexuels étaient bouleversés, libres. Mais après ?

Tout était brutal dans ce qu'ils vivaient et leur amour lui-même avait le caractère violent de cette guerre. Ils étaient en quelque sorte entrés en collision. Leur union était plus complète et plus forte que si elle avait été précédée d'une lente approche. Maud avait le sentiment de connaître cet homme en profondeur. Pour autant, elle ne savait toujours presque rien de lui.

Elle aurait aimé l'interroger sur sa vie amoureuse, dont il ne lui avait rien dit. Avait-il vécu avec d'autres femmes ? Avait-il des enfants, des engagements, des affections féminines ? Mais elle n'osait pas poser ces questions directement. Elle se sentait davantage à l'aise sur des sujets plus neutres.

— Ça t'a fait quoi d'arriver en France et de te retrouver dans une école militaire ?

— Pourquoi ?

— Pour rien. J'essayais d'imaginer ce qu'on ressent quand on entre dans l'armée à cinq ans.

Marc n'avait pas l'air d'apprécier particulièrement la question. Heureusement, la montagne le mettait de bonne humeur et, pour une fois, il n'avait pas le visage fermé qu'il montrait pendant la journée.

— J'ai eu très froid, dit-il en souriant. J'arrivais de Beyrouth, alors la Normandie, tu imagines…

— Tu t'es fait des copains ?

— Des copains ?

Il haussa les épaules. Maud sentait que sa question lui paraissait absurde mais qu'il hésitait à expliquer pourquoi. Sans doute lui fallait-il partir d'assez loin pour se faire comprendre et il n'aimait guère les longues explications.

— Quand je suis arrivé, commença-t-il en cherchant ses mots, je ne parlais pas français. J'étais plus petit que les autres et noiraud parce qu'au Liban, j'étais toujours au soleil.

Il s'arrêta et chercha une cigarette dans sa poche. C'était toujours un signe d'émotion car il ne fumait pour ainsi dire jamais, sauf lorsqu'il était en colère.

— Ils m'appelaient « l'Arabe ».

— Qui ça ?

— Les autres gamins et sans doute les profs aussi. Dans leur bouche, ce n'était pas un compliment. Beaucoup de nos profs avaient fait la guerre d'Algérie,

comme les parents d'élèves. La plupart des pension-
naires étaient des fils de militaires.

— Tu avais de la famille en France ?

— Non. Mes grands-parents paternels étaient restés en Hongrie et mon père était fils unique. On pouvait me faire subir tout ce qu'on voulait, personne ne
viendrait prendre ma défense. Les gamins sentent ça.

— Ils te frappaient ?

Marc eut un geste évasif, comme pour chasser un
insecte ou un souvenir déplaisant.

— Ça n'a duré qu'un an. Après, j'ai compris. Il n'y
avait qu'un moyen pour s'en sortir : être le plus fort.

— Même quand on est le plus petit ?

— La force, ce n'est pas seulement physique.
D'abord, il faut savoir souffrir, ne pas avoir peur. Je
me suis entraîné pendant plusieurs mois sans rien
dire. Ils continuaient à me frapper et je les provoquais
pour qu'ils tapent encore plus dur. Au bout d'un
moment, je suis arrivé à maîtriser la douleur.

— Comment ?

— Je me mettais en dehors de mon corps. Je me
voyais souffrir mais je ne souffrais pas. C'est difficile
à expliquer. Quand on y arrive, c'est presque un plaisir. Je ne sais pas si tu peux comprendre ça. On se
ferme complètement. Tout se passe en surface mais,
au fond, on se sent intact et dur.

Maud était étonnée de voir à quel point Marc était
conscient de ses propres transformations. La métamorphose qu'il subissait face au danger et dont elle
avait été le témoin, elle l'avait mise sur le compte

de sa nature et croyait qu'elle était involontaire. En réalité, c'était le fruit d'une décision, un effet de sa volonté. Si, avec le temps, elle lui était devenue naturelle, il avait d'abord fallu qu'il la développe comme un muscle.

— Ensuite, il faut apprendre à bien frapper. Se défendre ne sert à rien. Il vaut mieux se laisser faire tant qu'on n'est pas capable de porter des coups efficaces.

Ils roulaient maintenant en sous-bois et le visage de Marc était dans l'ombre. Il souriait, sans quitter la route des yeux.

— Le week-end, les autres rentraient chez eux. Moi, je restais à l'école. J'ai trouvé des livres en bibliothèque sur les sports de combat. J'ai appris les coups qui font mal, ceux qui blessent et même ceux qui tuent. J'ai obtenu l'autorisation d'entrer seul au gymnase le dimanche après-midi. Il y avait des sacs de boxe, des haltères, tout ce qu'il fallait. Dans la semaine, je continuais à me faire cogner sans réagir. Je ne voulais pas répondre avant d'être vraiment prêt.

Maud avait rarement entendu Marc parler aussi longtemps. Elle pensa qu'il n'avait jamais dû livrer ces souvenirs à quiconque. En les libérant, tout à coup, il était entraîné par leur force.

— Et puis, un jour, c'était le 20 mai, je ne sais plus de quelle année mais j'ai retenu cette date, un grand type qui était dans ma classe m'a interpellé à la récréation. Ça commençait toujours de la même manière. Il me demandait de faire un truc humiliant, de lui remettre son lacet ou quelque chose de ce genre. Je n'acceptais jamais, alors, ils me tombaient tous dessus. Mais ce jour-là, j'ai fait semblant d'obéir. Je me suis approché de lui. C'était un blond, avec des boutons sur les joues, je m'en souviens encore. Il portait un nom à particule. Les autres le respectaient parce qu'il était costaud. Surtout, son père était colonel dans les blindés et il travaillait à Paris, à l'état-major. Il m'a laissé venir tout près de lui. Je gardais les yeux baissés, comme d'habitude. Mais au dernier moment, au lieu de faire ce qu'il me demandait, j'ai bondi sur lui. Je n'ai pas perdu de temps à le bousculer. Directement, je lui ai porté deux coups ajustés, un au foie et l'autre, avec le tranchant de la main, sur la gorge.

— Tu l'as tué ?

— Presque. Il a perdu connaissance. Il étouffait parce que je lui avais éclaté le larynx. On l'a porté à l'infirmerie puis à l'hôpital et les médecins l'ont sauvé de justesse. Il est resté absent cinq semaines.

— Et on ne t'a pas viré ?

— Ils ont voulu. Tout le monde a témoigné contre moi. Le directeur a proposé mon exclusion. Mais quand ma mère a été prévenue, au Liban, elle a encore fait intervenir je ne sais qui et on m'a gardé.

— Les autres n'ont pas cherché à se venger ?

— Au contraire, de ce jour-là, j'ai été tranquille. Même quand le grand type que j'avais frappé est revenu, il s'est tenu à carreau. Ils avaient tous peur.

Il jeta son mégot par la portière.

— J'ai continué à m'entraîner mais je ne faisais

jamais usage de ma force. Je n'ai pas cherché à devenir un caïd à mon tour. Petit à petit, les gars ont pris l'habitude de venir me voir dès qu'ils avaient un problème, par exemple quand il fallait mettre des adversaires d'accord, ou quand un petit se faisait embêter par les grands. Si j'intervenais, les choses s'arrangeaient d'elles-mêmes. On savait que j'étais capable de tuer et de me faire tuer. Personne n'avait envie de me contrarier.

— C'est pour ça que tu ne t'es pas fait d'amis ?

— Il y avait des types que j'aimais bien et qui venaient me demander de l'aide. Mais des amis, de vrais amis, je n'en ai jamais eu. Jamais. C'était le prix à payer, je pense. Encore une fois, la force ne suffit pas. Ce qu'il faut pour se protéger, c'est le mystère. On doit être impénétrable, imprévisible. L'amitié, c'est le contraire : on se dévoile, on laisse quelqu'un entrer dans votre pensée. À l'école, c'était trop dangereux. Après, à l'armée, l'habitude était prise. Je n'ai pas changé.

— Tu n'es pas ami avec Alex ?

— Alex, c'est un copain. Je l'aime beaucoup et je le respecte. C'est un garçon très bien. Mais il ne me connaît pas. La preuve. À l'heure qu'il est, il est derrière avec les deux autres et il doit me maudire.

— Et les femmes ?

— Quoi, les femmes ?

Elle eut l'impression qu'il se raidissait.

— Tu leur fais confiance ?

Il réfléchit, laissa passer un long instant.

— Non.

Elle éclata de rire et, après une courte hésitation, il

fit de même. C'était un rire nerveux qui soulageait un peu la tension. À ce point de la conversation, elle sentait bien qu'elle aurait dû s'arrêter et le laisser tranquille. Il était mal à l'aise et sur la défensive. Mais elle voulait en savoir plus et, après tout, elle en avait le droit.

— Tu en as connu beaucoup ?

— Quelle question !

— Une question de fille. C'est ça que tu penses ?

En prenant les choses sur ce ton, elle lui facilitait la tâche. Il pouvait abandonner le mode pesant de la confession qu'il avait adopté jusque-là et prendre celui de la plaisanterie.

— Les filles, c'est comme les copains. Je les laisse approcher mais je ne les laisse pas entrer.

— Jamais ?

— Jamais.

— Tu n'as jamais été amoureux ?

— Pas au point de baisser la garde comme...

— Avec moi.

Ils rirent de nouveau et, à la fin, elle se pencha pour l'embrasser. Il freina brusquement.

— Arrête ! Tu vas nous envoyer dans le décor.

— Je m'en fous. J'ai envie de toi.

Le camion était immobilisé au milieu de l'étroit chemin. Le moteur continuait de tourner au ralenti et, couvrant son ronronnement, on entendait siffler les bourrasques de vent qui descendaient des sommets. Ils jetèrent leurs vêtements sur le plancher de la cabine et s'embrassèrent avec une violence qu'ils n'avaient jamais connue pendant la nuit. La lumière sur leurs corps redoublait le désir et leur donnait l'impression de se découvrir de nouveau pour la première fois. Pendant qu'il la prenait, Maud repoussait les épaules de Marc, pour pouvoir le regarder à distance et jouir d'une double sensation de proximité intime et d'éloignement. Comme si elle avait cherché à se convaincre que c'était bien le même homme qu'elle voyait en pleine lumière et qui pénétrait en elle. Elle tenait ses yeux dans les siens et il ne cillait pas. Ce qu'elle savait de lui désormais lui donnait la volupté de croire que ces yeux noirs grands ouverts devant elle lui permettaient de voir jusqu'aux ultimes secrets de cet être si défendu. Il ne ferma les paupières qu'au moment d'accueillir le plaisir.

Ensuite, il s'abandonna contre elle et elle caressa ses cheveux épais, écartant les doigts pour y tracer d'invisibles et éphémères sillons. Puis, comme il était penché sur le côté, elle se mit à détailler les tatouages qui couvraient son épaule. L'encre de Chine avait diffusé dans la peau et les traits étaient flous. Vus d'aussi près, ces dessins n'avaient plus rien d'effrayant. Le dégoût que Maud avait d'abord ressenti en les apercevant avait disparu. Ces formes vaguement colorées étaient d'abord des énigmes, comme ces dessins à demi effacés qu'on distingue sous l'émail de céramiques antiques. Elle les effleurait du doigt, plissait les yeux pour faire apparaître des formes et, comme dans le motif d'un tapis, une fois qu'elle les avait reconnues, elle ne voyait plus qu'elles. Sur le muscle

saillant de l'épaule, une sorte de griffon mytholo-
gique étendait deux ailes crénelées qui ressemblaient
à celles d'une chauve-souris. En dessous, descendant
sur le bras, un glaive entouré de serpents et, dans un
cartouche enroulé à chaque bord, une inscription
qu'elle ne pouvait pas lire.

— Tu regardes mes tatoos ?

— C'est toi qui les as choisis ?

— Ces deux-là, ils ont été faits en Afrique. J'ai servi
deux ans au Tchad. Il y avait un Chinois là-bas qui s'y
entendait pas mal.

— Mais pourquoi ceux-là précisément ?

Il se redressa. Ils étaient nus tous les deux, assis côte
à côte. Avec sa peau blanche et vide, elle se sentait
vulnérable et dépouillée. Lui, au contraire, paraissait
vêtu, à cause de sa musculature peut-être mais surtout
de ces décors d'encre qui lui couvraient les bras et le
thorax et formaient comme une carapace.

— Le dragon, là, dit-il en regardant son épaule,
c'est le mal.

Il avait l'air un peu gêné, et il riait.

— La saloperie du monde, la violence qu'on fait
subir aux innocents, les bassesses, les trahisons, l'abus
de pouvoir, tout ça.

— Le Démon, en somme. Tu es croyant ?

— Je n'ai jamais voulu croire en un dieu. Pourtant,
j'avais l'embarras du choix. Ma mère était musulmane, mon père protestant et, à l'école, on nous
emmenait à la messe catholique. Un dieu, pour y
croire, il faut qu'il soit universel. Tous ceux qu'on me

proposait étaient des dieux limités qui n'étendaient pas leur influence au-delà de leurs fidèles. La seule chose qu'ils avaient tous en commun, c'était le mal. C'est la seule croyance universelle. Et celle-là, je ne l'ai pas refusée.

— Et le glaive ?

— C'est le salut. Contre le mal, il n'y a que la force.

— En somme, tu voudrais être un genre de chevalier.

Elle s'en voulut parce qu'elle avait dit cela avec un peu d'ironie et qu'il risquait de le prendre en mauvaise part.

— Ne t'inquiète pas, je ne suis pas un de ces barjots qui se prennent pour Du Guesclin. Mais quand je suis sorti du lycée et que j'ai dû choisir un métier, je ne voyais pas ce que je pouvais devenir d'autre que militaire. Ce n'est pas que ça me plaisait en soi. Mais je me disais qu'on pouvait porter les armes non pas pour servir une machine, un État ou des politiciens, mais simplement pour lutter contre le mal.

Maud avait écouté Marc très sérieusement. Elle était impressionnée par sa sincérité. Pourtant, elle ne pouvait s'empêcher de sourire à ces déclarations. Pourquoi les femmes ont-elles ce don de voir toujours l'enfant dans l'homme adulte ? Car c'était bien cela qu'elle sentait, en cet instant. Les tatouages redoutables, les gros muscles, l'air farouche de Marc n'étaient que la panoplie dérisoire dont s'était revêtu un enfant seul et vulnérable, pour se protéger. La vision du monde qu'il s'était construite avait eu d'abord pour but de lui permettre de survivre aux humiliations et aux coups, sans autre secours que son courage et la force qu'il n'avait pas encore. Les années avaient passé et avaient fini par le durcir et l'armer. Mais son cœur était resté celui d'un enfant.

Ils se rhabillèrent en fouillant gaiement dans le tas de vêtements en désordre qui gisaient sur le plancher. Puis ils se remirent en route.

Le ciel s'était encore assombri mais il ne pleuvait toujours pas. Les arbres commençaient à s'espacer et bientôt ils débouchèrent dans des alpages dénudés. Le vent tordait les petits arbustes que des chèvres avaient mutilés. De gros rochers calcaires émergeaient du tapis végétal et se rassemblaient en chaos qui avaient des formes de châteaux forts. La route prenait l'allure d'un chemin de campagne : deux traces parallèles d'un blanc de craie et, au milieu, une bande d'herbe sale.

Maud proposa à Marc de le relever au volant. Il s'arrêta et ils descendirent un instant pour se dégourdir les jambes. Du balcon à flanc de montagne où ils étaient, ils dominaient toute la plaine en contrebas, sur des kilomètres. Marc saisit ses jumelles dans la boîte à gants et scruta les lointains. Le petit serpent de la route qu'ils avaient parcourue se distinguait nettement. Il ajusta la mise au point et, soudain, laissa échapper un juron.

— Qu'est-ce que tu as vu ?

Il hésitait, abaissait les jumelles et plissait les yeux, puis s'y plongeait de nouveau.

— Ils nous suivent.

6

Vauthier avait un instinct de chasseur. De temps en temps, il faisait arrêter le camion, descendait scruter les traces, accroupi sur le sol, et, d'après leur netteté, il en déduisait depuis combien de temps le camion de Marc était passé. Ils firent le détour par quelques fermes situées aux abords de la route. Il interrogea les paysans par gestes, pour savoir s'ils avaient vu quelque chose. Comme il fallait s'y attendre dans ces endroits désolés, tous les véhicules étaient observés derrière les rideaux de guipure des cuisines. Vauthier confirma ainsi ses informations.

— Ils ont à peine une journée d'avance sur nous. C'est très jouable.

— Peut-être, mais leur camion est plus rapide que le nôtre, surtout dans les côtes.

Lionel se montrait sceptique. Il s'était rangé à l'avis de Vauthier et avait engagé le camion sur la piste mais il commençait à le regretter.

— Ils ne savent pas qu'on est derrière, insistait Vauthier. Je suis sûr qu'ils se croient tranquilles depuis qu'ils ont coupé par ici. Ils vont faire des erreurs. Si on roule jour et nuit, on va les rejoindre, crois-moi.

Tout en conduisant, Lionel avait eu le temps d'examiner chacun des arguments qui lui avaient été servis et il était de moins en moins convaincu par ce qu'ils étaient en train de faire. Ils auraient très bien pu régler l'affaire en avertissant l'ONU, sans créer pour autant d'incident diplomatique. Il y avait assez de témoignages qui accablaient Marc et montraient qu'il avait agi seul. Surtout, Lionel commençait à se poser des questions à propos de Vauthier lui-même. Il y avait des incohérences dans ses propos. S'il était vraiment un agent de renseignement, se pouvait-il que les organismes officiels pour lesquels il travaillait lui laissent prendre seul de telles initiatives ? Et surtout, qu'allait-il faire s'ils parvenaient à rejoindre le camion de tête ?

Il jeta un coup d'œil à l'arrière et vit qu'Alex, qui avait pris son tour de repos, dormait sur la couchette. Alors, discrètement, sans agressivité car il avait toujours peur de lui, il se mit à interroger Vauthier.

— Comment es-tu devenu flic ?

— Moi ? Mais je ne suis pas flic. Ce serait tout à fait contraire à mes convictions.

— Tu te fiches de moi ?

Vauthier se tourna vers Lionel d'un air grave.

— J'aimerais un peu plus de respect. Je te répète que je ne suis pas un flic.

— Tu nous as dit toi-même que tu travaillais comme informateur !

— Et alors ? C'est complètement différent.

Vauthier se tassa sur son siège. Les santiags posées sur le tableau de bord, il se cala en arrière sur le dossier.

— Tu veux savoir comment je suis arrivé à faire ce métier ; je vais te le dire. Mais avant, laisse-moi te raconter quelque chose. Quand j'étais môme, je voyais mon vieux qui rentrait de l'usine, à Decazeville, avec ses patrons qui le traitaient comme un chien. Il militait au PC, le pauvre vieux, et moi, le dimanche, j'allais coller des affiches avec lui. Et en regardant les mecs du Parti, je me disais qu'ils se foutaient de sa gueule. Ce qu'ils voulaient, c'était que les ouvriers se tiennent tranquilles et les laissent occuper les bonnes places. Et, tout petit, je me suis dit que personne ne ferait de moi un esclave. Jamais ! Ni les patrons, ni ces charlots de politiciens, ni les flics. Personne.

Il renifla bruyamment et s'essuya sur sa manche. Lionel se demanda un instant s'il n'avait pas versé une larme. Mais déjà, Vauthier avait repris d'une voix peut-être un peu trop forte.

— Quand j'avais dix-huit ans, il y avait la guerre au Viêt Nam. J'ai été objecteur de conscience. Je traînais avec des types qui manifestaient contre les Américains. Les « impérialistes américains », comme on disait. J'étais un révolté, hargneux, bagarreur et tout.

— Tu y croyais ?

Vauthier fit comme s'il n'avait pas entendu la question.

— C'est à ce moment-là que j'ai fait une connerie et les flics m'ont coincé.

— Quel genre de connerie ?

— Un casse, pour financer la « Cause ». Je vivais à Saint-Ouen dans un squat avec des trotskistes, une branche particulièrement radicale, des types très politisés. Ils étaient plus âgés que moi et j'ai voulu faire le malin. Avec un pote, on a braqué un bar-PMU à l'heure de l'ouverture. Ce qu'on ne savait pas, c'est qu'il avait déjà été attaqué trois fois l'année précédente et que les flics le surveillaient. Une patrouille nous a cueillis à la sortie. Mon copain s'est enfui et moi, je me suis retrouvé en garde à vue.

— Tu as fait de la tôle ?

— Non, justement. Je suis tombé sur un type bizarre, un gros du genre commissaire Maigret, avec une pipe et tout. Il s'appelait Meillac et il passait dans les antennes de police du coin pour rencontrer des informateurs. On a discuté et il m'a bien plu. C'était un type très malin, et complètement libre aussi, à sa manière. Il est mort, maintenant, mais on s'est vus pendant des années. Il avait fait des études de philo et il était devenu flic par vocation, pour voir, pour comprendre.

— Il t'a recruté ?

Lionel était complètement fasciné. Une vie comme ça, il en aurait rêvé mais il savait bien qu'il n'aurait jamais le courage de la vivre.

— Si on veut. Mais il m'a dit surtout de ne rien changer. Je suis retourné dans mon squat et j'ai raconté une histoire pour expliquer que les flics m'avaient libéré par erreur. Ensuite, j'ai continué à militer. Je vivais deux vies, si tu veux. Quand j'organisais des manifs ou même des trucs plus violents, j'étais engagé à fond dedans. Et puis, à côté, je donnais des tuyaux à Meillac, et ça me plaisait de discuter avec lui.

— Il te payait ?

— Pas mal. Et ça m'a permis de réaliser un autre rêve que j'avais. J'ai pu faire de la course moto. J'ai fait des compétitions et j'en ai gagné. Jusqu'à ce que je me plante et que je doive arrêter.

— Tes potes gauchistes ne se demandaient pas d'où venait le fric ?

— Je ne leur disais rien. Je cloisonnais.

Vauthier rit de nouveau, en secouant ses bajoues.

— Ça a duré des années. Ensuite, Meillac a pris sa retraite et il m'a branché sur d'autres services, où il avait des copains. J'ai quitté le squat et j'ai rejoint de nouveaux groupes, des autonomes, des écolos, des alters. Faut bien gagner sa vie. J'allais là où on me disait d'aller.

— Qui ça, « on » ?

— Ceux qui me payaient. Les RG, les douanes, la DGSE, la DST.

Lionel était flatté par ces confidences ; elles montraient que Vauthier le jugeait digne d'entendre la vérité. Car, là-dessus, il n'avait pas de doute : c'était bien la vérité. À la différence des autres déclarations de Vauthier, celles-ci sonnaient juste. Pourtant, quelque chose continuait de le préoccuper. Puisqu'on en était à se dire les choses telles qu'elles étaient, Lionel s'autorisa à livrer le fond de sa pensée.

— Tu sais ce que je trouve bizarre dans ton histoire ?

— Vas-y.

— Comment est-ce que des grands services de l'État, tous ceux dont tu viens de me parler, peuvent te donner l'ordre, comme ça, de dézinguer un mec.

— Me donner l'ordre ?

Vauthier se redressa et jeta à Lionel un regard de fureur. Il fouilla dans sa poche, en sortit un vieux chewing-gum et déchira le papier nerveusement. Puis il l'enfourna dans sa bouche et se mit à le mâcher avec des bruits de salive.

— On ne me donne pas d'ordre, à moi. Je ne suis pas un pauvre flic qui obéit et qui se fait exploiter. Je suis un agent, un indic, un provocateur. Appelle ce métier comme tu voudras, il n'y a que des noms déplaisants. Forcément, les gens n'aiment pas ça. Ils aimeraient bien avoir les mêmes privilèges.

Il tourna la manivelle pour ouvrir la vitre et cracha son chewing-gum loin dehors.

— C'est le deal que m'a proposé Meillac. Je n'aurais peut-être pas trouvé ça tout seul. Mais à force, j'ai compris que c'était ça qui me convenait. Depuis, je n'ai jamais rien fait d'autre.

Lionel trouvait bizarre que Vauthier lui parle aussi franchement. Il se demanda un instant s'il n'était pas en train de jouer pour lui le rôle que ce Meillac avait tenu jadis à son égard.

— J'ai envoyé en tôle des types qui faisaient les malins parce qu'ils avaient une belle gueule et qu'ils débitaient des grands discours. Des écolos, des anars, des gauchistes de tout poil, des gars qui me croyaient de leur bord et qui se demandaient un beau jour qui avait bien pu les donner. Même que parfois, en plus, je me tapais leurs gonzesses, sous prétexte de les consoler.

Vauthier s'étouffait de rire, un rire rauque, profond. Lionel eut tout à coup l'impression qu'il en faisait trop dans l'abjection, comme s'il tenait à ce que tout le monde partage le mépris qu'il avait peut-être pour lui-même.

— Quand même, de temps en temps, ça ne te dégoûte pas, ce boulot ?

Lionel eut l'impression d'avoir touché Vauthier au vif. L'autre se tourna vers lui en relevant le menton.

— Si ça me dégoûte ?

Lionel eut l'impression qu'il allait se fâcher. Il sentait l'insulte prête à jaillir. Au lieu de ça, Vauthier se mit à regarder la route.

— Un type te gonfle, sa gueule te donne des boutons, tu voudrais le voir crever, ça t'est déjà arrivé, je suppose ?

— Des fois.

— Eh bien, suppose que tu décides de le buter. Un beau jour, tu prends un flingue, un couteau, n'importe quoi, et tu le descends : tu peux imaginer quelque chose de plus jouissif ? Eh bien, je vais te dire, moi, ce qui est plus jouissif encore : c'est de le faire la conscience tranquille. En sachant que personne ne te dira rien et même qu'on va te féliciter.

Vauthier rit mais Lionel sentit qu'il voulait donner à ces mots valeur de conclusion. Il se mit à s'absorber tout à fait dans la contemplation des traces laissées dans le sol par le camion qu'ils poursuivaient. Là où ils étaient parvenus, elles disparaissaient sous la neige fraîche. Pendant un long moment, ils roulèrent sur un tapis blanc. La tête tout près du pare-brise, Vauthier scrutait le sol. Soudain, dans une légère descente, le chemin entouré d'arbres et moins recouvert de neige laissa de nouveau apparaître les traces. Vauthier se détendit.

— En tout cas, conclut-il, en se calant de nouveau sur le dossier de son siège, jamais je n'aurai pris autant mon pied que quand je vais me trouver en face de ce salopard.

Lionel comprit qu'il n'y avait rien à ajouter.

*

Marc de nouveau tenait le volant. Son visage s'était refermé d'un coup. C'était son visage de combat. Il poussait le moteur à fond mais la pente était de plus en plus forte. Le camion n'avançait pas beaucoup plus vite. Il s'était mis à pleuvoir finement et les essuie-glaces étaient usés. Le pare-brise était couvert d'une poussière mêlée d'eau qui faisait tout voir à travers un rideau sale.

— On est encore loin du sommet ?

— Je ne sais pas.

Maud avait l'impression qu'il lui en voulait d'avoir imposé cet arrêt. Toute volupté l'avait quittée. Il restait un vague sentiment d'humiliation comme si l'amour qu'elle lui avait témoigné était soudain ravalé au rang de chose secondaire, futile, de divertissement. Elle comprenait l'urgence de la situation mais il lui semblait que cela n'expliquait pas tout. Les affaires sérieuses, pour Marc, étaient ailleurs, jamais dans les sentiments. C'était à la fois ce qui l'attirait vers lui et la cause d'une douleur qu'elle ne serait peut-être pas capable de supporter longtemps.

Marc chercha une cigarette dans sa poche mais n'en trouva pas. Elle se mit en quête d'un autre paquet, parmi les affaires qui traînaient derrière les sièges. Elle en trouva un et l'ouvrit. Elle alluma une cigarette et la lui tendit après l'avoir mouillée de ses lèvres. C'était une forme de baiser et elle aurait voulu qu'il y soit sensible. Mais il s'était complètement refermé et montrait qu'il ne comptait plus sur personne. Était-il possible d'espérer que, dans le danger, il se souvienne qu'elle était avec lui ?

Elle tourna les yeux vers la route et, sans la voir, se laissa hypnotiser par le battement irrégulier des balais d'essuie-glaces, qui continuaient d'étaler leur pellicule de glaise sur la vitre.

Un peu plus tard, un coup de frein brutal la tira de sa rêverie. La pluie tombait plus dru maintenant et le jour déclinait. Marc ouvrit brusquement sa portière et sortit. Elle le vit avancer, ruisselant d'eau, et s'arrêter à quelques mètres du camion. Il regardait quelque chose qu'elle ne distinguait pas, à cause du rideau de pluie qui coulait sur le pare-brise. Elle ouvrit la porte à son tour et descendit. Elle ne portait qu'une chemise, et en un instant elle fut trempée. La pluie était froide et le vent, qui n'était pas tombé, la faisait frissonner. Elle rejoignit Marc.

Depuis quelques kilomètres, le relief s'était escarpé. Des barres rocheuses dominaient le chemin qui se faisait plus étroit et longeait maintenant un à-pic. La montagne était creusée de gorges. L'eau qui coulait dans ces entonnoirs rocheux ruisselait sur la route. Il n'y avait ni ponts ni buses souterraines, seulement des remblais de terre aux endroits où les ruisseaux ravinaient le chemin. Ils devaient être renforcés à chaque printemps. Or, devant eux, à l'endroit où dévalait un de ces petits torrents, la chaussée avait été emportée par les eaux.

Sur une dizaine de mètres, la voie était réduite à une étroite banquette de roche. D'un côté, la falaise, et de l'autre, le précipice.

Marc, sous la pluie battante, était occupé à mesurer la largeur du passage. Il l'avait d'abord estimée à grandes enjambées, mais comme l'affaire allait se jouer au centimètre près, il avait ôté sa ceinture et s'en servait pour effectuer une mesure plus précise. Sans dire un mot, il retourna jusqu'au camion pour évaluer l'écartement des roues.

— C'est jouable, dit-il. Tu vas me guider.

Maud alla chercher un K-way dans la cabine. Elle

l'enfila sur ses vêtements mouillés. Elle n'avait pas beaucoup plus chaud, mais au moins elle ne sentait plus le vent. Elle alla se placer de l'autre côté de l'éboulement.

Marc se mit au volant et démarra. De loin, il semblait impossible qu'il puisse passer. Pourtant, à mesure qu'il approchait, Maud voyait que la largeur du camion et celle de l'étranglement étaient en effet à peu près égales. Très lentement, Marc engagea les roues avant. Il avait replié le rétroviseur et frôlait la falaise. Du côté du vide, le pneu mordait assez largement sur le socle rocheux. Marc continua d'avancer. L'embrayage était dur et, malgré ses efforts, le camion progressait par saccades. Chaque secousse faisait sauter des cailloux sous la roue avant droite, celle qui était tout près du vide. Maud avait vaguement l'impression que le bord de la route s'effritait. Mais le camion continuait d'avancer et bientôt, elle surveilla surtout le train arrière qui entrait à son tour dans la zone rétrécie. L'essieu était formé de quatre roues. Il était plus large que l'avant. Du côté du précipice, si une des deux roues accrochait encore le sol, l'autre restait carrément au-dessus du vide. Le camion progressait et les roues avant avaient atteint maintenant l'autre côté de la zone éboulée, là où le chemin reprenait sa largeur habituelle. Mais soudain, alors que Maud entendait rugir le moteur, le véhicule n'avançait plus et le train arrière patinait. Marc insista et s'y reprit à trois ou quatre fois mais rien ne bougeait. Finalement, il serra le frein à main, traversa la cabine et sortit du côté passager car l'autre portière était bloquée par la falaise. Il essaya de voir ce qui se passait en regardant sous le camion mais n'aperçut rien d'anormal. Pour aller inspecter l'arrière, il dut monter sur le toit de la cabine.

— Qu'est-ce que tu vois ?

— C'est le haut du chargement qui frotte.

Le mur rocheux présentait un léger surplomb. Si la cabine, plus basse, était passée sans difficulté en dessous, l'arrière du camion butait contre l'obstacle. Il aurait fallu raboter la roche pour élargir le passage mais ils n'en avaient ni le temps ni les moyens. Marc évalua la situation sans répondre aux questions de Maud puis remonta à bord.

— Ne reste pas devant, lui cria-t-il. Recule de dix mètres.

Elle était vexée qu'il ne lui donne pas plus d'explications mais ce n'était pas le moment de provoquer une scène. Elle recula.

Marc chauffa le moteur en appuyant à fond sur l'accélérateur puis il embraya d'un coup sec. Le camion bondit, tout de suite arrêté par l'obstacle mais, à pleine puissance, il bougea quand même. Un double mouvement, sous l'effort du moteur, ébranla le mastodonte. Le déplacement le plus visible fut d'abord un léger glissement de l'essieu arrière vers l'extérieur. Repoussé par le surplomb rocheux, le camion pivotait légèrement et la deuxième roue extérieure se rapprochait du vide. En même temps, la bâche qui couvrait le chargement se déforma sous la poussée et un bruit de déchirure se fit entendre du côté de la falaise. L'ensemble de la manœuvre dura très peu de temps mais Maud était pétrifiée de peur. Elle eut la certitude que le camion allait basculer dans le vide. Elle poussa un cri. Elle fit un grand signe à Marc pour qu'il arrête. Sans penser à ce qu'il lui avait dit, elle avança vers la cabine. Au même moment, il lançait de nouveau le moteur à plein régime et lâchait l'embrayage. Le camion bondit à nouveau. Un instant, les deux roues arrière se retrouvèrent dans le vide mais n'eurent pas le temps de s'y enfoncer. Car, en même temps, les arceaux qui maintenaient le chargement cédèrent. À pleine puissance, le camion libéré se précipita en avant.

Maud vit tout en un éclair : l'énorme capot qui fonçait vers elle et, derrière le pare-brise troublé par l'eau mêlée de poussière, le visage de Marc fermé, presque méchant, déterminé à franchir l'obstacle, fût-ce en roulant sur elle. Elle sentit le pare-chocs la heurter et tomba à la renverse. Le camion avançait encore. Quand enfin il s'immobilisa, elle était allongée sous le moteur. Elle n'avait pas l'impression d'avoir perdu connaissance. Pourtant, au moment où Marc la tira par les épaules pour l'extraire de là, elle sentit une brûlure sur sa joue, sans garder le souvenir d'avoir touché quelque chose de chaud. Apparemment, elle avait cogné contre le tuyau d'échappement lorsque le camion avait roulé sur elle mais elle ne l'avait pas senti. En se relevant, elle se rendit compte que, de la pommette à l'oreille, sa peau était parcheminée et très douloureuse. Elle avait dû tomber à plat sur une pierre car son dos, entre les omoplates, la faisait beaucoup souffrir.

Marc était redevenu calme et même tendre. Il l'allongea sur la banquette, chercha des compresses dans la trousse de secours et tamponna la brûlure avec un liquide frais qui la soulagea.

— On est passés ?

— Ça y est.

Il l'embrassa, ne lui fit aucun reproche pour s'être avancée trop près et, même, proféra de vagues excuses. Elle était agitée de sentiments contradictoires, aussi puissants les uns que les autres, et ne savait si elle riait ou pleurait. Ils étaient sauvés. Elle voyait encore la roue riper dans le vide et se souvenait d'avoir pensé que le camion tout entier allait partir dans le précipice. Mais, en même temps, l'image de Marc fonçant froidement sur elle ne la quittait pas.

— Il ne faut pas rester ici, dit-elle.

Elle reprenait conscience de la situation. L'idée de l'action l'aidait à chasser les émotions. Elle se redressa et eut presque plaisir à forcer la douleur qu'elle sentait toujours dans son dos.

— Ça ira ?

— Oui, ne t'en fais pas. On continue.

— Avant, il faut arranger le chargement. La bâche a sauté et les arceaux à l'arrière aussi. Il n'y a plus rien pour tenir les caisses du côté gauche.

— Fais voir.

Elle sortit en serrant les dents, pour maîtriser la

douleur. Le froid, sur la brûlure, cuisait. Elle avait dû se cogner ailleurs, en tombant, parce qu'elle avait mal quand elle remuait le bras droit et elle sentait une pesanteur à l'arrière du bassin. Ce n'était certainement rien de grave mais elle se dit qu'elle était sûrement couverte de bleus.

En faisant le tour du camion, ils constatèrent les dégâts. Toute la partie gauche du chargement était en effet à découvert et quelques paquets étaient déjà tombés. La pluie qui ruisselait dessus gonflait le carton et ils commençaient à se déformer. Ils ne pouvaient pas rouler comme cela. À chaque cahot de la route, ils risquaient de semer d'autres pièces du chargement.

— Il faut virer un maximum de caisses. Celles qu'on garde, on les tassera vers l'avant et on tâchera de les couvrir pour qu'elles ne prennent pas l'eau.

— Tu sais dans lesquelles sont les explosifs ?

— Oui, heureusement, je les ai planqués tout au fond et j'ai mis un bout de scotch rouge à côté de l'étiquette.

Marc grimpa sur le plateau et commença à jeter des cartons à terre.

— On en fait quoi ?

— Il n'y a qu'à les laisser sur la route. Tant mieux pour ceux qui les trouveront.

Certains cartons étaient marqués d'une croix verte : ils contenaient des médicaments. D'autres, plus lourds, étaient pleins de suppléments alimentaires. Il y avait aussi des ballots de vêtements compressés que Marc saisissait par les lanières en plastique qui les ficelaient. Maud essayait d'éloigner les cartons, pour faire de la place, mais elle ne pouvait rien soulever. Elle se contenta de déplacer les plus légers, en les poussant avec les pieds.

Le chargement était plus considérable qu'il n'y paraissait de l'extérieur. Marc en élimina près de la moitié. Ce qui restait était à l'abri car la bâche était intacte à partir de son milieu. Il rabattit les pans de toile déchirés et bricola un nouvel arrimage, à l'aide des sangles qui tenaient les arceaux arrière. Le résultat n'était pas très esthétique mais, au moins, le chargement restant était au sec. Il sauta à terre et s'essuya les mains sur le coin d'un ballot de vêtements.

Le spectacle était étrange. Au milieu de cette montagne désolée, gisaient des dizaines de paquets maculés de boue. Curieusement, Maud ressentait cela comme une épreuve de vérité. L'idéal qui l'avait d'abord amenée là révélait son caractère dérisoire, presque ridicule. Ces caisses défoncées semées sur une route étaient l'image tragique de l'impuissance humanitaire. Face à l'horreur et à la complexité de la guerre, ces ballots de vêtements, ces colis de nourriture et ces boîtes de médicaments étaient tout simplement grotesques. Désormais, le camion allégé, chargé d'armes, semblait libéré de cette hypocrisie. Ils parvenaient à l'essentiel. Maud se sentait fière de quitter en cet instant le rôle ambigu de secouriste dans lequel elle ne s'était jamais sentie à l'aise. La seule chose qui la rendait triste et lui donnait presque envie de pleurer, c'était que cette entrée dans le combat la rapprochait de Marc tandis que lui, au contraire, quand il était tendu vers l'action, ne lui prêtait plus attention. Elle ne pouvait oublier son regard, derrière le pare-brise. Pour atteindre le but qu'il s'était fixé, il était prêt à briser tous les obstacles, même si, pour cela, il avait dû l'écraser sous ses roues.

Le vent avait molli et la pluie tombait fine, hésitant à tourner en neige. Le silence de la montagne les enveloppait. Maud s'en emplissait comme d'un remède propre à lui rendre un peu de paix, après ces moments de peur et de violence. Marc, lui aussi, tendait l'oreille, mais ce n'était pas pour écouter le silence. Il leva un doigt. Lointain encore, presque imperceptible, un son rauque, comme un bourdonnement d'insecte, traversait l'air humide. Il était régulier mais se renforçait par à-coups. Maud scruta le ciel plombé. Elle crut que c'était le bruit d'un avion ou d'un hélicoptère. Mais en se concentrant, elle comprit. Le bruit venait de la route, dans la direction d'où ils arrivaient.

— C'est eux, souffla Marc.

— Déjà.

Ils se précipitèrent vers la cabine et montèrent. Marc remit le moteur en route et ils démarrèrent.

7

— Qu'est-ce que c'est que ça ?

Lionel, qui était au volant, avait aperçu au loin des masses informes éparpillées sur la route. Il crut que c'était des rochers qui avaient roulé du haut de la falaise et freina.

— Va voir.

Alex ouvrit la portière et sortit. Il reconnut au loin des caisses et crut qu'elles étaient tombées du camion qu'ils poursuivaient. Mais en avançant encore, il découvrit que la route faisait un coude et que la gorge au fond de laquelle elle passait était rétrécie par un éboulement. Il fit signe à Lionel de continuer jusqu'à lui. Vauthier bondit hors du camion et marcha jusqu'au glissement de terrain. Il était hors de lui.

— Bon Dieu ! En plus, ils sont passés…

— Pourquoi est-ce qu'ils ont abandonné leur chargement ? dit Lionel qui les avait rejoints.

— Pas tout le chargement, remarqua Alex.

— Bien sûr, pas tout. Il ne va pas lâcher sa dynamite, tu penses.

Vauthier avait évalué le problème au premier coup d'œil.

— Ils ont dû défoncer la bâche. On voit qu'ils ont râpé la falaise.

Un bout de toile était resté accroché à un bec de roche, en hauteur. On voyait nettement aussi sur le sol, du côté du précipice, l'endroit où les roues arrière avaient ripé, entraînant un peu de terre avec elles et rétrécissant encore le passage.

— S'ils l'ont fait, on doit pouvoir aussi…

Mais Vauthier haussa les épaules et Lionel n'insista pas. Ils avaient déjà constaté, en passant sur un pont étroit quelques jours avant, que le camion qu'ils conduisaient était un peu plus large que l'autre d'une vingtaine de centimètres.

— Il faudrait mettre un tronc d'arbre, proposa Lionel.

— Et où tu vois des arbres par ici ?

La montagne était complètement dénudée. Seuls des épicéas nains s'accrochaient aux rochers et leur tronc n'était pas plus large que la main.

— Bon, voilà, conclut Alex, en s'asseyant sur le pare-chocs.

Il n'était pas mécontent, au fond, que la poursuite s'arrête. C'était même le dénouement le plus favorable. Personne ne perdrait la face et le pire serait évité.

— Voilà quoi ? cracha Vauthier.

Il ne s'avouait pas vaincu. Pendant que les deux autres le regardaient faire, il s'affaira sur le chemin, tapa avec le pied pour vérifier sa solidité du côté de l'à-pic, examina soigneusement le mur de pierre et son surplomb, mesura la largeur du passage puis celle des essieux. Il réfléchissait intensément. Ils le laissèrent à son manège et Alex entreprit de cuisiner un repas. Il sortit le réchaud et le plaça sous un auvent qu'il avait bricolé en soulevant l'arrière de la bâche. Ils eurent le temps de déjeuner tranquillement. Lionel faisait de son mieux pour cacher son soulagement. Alex ne se donnait même pas cette peine. Il sifflotait. Vauthier, un peu à l'écart, réfléchissait toujours. Plusieurs heures passèrent dans ce désœuvrement. Lionel avait fumé pour se calmer et il paraissait somnoler. Alex se taillait les ongles.

Soudain, Vauthier eut un sursaut.

— J'ai trouvé ! Debout, vous deux. On n'a pas de temps à perdre.

Mais pour Lionel comme pour Alex, la page était tournée. Dans leur tête, la cause était entendue : un cas de force majeure les obligeait à abandonner la poursuite. Fermez le ban. Ils étaient passés à autre chose.

— Écoute, Vauthier, il faut savoir renoncer, dit Lionel. Quand on ne peut plus, on ne peut plus. C'est la faute à personne.

— Debout ! Je ne vous demande pas votre avis.

— Eh bien, nous, on te le donne.

Alex toisait Vauthier, l'air tranquille. Comme il n'avait pas pu se raser ces derniers jours, son visage était couvert d'une barbe noire aussi crépue que ses cheveux. Elle ôtait à son visage glabre tout ce qu'il pouvait exprimer de juvénile. Vauthier, au contraire, qui n'était pas plus soigné, était vieilli et comme affaibli par les poils gris qui poussaient irrégulièrement sur ses joues. Le face-à-face était manifestement inégal. Et cela d'autant plus que Lionel, cette fois, avait choisi clairement son camp. Il se tenait à côté d'Alex et ne bougeait pas.

Vauthier les regarda l'un et l'autre. Puis il pinça les lèvres.

— Comme vous voudrez, murmura-t-il en desserrant à peine les dents.

Il tourna les talons et se dirigea tranquillement vers le camion. Ils le virent monter dans la cabine et farfouiller à l'intérieur.

Quand il revint, il se planta devant eux.

— Tu as réfléchi ? dit Alex sans le regarder.

Lionel était allongé, la tête contre un rocher. Abruti par le pétard, il gardait les yeux mi-clos.

— À fond.

— Alors, où on en est ?

— Faites ce que je vous demande.

C'est seulement à cet instant qu'Alex, en se tournant vers Vauthier, découvrit qu'il braquait sur lui le canon d'un 9 mm.

— T'es pas bien ? Qu'est-ce que tu veux ?

— On m'a chargé d'une mission. Je veux la remplir jusqu'au bout.

— Mais puisque c'est impossible !

— On le saura quand on aura tout essayé.

Lionel et Alex se relevèrent lentement, sans quitter l'arme des yeux.

— Je veux que vous fassiez exactement ce que je vais vous dire.

Il n'y avait rien à répondre. Vauthier laissa passer un moment, comme pour faire pénétrer dans les esprits le nouveau rapport des forces. Puis il braqua son regard sur Alex.

— Quand tu nous as parlé de tes pétards de chantier, l'autre jour, tu nous en as montré un paquet, si je me souviens bien. Où est-il ?

Alex pouvait mentir. C'était simple, il suffisait de dire que Marc l'avait gardé. Mais le regard de Vauthier était si acéré qu'aucune hésitation ne pouvait lui échapper. Or, il avait hésité.

— Il est dans mon sac à dos.

— Va le chercher.

Alex se leva en traînant les pieds. Il revint avec le paquet.

— Je te préviens. Ça ne marche pas quand c'est mouillé.

— On va bien voir.

De toute façon, la pluie avait presque cessé. Vauthier ouvrit le paquet et sortit les petits pains d'explosifs. Il y en avait cinq.

— C'est une boîte de six. Où est le dernier ?

Alex se releva de mauvaise grâce, fouilla de nouveau dans son sac et revint avec le sixième pétard.

— C'est fait pour le charbon. Ça m'étonnerait que ça marche sur autre chose…

Vauthier ne prit pas la peine de répondre.

— Lionel, secoue-toi. Monte dans le bahut et recule-le là-bas derrière.

Lionel se remit au volant et fit une marche arrière pour placer le camion à l'abri d'un repli de terrain.

— Toi, le costaud, va chercher un des ballots de vêtements que ces crétins ont balancés.

Alex se leva, traversa la zone éboulée et saisit un des ballots. Il pesait une cinquantaine de kilos et il le rapporta à grand-peine. Vauthier le lui fit déposer contre la falaise, à l'endroit où elle était surplombante et gênait le passage.

— Maintenant, éloigne-toi de ce côté-là.

Alex marcha une dizaine de mètres dans la direction opposée à celle où Lionel avait placé le camion.

— OK, ça suffit !

Vauthier glissa le pistolet dans sa ceinture et grimpa sur le ballot. De là, il atteignait à bout de bras les fissures qui striaient le surplomb. Tout en surveillant Alex du coin de l'œil, il gratta la terre qui les bouchait. Il dégagea ainsi plusieurs trous dans lesquels il enfonça des pétards. Il redescendit et plaça les deux derniers à hauteur d'homme, sous le surplomb. Puis il reprit le pistolet en main et défit le cran de sûreté.

— Tu as un briquet ?

Alex approcha et tendit son briquet.

— Garde-le, moi, j'ai des allumettes. Bon, c'est ton tour de monter là-dessus.

— Pour quoi faire ?

— Quand je te le dirai, tu allumeras les pétards

d'en haut. Moi, je m'occupe des deux d'en bas. Mais je te préviens : on n'a pas de mèche générale, alors, il va falloir se magner. Dès que ça grille, on cavale.

Alex grimpa sur le ballot.

— Quand je serai prêt, je commencerai à compter, dit Vauthier.

Il se mit à fouiller dans ses poches pour trouver ses allumettes.

Alex, perché sur son ballot, posa les mains sur la falaise et appuya son front sur le rocher froid. Après toutes ces journées de mauvais sommeil et de tension, devant ces trahisons et la dérive de ce groupe, toute cette folie, cette absurdité, il se sentait accablé. Il avait presque envie de pleurer. Il regarda les petits pains d'explosifs et pensa à Bouba. Il avait accompli tout cela pour elle et maintenant, il était là, perché sur un paquet de vieux vêtements, sous la pluie, à faire quelque chose qui n'avait plus aucun sens. Est-ce qu'il la reverrait jamais ? Et comment vivraient-ils ? En évoquant son souvenir, il se rendait compte qu'il n'arrivait presque plus à reconstituer ses traits. Au fond, il avait aimé en elle une idée autant qu'une personne, et désormais il n'y croyait plus. Marc avait raison. Il ne fallait pas ruser avec la guerre. C'était une saloperie. Il fallait en finir une fois pour toutes et…

— Trois… Tu as entendu ? Nom de Dieu, j'ai dit trois.

Alex revint à lui. Vauthier avait déjà allumé ses mèches et courait se mettre à l'abri. Alex actionna le briquet et alluma la première mèche. La flamme vacillait dans l'air froid. Une deuxième mèche. La flamme s'éteignit. Il gratta nerveusement la molette. Le vent n'était plus très fort mais il rebondissait contre la paroi et empêchait le gaz de s'enflammer. Une troisième mèche, sa main tremblait, de peur, de froid. Le doigt dérapait sur la molette humide. En dessous, il entendait les autres mèches grésiller.

— Qu'est-ce que tu fous ?

Vauthier gueulait. Il s'était caché derrière le bord de la gorge et sortait la tête avec l'air hagard. Il croyait à une embrouille. Est-ce qu'Alex n'était pas en train de saboter son plan dans l'espoir de sauver son copain ?

La quatrième mèche s'enflamma. Alex sauta mais le ballot roula sous ses pieds et il tomba. Au moment où il se relevait, la première détonation retentit. L'explosif, en effet, n'était pas très puissant. Il ébranla la roche et Alex se redressa. Mais, à l'instant où il se remettait debout, les autres pains explosèrent en série, faisant jaillir une pluie de petites pierres. Puis, d'un seul coup, le surplomb rocheux s'effondra, en projetant sur Alex des blocs tranchants. Ils rebondirent sur son corps et sur le chemin et poursuivirent leur course dans le précipice.

Le bruit des pierres qui dévalaient la pente en contrebas de la route s'éloigna puis s'éteignit. Un profond silence enveloppa la montagne. Lionel, près du camion, et Vauthier, dissimulé derrière un rocher, restèrent un long moment immobiles. Puis ils coururent vers le lieu de l'explosion. Lionel se précipita sur Alex, tandis que Vauthier était surtout pressé de voir quels avaient été les effets de son opération.

— Il est mort, s'écria Lionel, en retournant Alex sur le dos.

Vauthier s'approcha de mauvaise grâce. Il s'accroupit près d'Alex, prit son pouls.

— Mais non. Il est sonné, c'est tout.

Plusieurs lésions étaient visibles sur le corps. La plus sérieuse se situait au niveau de l'épaule gauche qui avait été entaillée profondément par une arête de pierre. Une autre avait frappé le crâne par-derrière et Lionel avait dû dégager un bout de rocher qui retenait une des jambes.

— Qu'est-ce qu'il faut faire ?

— Attendre. Ça ne saigne pas trop. Il va se réveiller. On comptera ses abattis après.

Ayant lâché son verdict, Vauthier retourna voir la falaise. Il était très satisfait. En retirant les blocs tombés au pied, il était possible de gagner de l'espace en largeur. Surtout, plus rien ne retiendrait le camion en hauteur puisque le surplomb, ébranlé par les pétards, s'était effondré.

Alex commençait à reprendre conscience et gémissait. Quand Lionel essaya de le faire asseoir, il poussa un cri, en se tenant l'épaule. Le choc avait dû faire de gros dégâts. Le bras pendait, inerte et comme désarticulé. Avec l'autre main, Alex se frottait la tête. Il était sonné et avait l'air de ne pas savoir où il se trouvait. La terre froide sur laquelle il était allongé commençait à l'engourdir et il frissonnait.

— Bon, qu'est-ce qu'il a, exactement ?

Vauthier, ragaillardi par l'examen de la falaise, se pencha sur le blessé. Il palpa les différents endroits qui paraissaient atteints et Alex, plusieurs fois, sursauta en criant.

— C'est déjà pas mal, il réagit.

— Tu crois qu'il est en danger ?

— Si on le laisse étendu ici, certainement. On va le coucher derrière sur la banquette. Approche le camion et apporte une toile de tente.

Lionel courut faire ce que Vauthier demandait. Il déposa la toile de tente par terre et ils entreprirent de faire glisser Alex dessus. Ils ne savaient pas par quel bout l'attraper sans lui arracher des hurlements. Quand il fut enfin allongé sur le brancard improvisé, ils saisirent chacun une extrémité et le soulevèrent. Il leur fallut dix bonnes minutes pour le hisser dans le camion et l'installer à l'arrière.

— Je vais lui donner quelque chose pour calmer au moins la douleur, dit Lionel.

— Ne te fatigue pas, c'est eux qui ont la trousse de secours.

En fouillant quand même dans son nécessaire de toilette, Lionel mit la main sur une boîte de Paracétamol et il en fit avaler deux comprimés au blessé.

Vauthier s'impatientait. Toutes ces manœuvres les avaient retardés et la lumière commençait à baisser. Il espérait vaguement pouvoir franchir l'obstacle le jour même et il s'activait à dégager les pierres qui encombraient encore la route. Mais certaines étaient trop lourdes pour être déplacées par un seul homme et il dut attendre que Lionel ait fini de s'occuper du blessé pour le mettre au travail avec lui. Quand ils eurent nettoyé la zone, ils constatèrent qu'en effet elle était désormais assez large pour que le camion y passe. Mais ce serait quand même très juste et il n'était pas question d'entreprendre cette opération tout de suite, alors qu'on y voyait de moins en moins clair. Ils durent se résoudre à camper sur place et à attendre le matin pour continuer.

La seule chose encourageante pour Vauthier était que l'accident d'Alex le mettait provisoirement hors de combat. Il n'en avait plus qu'un à surveiller...

*

— À ton avis, ils vont réussir à passer ?

Maud était étendue sur le siège, la tête appuyée contre la portière. Sa joue brûlée lui cuisait et elle avait très mal au dos. Le choc avait dû être plus violent qu'elle ne l'avait cru et elle avait beaucoup de mal à tenir assise.

— Je ne pense pas. Mais avec ce salaud de Vauthier, on ne peut jurer de rien.

Marc conduisait maintenant depuis le matin. Maud était incapable de le remplacer au volant, à cause de ses douleurs. Elle voyait qu'il était au bout du rouleau. Ses paupières étaient lourdes et, de temps en temps, ses yeux se fermaient. Elle avait essayé de mettre la radio mais dans ces montagnes, on ne captait aucun poste. À un moment, ils entendirent un ronflement qui allait crescendo. Ils crurent avoir réussi à accrocher une station. Mais le son devint soudain très fort et ils reconnurent un bruit de turbine. Deux avions de chasse les survolèrent à haute altitude et disparurent derrière les crêtes.

La route désormais était moins étroite. Elle n'était plus bordée d'un précipice, ce qui rendait la conduite moins dangereuse. Sur le versant où ils roulaient, le relief s'était adouci. Un vent de face rabattait maintenant une neige fine qui tombait en continu. Il avait fallu un peu de temps pour qu'elle tienne car le sol n'était pas encore très froid. Mais, à force, elle finissait par former une couche visible, qui peignait tout en blanc, même le chemin.

À la tombée du soir, Marc alluma les phares mais ils éclairaient toujours aussi mal. La fatigue, la mauvaise visibilité, les incertitudes de la route qui se confondait avec les bas-côtés le décidèrent à s'arrêter. Il sortit un sac de couchage et en recouvrit Maud. Lui, s'enveloppa dans une couverture et se cala derrière son volant. Il ne fallut pas cinq minutes pour qu'il s'endormît.

Maud, elle, ne trouvait pas le sommeil. Dans l'obscurité, ses blessures la faisaient encore plus souffrir. De temps en temps, elle parvenait à s'assoupir mais des cauchemars la réveillaient. Elle tombait dans un précipice ou était écrasée par un rocher qui roulait du haut de la montagne. Surtout, elle imaginait Vauthier surgissant avec une arme à la main. Et elle se voyait en train de l'égorger.

C'était étrange à quel point elle avait changé, en se rapprochant de Marc. Avant et d'aussi loin qu'elle se souvienne, sa révolte était abstraite : elle détestait l'injustice du monde mais n'en voulait à personne en particulier. L'humanitaire lui avait donné le moyen de répondre à cette indignation diffuse. Ce n'était pas satisfaisant et elle avait été peu à peu conduite à s'engager plus directement, à renier le sacro-saint principe de neutralité. Finalement, elle avait suivi Marc dans son idéal de combat. Maintenant, pour elle, le monde n'était plus un magma que travaillaient les forces invisibles du mal. C'était un champ de bataille sur lequel s'affrontaient amis et ennemis. Jusque-là, elle n'avait jamais eu d'ennemi. Tout au plus avait-elle rencontré des adversaires. Ce n'était pas la même chose. Face à un adversaire, on lutte. Un ennemi, on l'élimine. Elle découvrait un sentiment nouveau : la haine. Elle haïssait Vauthier et ses semblables. Et quand elle s'abandonnait à ses rêves, c'était des idées de meurtre qui venaient. Elles ne la révoltaient pas et elle en était la première étonnée. Elle éprouvait même une profonde jouissance à imaginer un couteau entrer dans la gorge de cet individu, à voir jaillir son sang, à l'entendre râler à mort. Et elle s'effrayait de cette transformation. N'était-elle pas en train de devenir comme tous ces miliciens sans pitié, ces hommes coupables des pires horreurs ? Car elle sentait que le propre de la haine est de ne pas connaître de limite. Si Vauthier lui avait été livré, enchaîné, désarmé, à sa merci, n'aurait-elle pas été capable quand même de le tuer ? Et n'aurait-elle pas pris plus de plaisir encore à le faire souffrir ?

Ces idées se bousculaient dans son esprit. Elle était incapable de les démêler. Tout ce qu'elle savait, dans cette obscurité silencieuse, taraudée par la douleur, c'était qu'elle se sentait perdue.

Elle avait fini par s'endormir un peu avant l'aube et, quand elle s'éveilla, il faisait grand jour. Un jour étrange, d'ailleurs, car la lumière semblait venir plutôt du sol enneigé que du ciel gris, d'où tombaient toujours des flocons. Marc avait dû se remettre au volant très tôt. Ses yeux étaient bordés de cernes profonds et sa barbe noire, qu'il avait pris soin de raser tous les autres matins comme à son habitude, assombrissait ses traits, lui donnait un air encore plus dur. La conduite, dans la neige et la boue, requérait une grande concentration. Il était visiblement épuisé.

Maud essaya de bouger pour voir si elle serait capable de conduire mais c'était encore pire que la veille au soir. Dormir dans le froid avait accentué toutes ses douleurs. Marc, sans quitter la route des yeux, attrapa un paquet de biscuits derrière lui et le tendit à Maud. Elle lui sourit mais il ne la regarda pas.

— Qu'est-ce que ça donne ? C'est encore loin ?

— On roule à flanc de montagne, maintenant. Ça ne monte plus.

— Tant mieux.

— Oui et non. S'ils suivent, ils ont plus de chances de nous rattraper qu'en côte.

Elle scruta le paysage. Ces vieilles montagnes,

comme les Vosges ou le Jura, étaient arrondies à leur sommet, et ils avaient atteint une sorte de haut plateau qu'il leur fallait maintenant traverser pour atteindre l'autre versant. De loin en loin, on apercevait de nouveau des fermes et des bergeries.

— Tu ne vas pas conduire toute la journée ?

— Pour l'instant, ça va.

Le haut plateau de Bosnie centrale ondulait, interminable. Tantôt ils plongeaient dans des creux, tantôt ils reprenaient de l'altitude. Parvenu au sommet d'un de ces points hauts, Marc arrêta le camion, sans explication.

— Passe-moi les jumelles.

Maud les tira de la boîte à gants et les lui tendit. Il sortit et se planta sur le bord de la route. Elle le vit scruter longuement l'horizon. En forçant la douleur, elle parvint à s'asseoir. Elle essuya la buée sur la fenêtre. D'où ils se trouvaient, on embrassait un vaste panorama et, s'il avait fait moins mauvais, on aurait peut-être pu voir jusqu'à l'Adriatique. Avec la neige qui tombait, on distinguait tout de même l'ensemble du plateau qu'ils avaient traversé. À l'œil nu, Maud ne voyait qu'une étendue blanche, à perte de vue. Vers le sud, les tours en ruine d'un château médiéval se découpaient sur le fond plombé d'un nuage de neige. Marc revint et lança les jumelles sur le tableau de bord. Il redémarra, plus tendu que jamais.

— Qu'est-ce que tu as vu ?

— Ils sont passés.

Maud ne dit rien. Elle sentait comme un reproche

dans sa voix. Elle s'en voulait d'être blessée, de ne pas pouvoir conduire. Si, derrière, leurs poursuivants pouvaient se relayer au volant, Marc seul ne pourrait pas tenir le rythme. Il y pensait certainement et devait calculer les conséquences de leur échec : l'affrontement inévitable, le chargement découvert, la mort peut-être.

Maud essaya de bouger mais il n'y avait rien à espérer. Dès qu'elle tendait les bras, une douleur aiguë lui transperçait le dos, au point de lui donner envie de crier.

— On a combien de temps d'avance, tu crois ?

— Six heures à peine.

— Qu'est-ce qu'on peut faire ?

Il ne répondit pas et elle lui en voulut. Elle avait l'impression de ne compter pour rien. Il avait un air si hostile qu'elle ne put s'empêcher de penser à ses idées de la nuit. Dans l'action, il était seul. C'était le revers de la force, la règle du jeu dans son monde.

Maud ne se pardonnait pas d'avoir envie de pleurer.

Ils roulèrent silencieusement pendant près d'une heure. Soudain, Marc arrêta de nouveau le camion. Il ne donna aucune explication et, sans un mot, redescendit sur la route. Elle le vit d'abord s'accroupir devant la cabine et toucher le sol glacé. Puis il disparut à l'arrière. Quand il remonta, des flocons couvraient ses cheveux. Il neigeait dru maintenant et, en quelques instants, le pare-brise s'était couvert d'une pellicule blanche.

Marc actionna les essuie-glaces et le paysage réapparut. Maud se rendit compte alors qu'un étroit chemin partait sur la gauche. Il était couvert de neige et elle ne l'avait pas remarqué d'abord. C'était sans doute à cause de ce chemin que Marc avait arrêté le camion à cet endroit précis.

— Tu veux monter par là ?

Il n'eut pas besoin de répondre. Déjà, il avait braqué les roues vers la gauche et s'engageait dans le passage. Le chemin grimpait assez fort pendant quelques mètres et le camion peina. Ensuite, il s'élevait de façon plus régulière. C'était certainement un cul-de-sac, une entrée de champ ou l'accès à une bergerie.

— Tu penses que la neige va couvrir nos traces ? C'est ça que tu es allé vérifier ?

Il se contenta de hocher la tête.

Le chemin, tout à coup, semblait se perdre. Ils étaient entourés de blanc et rien n'indiquait par où il fallait continuer. Malheureusement, ils ne s'étaient pas encore assez éloignés de la route principale pour s'arrêter. Marc redescendit et marcha dans la neige pour essayer de voir s'il était possible de monter plus haut. Maud le vit disparaître derrière une haie que les flocons couvraient de pompons blancs.

Elle était à bout de nerfs, envahie par une sorte de rage dont elle ne savait si elle trahissait le désespoir, la colère, la honte. Elle avait l'impression d'avoir fait les mauvais choix, depuis longtemps, depuis toujours peut-être. Elle avait eu tort de suivre cet homme, de faire une exception pour lui à la méfiance qui l'avait toujours protégée de l'humiliation et de la souffrance. Et elle était là, blessée, impuissante, trahie. Elle hurla.

Le long cri qu'elle poussa, d'abord très aigu puis mourant dans les graves, la soulagea. Elle recommença mais ce n'était déjà plus naturel. Elle avait repris conscience d'elle-même. La volonté lui revenait, sinon la force. Elle ne se laisserait pas faire.

Peu après, Marc réapparut. Ce n'était d'abord qu'une ombre dans l'ombre blanche de la neige qui tourbillonnait. Puis elle le vit, couvert de flocons, et il ouvrit la portière.

— Tu as trouvé un passage ?

Comme il ne répondait pas, sans se préoccuper de la douleur qui lui arrachait le dos, elle le gifla.

IV

DESTINS

1

Marc ne bougea pas. La main de Maud fit à peine remuer sa tête. Il y eut seulement ce bruit si particulier de la peau claquant sur la peau. C'était la dernière chose qu'il pût craindre. Des coups, il en avait reçu son content pendant son enfance et il en avait donné beaucoup par la suite. Sa principale réaction fut l'étonnement. C'était peut-être cela que Maud avait cherché. D'ailleurs, elle-même était surprise par son propre geste.

Ils se regardèrent longuement. Elle se rendit compte qu'elle avait obtenu ce que, sans le savoir, elle voulait : qu'il pose les yeux sur elle.

— Je suis là, dit-elle. Même si je ne peux plus te servir à rien. J'existe. Tu sais ça ?

C'est à cet instant qu'elle comprit. Il paraissait vraiment sortir d'un rêve. Le danger, l'action, le combat le saisissaient à ce point que tout, autour de lui, disparaissait. Il ne la traitait pas en ennemi ; il ne la voyait tout simplement plus. Elle eut un peu honte de son geste, quoiqu'elle fût satisfaite de ses conséquences.

— Excuse-moi, dit-elle.

Il se pencha vers elle et l'embrassa. Ses lèvres s'irritèrent contre la barbe rugueuse qui entourait sa bouche. C'était une petite douleur qu'elle aimait et qui, un instant, lui fit oublier les autres. Elle s'en voulait d'avoir les yeux pleins de larmes. Pourquoi pleurait-elle ? Quelle stupide faiblesse féminine ! À moins qu'au contraire, ce ne fût la marque d'une sensibilité plus subtile, une sensibilité qui lui faisait mesurer le tragique de leur situation et apercevoir le drame qui s'avançait. Elle détourna la tête.

— Ne perdons pas de temps. Tu as trouvé comment sortir d'ici ?

— C'est par là-haut, en sous-bois. Il y a une petite baraque à trois cents mètres.

Comme il démarrait le camion et tournait le regard vers le chemin, elle en profita pour s'essuyer discrètement les yeux avec le dos de la main.

La neige était moins épaisse sous les arbres et, en quittant le champ, ils retrouvèrent la ligne d'un chemin forestier couvert d'aiguilles de pin. Ils roulèrent jusqu'à la bicoque. C'était une construction en pierres sèches, toute de guingois, et couverte d'un toit de chaume rafistolé avec du grillage. L'ensemble aurait paru abandonné si un mince filet de fumée bleuâtre ne s'était élevé de la cheminée.

Marc coupa le moteur. Personne ne sortait de la maison. Le silence était épais dans cette clairière ensevelie sous la neige.

— Tu sais qui habite là ?

— Pas encore.

En se penchant vers le plancher de l'habitacle, Marc ouvrit une trappe que Maud n'avait jamais remarquée. C'était un petit coffre ménagé pour placer la batterie. Il glissa la main à l'intérieur et en sortit un gros pistolet noir. Il vérifia le chargeur et l'arma. Puis il ouvrit la portière, sortit et avança vers la masure.

L'unique fenêtre était fermée de l'intérieur par des volets de bois. La porte était formée de planches mal jointes que les pluies avaient fait pourrir vers le bas. Marc aurait pu facilement l'enfoncer d'un coup de pied mais il frappa plusieurs fois doucement, comme un visiteur ordinaire qui veut montrer ses intentions pacifiques. Il entendait des voix qui chuchotaient à l'intérieur. En approchant son visage d'une fente entre deux planches, il dit quelques mots en russe. Un moment passa encore, sans réaction apparente.

Puis, tout à coup, la porte s'entrouvrit. Un visage d'enfant apparut, à peine plus haut que la serrure. C'était une petite fille couverte d'un fichu de toile verte. Marc cacha l'arme derrière son dos pour ne pas l'effaroucher davantage.

— Bonjour, lui dit-il.

— Bonjour, monsieur, répondit l'enfant.

— Tu es toute seule ?

Il s'efforçait d'accommoder les mots russes à ce qu'il savait de serbo-croate.

La fillette parut hésiter. Elle regarda vers le camion et aperçut Maud.

— Non.

— Tes parents sont là ?

— Mon frère et ma sœur.

Elle avait ouvert la porte un peu plus grand. Dans l'obscurité, Marc distingua une silhouette adulte, en retrait.

— Est-ce que nous pouvons entrer ? Mon amie est blessée.

L'enfant ne comprenait pas « blessée » et Marc montra Maud du doigt en mimant la douleur.

La fillette se retourna, sans doute pour savoir ce que son frère décidait. Il dut lui faire un signe car elle ouvrit grand la porte. Marc appela Maud et entra.

L'intérieur était plongé dans l'obscurité mais des rais de lumière passaient par les volets mal joints. La pièce sentait le feu et la misère de campagne, avec des odeurs sures de lait caillé et d'herbes sèches. Le frère de la petite fille était un garçon de treize ans à peu près. Il avait déjà perdu ses joues d'enfant et son visage osseux était entouré de cheveux noirs bouclés. Quand les yeux de Marc s'habituèrent à l'obscurité, il remarqua qu'il tenait à la main une sorte de gourdin en bois, un instrument sans doute destiné à assommer les animaux. C'était là, probablement, la seule arme dont il disposât. Marc remit discrètement la sécurité de son pistolet et le glissa dans sa ceinture derrière son dos. Quelque chose bougea dans le coin le plus obscur. Il distingua la forme d'un très petit enfant, qui se cachait derrière un coffre de bois. Sans doute était-ce la sœur dont la gamine avait parlé.

Maud avait réussi à s'extraire de la cabine en

grimaçant. La station debout était encore la moins pénible et elle marcha jusqu'à la porte. Quand elle l'ouvrit, Marc remarqua que le garçon crispait la main sur son bâton. En apercevant Maud, il se détendit.

Marc proposa d'entrouvrir les volets, pour donner un peu de lumière, et le garçon n'objecta rien. Une table en bois mal équarri occupait une grande partie de la pièce et deux bancs étaient fixés de chaque côté. Marc s'assit sur l'un d'eux, non pour se reposer mais pour se mettre à la hauteur des enfants et paraître moins menaçant. Les trois gamins avaient l'air affamés. Ils étaient blêmes de froid. La pauvre bûche qui fumait dans la cheminée ne donnait presque pas de chaleur.

— Où sont vos parents ?

Les enfants ne répondaient pas. Avaient-ils compris ? Ils semblaient surtout fascinés par Maud qui souriait à la petite fille.

— Papa ? Mama ? Où sont-ils ? insista Marc.

— Zenica, dit le garçon.

— Père militaire ? Guerre ?

Marc faisait le geste de tirer au fusil. Le garçon hocha la tête.

— Et votre mère ?

Le garçon regarda sa sœur et murmura quelque chose que Marc ne comprit pas.

— J'ai l'impression qu'elle est morte mais la petite ne le sait peut-être pas, hasarda Maud.

Tout à coup, des bruits sourds parvinrent du fond de la maison, comme si quelqu'un frappait le sol. Marc se raidit et glissa sa main derrière son dos, prêt à sortir son arme.

— Il y a du monde, derrière ?

Le bruit recommença et, cette fois, il était plus reconnaissable : c'était le piétinement d'un gros animal, un martèlement de sabots.

— Vous avez des bêtes ?

Le garçon ne comprenait pas la question mais il devinait ce qui pouvait troubler les visiteurs.

— Vache, dit-il. Et cheval.

En regardant la pièce et les enfants, Marc avait pris rapidement la mesure de la situation. Un combattant avait dû placer ses enfants à l'abri dans cette bergerie pendant que lui se battait en ville. La mère avait été tuée à la guerre ou était morte de maladie. Les mômes étaient placés à la garde du plus grand, qui n'avait que son gourdin pour se défendre.

Rien n'indiquait à première vue à quelle communauté ils appartenaient. Cependant, Marc avait remarqué sur un mur, près de la porte du fond, un petit cadre qui représentait une calligraphie arabe. Il y avait tout lieu de croire que c'était des musulmans, à moins qu'ils aient occupé une maison qui n'était pas la leur.

Ces observations faites, Marc se leva et sortit. Quelques minutes plus tard, il revint en portant deux cartons qu'il avait retirés du chargement. Il les posa par terre et les ouvrit, sous le regard suspicieux du garçon qui tenait toujours son bâton à la main. Du premier carton, il sortit des barres chocolatées et des paquets de biscuits. Les gosses regardaient les emballages colorés sans oser y toucher. Marc les déchira et étala sur la table un tas de gâteaux et de sucreries. La petite avait les yeux brillants mais hésitait à se servir. Elle attendit que son grand frère saisisse prudemment une galette et commence à la manger. Alors, ce fut la ruée. La gamine s'empiffra et fit monter sa petite sœur sur le banc pour qu'elle puisse se servir aussi.

Pendant ce temps, Marc avait fait sauter les liens du deuxième paquet. C'était un petit ballot de vêtements. Il contenait des manteaux et des vestes qui débordèrent du carton dès l'ouverture. Maud l'aida à choisir des habits adaptés à la taille des enfants. En les regardant mieux, elle se rendit compte à quel point ils étaient peu et mal vêtus. Elle aida la petite fille à passer une polaire rouge vif, assortie à son foulard. La gamine caressait le tissu doux avec des yeux émerveillés. Le garçon avait lâché son bâton et fouillait maintenant sans vergogne dans le carton. Il dénicha une parka doublée de fourrure synthétique. Elle était vert kaki, d'allure très militaire. C'était sans doute ce qui lui avait plu.

Désormais, ils étaient en confiance. Il n'y avait plus qu'à les laisser fourrager dans les caisses, rire et se gaver de sucreries. Maud s'amusait avec eux, applaudissait quand l'un des gosses essayait un nouveau vêtement, guidait les plus petits pour leur apprendre à se servir des fermetures éclair.

Marc, lui, s'était relevé pour se placer dans la lumière de la fenêtre. En même temps que les cartons, il avait rapporté la carte routière. Il l'examinait pour essayer de comprendre où ils se trouvaient. Maud le rejoignit et se plaça debout derrière son épaule. Il lui désigna du doigt le trait pointillé qui devait indiquer le chemin de la bergerie sur la carte d'état-major.

— On reste ici ?

— Oui.

— Tu es sûr, pour les traces…

Il haussa les épaules pour signifier que c'était un risque à prendre. La neige tombait régulièrement et il fallait espérer qu'elle recouvrirait assez la route. Sur ce point, visiblement, sa décision était prise. C'était autre chose qui le préoccupait. Il déplia la carte pour voir le versant opposé de la montagne, celui qui redescendait vers le nord, jusqu'à Zenica. Par la route, la ville était encore très loin car elle faisait de nombreux détours. Mais la carte indiquait une sorte de sentier qui coupait directement et tombait droit sur la ville. Il mesura la distance sur la carte, en écartant le pouce et l'index, comme un compas.

Il appela le garçon. Celui-ci approcha, encore tout émerveillé par sa nouvelle tenue.

— Zenica : vingt kilomètres ?

Le garçon écarta les mains : il ne comprenait pas. Marc compta jusqu'à vingt sur ses doigts.

— Zenica. Kilomètres.

— Zenica, répéta le gamin.

— Cheval ?

— Oui, cheval.

Le garçon fit signe à Marc de le suivre. Il poussa une

porte et ils sortirent dans une petite cour. L'étable était un simple auvent qui protégeait les bêtes de la neige. Il y avait là une vache rousse, très maigre. C'est de son lait que les enfants devaient se nourrir. Séparé d'elle par une cloison en planches, un cheval de trait, dont les gros paturons étaient entourés de crin sale, avait l'air encore jeune et solide.

— Toi, conduire cheval ?

Marc illustra son propos en faisant mine d'enfourcher la bête. Le garçon confirma fièrement qu'il savait monter. Ils rentrèrent dans la maison et le garçon calfeutra la porte avec une guenille.

Maud avait pris la plus petite fille sur les genoux et jouait avec elle. Ils la rejoignirent et s'assirent autour de la table. On voyait que le garçon ne comprenait pas très bien ce que Marc lui voulait.

— Toi, aller à cheval, à Zenica maintenant.

Le gamin secoua la tête. Il devait avoir reçu l'ordre de son père de ne pas quitter la maison et de veiller sur ses sœurs. Marc insista et comme l'autre refusait toujours, il sortit son pistolet. Le garçon sursauta. Il y eut un instant de malentendu complet. Le jeune Bosniaque pensait que Marc le menaçait alors que son intention était de lui montrer qu'il protégerait la maison et ses occupants pendant son absence. Finalement, Marc réussit à se faire comprendre et le garçon se calma. Il n'était pas tout à fait décidé pour autant.

— Fais-lui voir ce qu'il y a dans le camion, dit Maud. Il reste encore pas mal de caisses de nourriture et des vêtements. Tu peux lui dire que tout est à lui, s'il fait ce qu'on lui demande.

Marc entraîna le garçon dehors. Maud les aperçut près du camion, en grande discussion. Quand ils revinrent, le gamin avait trouvé des bonnets pour ses sœurs et il était chaussé d'une paire de gros souliers de marche en Gore-Tex.

— Ça y est. Il est d'accord.

Le garçon avait fait venir ses sœurs près de lui et il leur expliquait quelque chose dans sa langue. Les deux filles n'avaient pas l'air particulièrement inquiètes.

Marc, en attendant, avait sorti un papier et un stylo de sa poche. Il rédigea un message qu'il plia en quatre. Puis il appela le garçon.

— Avant Zenica, lui expliqua-t-il en russe, route à droite. Village de Lašva.

Le garçon fit signe qu'il connaissait.

— À Lašva, check-point.

Le mot était tristement connu dans le pays et il n'y avait pas besoin d'explication.

— Au check-point, tu demandes docteur Filipović.

— Tu crois qu'il va trouver ? dit Maud.

— C'est le chef de l'enclave croate. Tout le monde le connaît, là-bas.

— *Doktor* Filipović, répéta le garçon.

Il était maintenant pénétré de l'importance de sa mission. Avec sa parka neuve et ses chaussures solides, il devait se sentir équipé comme un combattant. Son père lui-même n'était sûrement pas aussi favorisé. Il saisit le message et le mit dans la poche intérieure de la veste. Il la referma soigneusement avec un rabat en velcro.

— Ton nom, camarade, lui dit Marc.

— Aliya.

Il lui serra la main et le garçon se raidit en une manière de garde-à-vous. Ensuite, ils rouvrirent la porte qui menait à l'étable et Maud les entendit harnacher le cheval. Ils contournèrent la maison. Le garçon était déjà en selle, les jambes écartelées par le large dos de l'animal. Elle le vit s'éloigner, couvert peu à peu par la neige qui continuait de tomber dru.

Marc frappa ses pieds sur le seuil et rentra.

— Il lui faudra combien de temps ?

— Il connaît la montagne. Il ne devrait pas se perdre. Il sera arrivé avant la nuit.

— Qu'est-ce que tu as écrit dans ton message ?

— J'ai dit qu'on était là mais qu'on ne pouvait pas aller plus loin.

Les fillettes s'amusaient à empiler les biscuits pour faire des châteaux. Elles riaient quand ils s'effondraient.

— Tu crois que les autres vont passer sans nous trouver ?

— C'est ce qu'on va voir.

Marc avait fouillé lui aussi dans les caisses de vêtements et avait déniché ce qu'il voulait : une sorte de long ciré vert qui lui descendait jusqu'aux pieds. Il l'enfila par-dessus sa polaire, enfonça un bonnet noir sur sa tête et fourra le pistolet dans sa poche. Il sortit, alla prendre les jumelles sur le tableau de bord et traversa le bois pour chercher un lieu dégagé, d'où il pourrait observer la route, en contrebas. Pendant qu'il s'installait, plusieurs avions militaires traversèrent le ciel. Pas plus que les fois précédentes, il ne put distinguer à quelle nation ils appartenaient.

2

La neige qui était tombée pendant la nuit brouillait les repères. Certes, le chemin était désormais moins étroit. Mais pour franchir la zone élargie la veille à l'explosif, ce serait toujours une question de centimètres.

— Je prends le volant, avait dit Vauthier.

— Mais tu ne l'as jamais conduit, ce camion.

— T'inquiète pas pour ça. Va devant et guide-moi.

Lionel avait accepté de mauvaise grâce. Le franchissement de la zone éboulée s'était finalement fait sans encombre et même plus facilement que Vauthier ne l'avait cru.

Restaient plusieurs problèmes : le temps perdu, qu'il fallait rattraper. Et Alex, toujours étendu à l'arrière, qui récupérait doucement. Dès la portion délicate franchie, Vauthier fit monter Lionel mais continua à conduire.

— C'est embêtant, tout de même, dit Lionel. Tu n'as pas le permis poids lourds.

Vauthier jeta à son voisin de cabine un regard plein de mépris.

— T'es vraiment incroyable ! Tu crois qu'il y a des contrôles de police par ici ?

— Non, mais quand même, l'assurance…

Lionel s'accrochait à des détails pour ne pas regarder en face l'effrayante réalité : ils avaient complètement quitté la légalité. Pour l'association, ce convoi était devenu fou. Les véhicules séparés, engagés dans une course-poursuite sur un chemin de montagne, la moitié du chargement jeté par terre, un blessé, des armes à portée de main et, dans un des camions, une cargaison de dynamite… Ils étaient bien au-delà du justifiable, sans compter ce qui arriverait s'ils parvenaient à rattraper Marc. Et même plus rien à fumer pour se calmer ! Il avait compté trop juste sa provision d'herbe car il n'avait pas prévu un voyage aussi long. Les joints de la veille avaient épuisé ses dernières réserves. Il était complètement déboussolé, sans énergie pour s'opposer en quoi que ce soit à Vauthier, ni à personne, d'ailleurs. Il se cala dans le coin de la banquette et garda les yeux fixés sur la neige qui tombait de plus en plus dru.

Il n'eut pas conscience de s'endormir. Quand Vauthier l'éveilla, il ne savait pas quelle heure il pouvait être.

— Prends le volant. Ça fait trois heures que je conduis…

Lionel descendit en frissonnant, fit le tour et démarra. Vauthier, à ses côtés, s'endormit presque aussitôt.

La route était monotone et la neige qui recouvrait tout ne permettait pas au regard de s'accrocher sur des points précis. Lionel conduisait dans un demi-sommeil. Il rêvait, et toutes les idées qui lui venaient étaient désagréables. Il se demandait comment il avait pu en arriver là, lui qui avait toujours été respectueux des procédures, qui était connu au siège de l'association pour sa rigueur. Il n'y avait pas de doute que tout venait de cette garce de Maud. Quelle idée de s'amouracher d'elle ? Il avait eu pendant deux ans la même copine, à Lyon, et ils s'étaient séparés quand il était parti en mission en Afrique. S'il avait été moins bête, il aurait renoué avec elle à son retour. Mais, au lieu de ça, il avait pris goût à la liberté. Il aimait bien la position de force que lui avait donnée sa qualité de chef de mission. Plusieurs filles s'y étaient montrées sensibles. Il avait eu l'impression de prendre une revanche sur la vie, en séduisant des gamines que l'humanitaire fascinait. Et il avait cru que ce serait la même chose avec Maud. Au lieu de cela, elle l'avait humilié et voilà où il en était maintenant…

Par endroits, sur le tapis blanc de la route, il apercevait les traces du camion qu'ils poursuivaient. Elles étaient de plus en plus difficiles à distinguer car la couche de neige était épaisse et, sur de longues portions du chemin, elles disparaissaient tout à fait. Au début, il y avait prêté attention mais bientôt, il n'y pensait plus. Il évitait même d'y penser. L'idée qu'ils allaient peut-être rattraper les autres était si effrayante qu'il valait mieux la chasser de son esprit.

À un moment, il lui sembla voir des traces partant sur la gauche. Il remarqua vaguement l'entrée d'un chemin latéral. C'est plusieurs minutes après qu'il eut l'idée que, peut-être, le camion de Marc s'était engagé sur cette voie. Mais il n'alla pas jusqu'à s'arrêter pour autant. Son esprit embrumé n'était pas en mesure d'effectuer des déductions et la routine de la conduite était plus forte que tout.

La route avait amorcé une lente descente et elle redevenait étroite. Lionel mettait toute son attention à guider le camion sur ce parcours difficile et dangereux. Le précipice, à droite, était de nouveau menaçant et le moindre écart pouvait être fatal.

Vauthier ronflait. De temps en temps, quand un cahot du chemin le secouait, il entrouvrait les yeux, puis se rendormait. À un moment, il poussa un long grognement, et ce bruit dut le réveiller. Il se redressa, se frotta le visage et reprit conscience.

— On en est où ?

— Toujours pareil. Mais maintenant, ça descend.

Ils avaient perdu pas mal d'altitude et, par instants, on distinguait entre les nuées le fond d'une vallée qui se rapprochait.

— On va sûrement trouver un check-point à la sortie de la montagne, dit Vauthier. Fais gaffe.

Mais, pour le moment, ils ne voyaient toujours rien, rien que la route de plus en plus cachée sous la neige.

— Il n'y a aucune trace.

— Ça fait un bon moment.

Vauthier tiqua.

— Elles ont disparu brutalement ?

Lionel n'osa pas parler de l'embranchement qu'il

318

avait remarqué. D'ailleurs, l'avait-il remarqué ? Tout était si confus. Il se demandait s'il n'avait pas rêvé. À quoi bon prendre le risque d'une engueulade avec Vauthier.

— La neige est de plus en plus épaisse, dit-il seulement.

L'autre avait l'air préoccupé mais ne disait rien.

Ils continuèrent à rouler pendant deux heures, sans rien voir d'autre que du blanc partout, sur le sol et dans l'air chargé de flocons.

Soudain, à la faveur d'une éclaircie, ils distinguèrent au loin, à l'entrée d'une forêt de sapins, la masse désordonnée d'un point de contrôle.

— Voilà le check-point. On va savoir à quelle heure ils sont passés.

Ils roulèrent doucement jusqu'aux casemates. Des silhouettes sombres en sortirent et se placèrent en travers du chemin.

Quand les miliciens approchèrent, ils distinguèrent, cousu sur leurs casquettes, l'écusson croate.

— *Pomoć*, annonça Lionel, comme il en avait l'habitude.

Il se forçait à sourire mais quelque chose, en lui, se révoltait contre cette présentation. Il avait de moins en moins l'impression d'appartenir au monde humanitaire. Ce convoi déchiré de haines, dénaturé par un chargement dangereux, cette course-poursuite dont la fin ne pouvait être que tragique, tout cela lui faisait sentir combien le mot rassurant de « *Pomoć* » était désormais une imposture. Mais les miliciens ne paraissaient pas s'en préoccuper. Ils contrôlèrent les documents avec calme et allèrent à l'arrière inspecter le chargement. Ils ne semblaient même pas surpris de voir un convoi humanitaire emprunter ce chemin de montagne. Le froid engourdissait leurs esprits et ralentissait leurs gestes. Ils avaient visiblement envie d'en finir rapidement avec ces formalités, pour reprendre tranquillement leur place auprès du brasero que l'on voyait fumer au fond de la casemate.

— Demande-leur quand sont passés les autres, souffla Vauthier.

— Je ne parle pas leur langue, moi !

— Fais des gestes.

Lionel interrogea un milicien mais l'autre le regardait sans rien comprendre.

— On va les inquiéter, c'est tout.

— Attends.

Vauthier descendit du camion et Lionel le vit gesticuler au milieu d'un groupe de miliciens qui étaient restés à l'abri. Il faisait des moulinets avec les bras, imitait la conduite d'un camion, dessinait dans l'air des courbes féminines, sans doute pour décrire la présence de Maud. Les soldats rigolaient. Comme il insistait, ils se concertèrent et, finalement, secouèrent la tête. Vauthier répétait ses gestes mais obtenait toujours la même réponse négative. Il revint vers le camion, l'air furieux.

— Ils ne les ont pas vus, dit-il en remontant dans la cabine.

— C'est impossible !

— Va leur demander…

Les miliciens avaient détendu la ficelle qui barrait la route et ils attendaient que le camion redémarre. Mais Lionel ne bougeait pas. Il sentait le regard mauvais de Vauthier braqué sur lui.

— Tu n'as vraiment pas remarqué quelque chose d'anormal, avec les traces ?

— Non.

C'était un « non » si faible qu'il n'avait aucune chance d'être convaincant. Lionel ajouta d'une voix blanche :

— Peut-être qu'à un endroit, il y avait un chemin à gauche…

*

Aliya était fier de descendre de la montagne sur son cheval. Il avait pris sa mission très à cœur. C'était une vraie mission, comme il l'imaginait, c'est-à-dire un ordre qu'il ne comprenait pas mais qu'il se serait fait tuer pour exécuter. Son père lui avait souvent parlé de guerre. Il était devenu militaire sous Tito parce que c'était pour lui un destin tout naturel. Le père de son père aussi était soldat. La terre sur laquelle il vivait s'était construite dans le sang. Cela ne datait pas d'hier, et dans les récits du père à son fils revenaient souvent des descriptions de batailles auxquelles il semblait avoir pris part lui-même quoiqu'elles se fussent déroulées… au Moyen Âge.

Ils étaient musulmans et leur religion elle-même était le résultat d'un combat. Le père d'Aliya avait repris à son compte l'histoire des bogomiles, cette secte persécutée qui avait saisi la chance que constituait à leurs yeux la présence turque pour sortir du cycle infernal de l'oppression et de la pauvreté. Et depuis lors, ça n'avait pas été une partie de plaisir.

Aliya avec son cheval puissant et sa veste kaki se sentait tout à fait un combattant. Il ne lui manquait qu'une chose : des armes. Mais ce n'est pas l'arme qui fait le combattant, son père le lui avait souvent dit. C'est le danger. De ce côté-là, il était servi.

La montagne elle-même était semée de dangers : des précipices, des zones d'éboulement, le froid et la neige. Ceux-là, Aliya les connaissait bien. Mais, à mesure qu'il approchait des vallées, il savait qu'il rencontrerait d'autres dangers, beaucoup plus imprévisibles. Il y avait les bandes armées qui écumaient le pays, les offensives locales au milieu desquelles le hasard pouvait le placer, et surtout l'inconnue des check-points. S'il rencontrait des Bosniaques, tout irait bien. Mais comment l'accueilleraient les Croates ? Et que ferait-il si, d'aventure, il tombait sur un poste de Tchetniks serbes ?

En attendant, la neige qui lui fouettait le visage, l'ondulation du cheval puissant qu'il sentait entre ses jambes et surtout la veste militaire qui le couvrait lui donnaient le sentiment d'être à la fois invisible et invincible.

Pour autant que le jour blanc lui permît de le savoir précisément, il avait l'impression que la lumière commençait à décliner. Il frappait les flancs du cheval avec impatience, pour le faire avancer plus vite. Enfin, après plus de trois heures de marche, il aperçut la grand-route. De ce qu'il savait, mais tout changeait vite dans cette guerre, le point de contrôle qui surveillait la montagne devait se situer plus haut. Si bien qu'il l'avait dépassé sans être inquiété. Restait à trouver ce village, Lašva, où l'étranger lui avait commandé de se rendre. Aliya lui avait dit qu'il le connaissait. Un soldat doit toujours être d'accord avec les ordres. Il n'avait pas menti en disant qu'il connaissait Lašva. C'était un nom que son père avait prononcé devant lui. Pour autant, il n'y était jamais allé et il n'était pas tout à fait sûr de savoir où cela se trouvait. Il fallait qu'il demande son chemin. Malheureusement, il n'y avait personne sur la route. Avec ce temps affreux, il était peu probable que des paysans choisissent de sortir de chez eux. Il allait falloir frapper à une porte, s'il rencontrait une maison.

Il en découvrit une, isolée, dans un tournant de la route. Il était déjà très bas et la neige, à cette altitude, se transformait en une pluie froide et épaisse qui ruisselait sur sa parka. Aliya descendit de cheval et frappa à la porte. Personne ne lui répondit. Il voyait pourtant un filet de fumée qui sortait de la cheminée. Il insista et parla à travers la porte. Il ne voulait pas donner son nom, qui permettait de savoir à quelle communauté il appartenait. Il se contenta de crier qu'il allait voir son père et qu'il cherchait le village de Lašva.

Plusieurs minutes passèrent. Il était trempé et commençait à perdre patience. Il allait remonter à cheval quand une fenêtre s'entrouvrit. Le visage d'une très vieille femme apparut dans l'entrebâillement des volets de bois.

— Bonjour, grand-mère, dit-il en se forçant à sourire. Est-ce que vous pouvez me dire si je suis encore loin de Lašva ?

La tête de la vieille femme était agitée de tremblements. Aliya se demandait si elle avait bien toute sa raison. Il répéta sa question plus lentement et plus fort. La femme tournait son regard vers lui mais il lui semblait qu'elle ne le voyait pas. Soudain, il prit conscience qu'elle devait être aveugle et qu'il lui fallait en dire un peu plus. Il avait fait un effort pour donner de l'assurance à sa voix et il comprit qu'elle avait dû le prendre pour un adulte. Il s'expliqua mieux.

— J'ai treize ans, grand-mère, et je vais rejoindre mon père là-bas, parce que mes petites sœurs sont malades.

La vieille cligna de ses paupières ridées.

— Tu y es presque, dit-elle enfin, d'une voix faible et chevrotante. Continue deux kilomètres et tourne à droite. Tu verras Lašva en marchant encore un peu. Il y a un grand hangar à l'entrée du bourg.

Aliya remercia et se remit en route.

Il trouva l'embranchement qu'avait décrit la vieille femme et tourna à droite. Le jour avait beaucoup baissé et, sous le couvercle bas des nuages, l'obscurité progressait vite. Il poussa le cheval mais celui-ci refusait de se mettre au trot. Il balançait son encolure et se contentait d'allonger le pas.

Aliya n'avait pas de lampe, aucun moyen de signaler sa présence dans la nuit. Et il n'apercevait toujours pas Lašva.

Un moment, il se dit qu'il valait peut-être mieux s'arrêter et attendre l'aube pour aborder le check-point. Mais il ne voyait pas où s'abriter. Il était trempé et le froid devenait plus vif. S'il le fallait, il se terrerait dans un fossé et attendrait. Après tout, c'était aussi le sort des soldats que de subir l'inconfort et les privations. Il en était là de ses pensées quand, dans la pénombre de plus en plus épaisse, il distingua au loin la masse sombre d'un bâtiment. Ce devait être le grand hangar dont avait parlé la grand-mère. Il battit à toute force les flancs du cheval. Les sabots de l'animal, à chaque pas, faisaient résonner dans le silence du crépuscule un bruit sourd et humide. Aliya voyait se rapprocher l'entrée du village. Il lui sembla distinguer dans l'obscurité la silhouette de véhicules garés sur le bord de la route mais il n'y avait aucune lumière. La pluie était toujours régulière et formait comme un rideau qui obscurcissait encore davantage le paysage.

Soudain, alors qu'il estimait être parvenu presque à l'entrée du village, Aliya vit une silhouette sortir de l'ombre et saisir l'embouchure du cheval. Puis, aussitôt, cinq ou six hommes l'entourèrent, l'arme pointée vers lui.

*

À la nuit tombée, Marc rentra dans la chaumière. Il était gris de froid, ses souliers étaient gorgés d'eau et sa longue capote s'était révélée peu étanche, si bien que la neige fondue avait trempé peu à peu ses vêtements. Il se retira dans un coin de la pièce pour se sécher et enfiler des habits secs.

Maud avait passé la journée à rendre la maison plus agréable. Elle avait rapporté des lampes à gaz du camion. Leur lumière avait fait ressortir le désordre et la crasse. Elle avait rangé ce qui traînait un peu partout, lavé le sol et la table, poussé le feu dans la cheminée jusqu'à obtenir dans la pièce une température presque douce. Ensuite, elle s'était attelée à la préparation d'un bon dîner grâce aux victuailles qui restaient dans le chargement. Les enfants l'avaient d'abord regardée faire avec étonnement, puis elles s'étaient mises à l'aider avec plus ou moins d'efficacité. La plus grande lui avait même confié son trésor : un petit poste de radio à transistor d'où l'on pouvait capter une station lointaine qui émettait en continu de la musique aux sonorités grecques.

Quand Marc se mit à table avec elles, les petites filles, intimidées, firent de leur mieux pour servir les plats qui mijotaient sur le réchaud. Maud avait même retrouvé une bouteille de vin dans un coin du camion. Elle en versa un plein verre à Marc pour le réchauffer.

C'était une curieuse ambiance de famille. Elle avait d'abord réjoui Maud, quand elle était encore seule avec les enfants. Mais l'arrivée de Marc avait installé un malaise inattendu. Elle avait fait tout cela en pensant à lui et, au moment où il apparaissait, sa présence brisait le rêve et lui ôtait bizarrement tout entrain.

Il avait rapporté du dehors son air préoccupé et fermé. La chaleur, la musique, la gaieté des petites filles semblaient agir sur lui dans un sens contraire à ce que Maud avait espéré. Son regard dur, son visage tendu et presque agressif montraient qu'il considérait tous ces efforts comme inutiles et ce confort incongru. Par son attitude, il rappelait brutalement où ils étaient et dans quelle situation critique ils se trouvaient. Et le petit orgueil de Maud, heureuse d'avoir transformé cette maison et ramené dans leur vie un peu de douceur et de joie, prenait tout à coup un caractère dérisoire et même ridicule.

Ils dînèrent en silence car les enfants, sans comprendre ce qui se passait, avaient bien perçu le malaise et se taisaient. Marc répondait aux questions de Maud par des phrases encore plus brèves que d'habitude, presque des monosyllabes. Avait-il vu quelque chose sur la route ? Non. Pensait-il qu'Aliya était arrivé à destination ? Peut-être. Que feraient-ils le lendemain ? Il l'ignorait.

Au bout d'un moment, elle cessa de l'interroger et un lourd silence s'installa. De temps en temps, des coups de sabot de la vache, dans l'étable voisine, faisaient trembler les verres. Le dîner terminé, Marc se leva, chercha une cigarette et poussa sa chaise devant la fenêtre.

Maud desservit la table et fit la vaisselle à l'eau

froide sur la pierre creuse qui tenait lieu d'évier. Elle refusa sèchement l'aide de la plus grande des filles et celle-ci alla se réfugier avec sa sœur à l'autre bout de la pièce, dans un coin sombre.

Maud s'en voulut de sa dureté mais elle tenait absolument à cacher son émotion et les larmes qu'elle sentait venir. Elle n'était pas déçue par la réaction de Marc. À certains égards, elle la comprenait. Son désarroi était plus profond, plus irrémédiable. Plus complexe aussi et fait de sentiments contradictoires qu'elle essayait de démêler.

Tout ce qu'elle avait voulu fuir, elle le retrouvait dans cette chaumière.

Elle s'était transformée toute la journée en maîtresse de maison, pire, en servante dévouée. Elle avait pensé à Marc sans cesse, en multipliant les attentions, en oubliant sa fatigue et sa volonté. Mais elle voyait que le spectacle de cette soumission ne suscitait en lui ni plaisir ni étonnement. Il n'avait pas eu un mot pour la remercier, pas un regard pour lui exprimer sa tendresse. Il y avait bien longtemps qu'elle s'était juré de ne jamais tomber dans un tel piège.

Ce qu'elle n'avait pas prévu, c'était ce désir irrépressible, cet amour qui tout à la fois la révoltait et s'imposait à elle, comme un visiteur indiscret qui pose ses bagages dans une maison où il n'est pas le bienvenu. Et quand, séchant ses mains gercées à un torchon rugueux, elle se retournait et voyait cet homme assis qui lui tournait le dos, ces épaules sur lesquelles elle imaginait, sous les plis de la chemise, les arabesques bleutées, ces cheveux noirs dont elle avait l'impression de sentir la texture au bout des doigts, elle avait de la peine à ne pas se précipiter vers lui pour lui donner sa bouche et tout son corps.

Les petites filles avaient préparé leur lit. C'était une paillasse entassée dans un coffre, qu'elles avaient sortie et déroulée. Elles s'allongèrent l'une contre l'autre, sous une couverture rouge pleine de trous. Maud les prit en pitié et elle alla les embrasser.

L'animation de la journée avait épuisé les enfants. Elles s'endormirent rapidement, la plus petite presque aussitôt, l'aînée après avoir un peu lutté contre le sommeil, sans doute parce qu'elle était curieuse d'observer les étrangers qui s'étaient installés chez elle.

Maud se releva quand elle fut certaine que les filles dormaient profondément. À vrai dire, elle n'était pas pressée de se retrouver seule à seul avec Marc. Il était toujours assis face à la fenêtre et lui tournait le dos. Elle sentait que la soirée allait être très longue et tendue.

Elle retourna vers la grande table qu'elle avait débarrassée et frottée avec un chiffon. Le bois, autour de la bougie, vibrait d'éclairs fauves. Elle prit deux verres près de l'évier et les remplit de vin. Puis elle approcha une chaise de celle de Marc et s'assit. Elle était un peu de biais et le voyait de profil. Il saisit le verre sans dire un mot. Maud laissa s'allonger le silence. Elle but son vin lentement, par petites gorgées. L'amertume de cette piquette lui faisait du bien. Elle ne voulait rien de rond, rien de doux. Tout ce qui irritait son corps renforçait la conscience qu'elle avait d'elle-même et la poussait à se préserver.

Il fallait sortir de là. Ensuite, la fuite serait possible. Ne plus le revoir. Le faire souffrir. Mais était-il seulement capable de souffrir pour quelqu'un ?

Le silence était absolu, un vrai silence de campagne et de neige. La vache, sur sa litière, devait s'être endormie aussi. Le temps était aboli et pourtant, c'était le temps qu'ils étaient occupés à laisser s'écouler, comme le pêcheur regarde une ligne se dérouler dans le sillage de son bateau.

Marc semblait ne prêter attention qu'au silence. Sa vigilance était tournée vers le moindre craquement, vers le plus léger sifflement du vent sous les fenêtres.

Un peu plus tard, Maud se leva et alla dérouler une autre paillasse sur laquelle d'habitude devait dormir Aliya. Elle s'allongea sans se déshabiller. Un courant d'air glacial rampait sur le sol entre la porte d'entrée et celle de l'étable. C'était un inconfort et, à la fois, un signe de vie, une invitation à la liberté et au mouvement. Au lieu de se laisser aller à la tristesse, voire aux larmes, elle se mit à rêver de ce filet d'air venu de l'Adriatique. Il s'était chargé de neige et se réchauffait comme un rôdeur, en traversant la tiédeur de cette chaumière avant de dévaler la montagne et de glisser, ragaillardi et plus vif que jamais, jusqu'en Italie. Et, chevauchant ce feu follet glacial, elle s'endormit.

*

Aliya n'avait pas peur. La cellule dans laquelle on l'avait placé n'avait aucun confort. Cela le dépaysait moins que si les miliciens l'avaient installé dans un lieu trop différent de la masure où il avait l'habitude de vivre avec ses sœurs.

Ce n'était pas à proprement parler une prison mais dans cette guerre, rien ne conservait son usage habituel. Les maisons devenaient des abris de snipers, les bureaux de poste des quartiers de commandement, les écoles des hôpitaux. Il n'était pas étonnant que cette cave soit devenue un cachot.

Les soldats croates n'avaient rien cru de ce qu'il leur avait raconté. La seule chose qu'ils avaient comprise, c'était que cet enfant musulman sorti de la nuit sur son cheval était suspect. Et comme ils ne pouvaient en référer à personne avant le jour, ils l'avaient placé là en attendant, non sans s'être assuré qu'il ne portait pas d'arme.

Un gros garçon joufflu, à peine plus âgé qu'Aliya et coiffé d'une casquette de base-ball, était venu lui apporter un morceau de pain et des pommes toutes flétries mais juteuses. Ils avaient discuté un moment et s'étaient rendu compte qu'ils habitaient la même ville avant la guerre. Ils se découvrirent même des amis communs. Le garçon s'appelait Frango et il était très fier de dire qu'il était personnellement responsable de cette manière de prison. Il dut avouer qu'il n'y séjournait jamais grand monde. L'habitude dans ce coin était plutôt de ne pas faire de prisonniers...

Aliya lui avait raconté, comme aux miliciens, son histoire de message pour le colonel Filipović.

— Filipović ? Il n'est pas colonel. C'est un général !

Le gros garçon en parlait avec un respect particulier. Aliya lui demanda s'il le connaissait.

— Tu penses, si je le connais ! C'est mon oncle.

Il avait refusé de dire si le général se trouvait en ville à ce moment. Nul ne devait savoir où était Filipović puisque c'était lui qui commandait tout le secteur. Cependant, il augmenta sa propre importance, en laissant entendre qu'il avait, lui, le moyen de le contacter à tout moment. Et quand il était reparti, il avait promis d'en parler personnellement à ses parents.

Aliya dormit paisiblement. Au petit matin, un autre geôlier vint lui porter une bouillie d'orge.

Plusieurs heures passèrent. Aliya était surtout préoccupé de savoir ce que l'on avait fait de son cheval. Mais personne ne vint le voir et il garda son inquiétude pour lui-même.

Il était près de midi quand la porte de la cave s'ouvrit brutalement. Frango entra, l'air solennel, et ordonna sèchement à Aliya de se lever.

— Arrange-toi un peu. Le général arrive.

Un homme entra bientôt dans le cachot et se planta devant le prisonnier. Il était vêtu d'un uniforme gris zébré de noir et portait un béret militaire, posé légèrement sur le côté. L'homme était aussi sec que le garçon était adipeux. À vrai dire, ils ne se ressemblaient pas du tout, au point qu'Aliya jeta un regard interrogateur à son jeune gardien.

— Le général Filipović, claironna Frango.

L'ancien médecin devenu général avait conservé de son premier métier des manières avenantes et une certaine douceur dans les gestes. On s'attendait à ce qu'il demande : « Où avez-vous mal ? » Il donnait confiance.

— Alors, mon petit, dit-il d'une voix tranquille, il paraît que tu as un message pour moi ?

— Oui, général.

— Mon général, corrigea Frango.

— Oui, mon général.

Aliya fouilla dans sa poche et en tira le papier auquel les miliciens n'avaient prêté aucune attention. Filipović se tourna vers l'ampoule nue qui pendait au-dessus de l'entrée et lut le billet que Marc avait rédigé. Puis il se retourna vers Aliya. Ses yeux s'étaient plissés, son regard, tout à coup, était dur et méfiant.

— À quoi ressemble l'homme qui a écrit cela ?

Aliya ne savait pas trop comment s'y prendre pour décrire un étranger. C'était un étranger, voilà tout. Le médecin le guida. Est-il grand ? De quelle couleur sont ses cheveux, ses yeux, sa peau ? As-tu vu des tatouages sur son corps ? Le gamin répondait tant bien que mal.

— Ils sont deux, n'est-ce pas ?

— Oui, deux.

— Comment est l'autre ? Son nom est Alex ?

— Je ne connais pas son nom. Mais elle est plus petite.

— Comment ça, « elle » ? Il n'est pas avec un autre homme ?

Aliya avait bien la conviction que Maud était une femme mais devant l'assurance du général, il finissait par en douter.

— Je crois bien que c'est une femme mais…

Filipović s'impatientait.

— Tu crois ou tu es sûr ?

— Je crois…

— Sa peau est noire ?

Là, l'enfant se récria. Il avait peut-être des doutes sur le sexe de la personne mais, quant à sa peau, il était catégorique.

— Pas noire du tout. Cette personne a la peau très blanche au contraire. Elle est blonde et ses yeux sont tout bleus.

Filipović relut le billet attentivement.

— Tu as vu dans quelle voiture ils sont arrivés ?

— Ce n'est pas une voiture. C'est un gros camion, avec l'arrière tout déchiré.

— Tout déchiré ?

— Le côté du camion est arraché.

— Tu as vu le chargement ?

— Oui, il reste encore pas mal de choses. Cette veste, tenez, ils me l'ont donnée. J'ai l'impression qu'ils ont perdu à peu près la moitié de ce qu'ils transportaient. Mais vers l'avant, c'est encore plein de cartons.

Frango se tournait vers son oncle pour surprendre sa mimique et décider s'il devait porter du crédit aux déclarations du prétendu messager. Mais comme le général ne laissait rien paraître, il regarda Aliya d'un air sévère.

Il y eut un long moment d'incertitude, pendant lequel Filipović réfléchissait sans rien dire.

— Où est ta ferme ?

— Dans la montagne.

— Loin ?

— À cheval, j'ai coupé par les raccourcis et ça ne m'a pas pris longtemps. Par la route avec ce temps, ce sera plus long. Quand mon père nous y a conduits, il a fallu quatre heures, à peu près.

— Il n'y a pas d'adresse, évidemment.

— Pas que je sache.

— On voit la maison de la route ?

— Non.

— Alors, il faut que tu nous accompagnes.

— Et mon cheval ?

— Laisse-le ici. On te le ramènera.

3

Ça n'avait pas été sans mal. Une fois franchi le check-point, Vauthier avait dû batailler avec ses coéquipiers pour les convaincre de retourner en arrière.

Lionel, cette fois, se sentait en position de force. Après tout, ils avaient réussi à franchir la montagne et, quels que fussent les dégâts dans le convoi, ils étaient sur le point d'arriver à bon port. Là-bas, dans la vallée, ils apercevaient les lumières des premiers villages. Kakanj était l'un d'entre eux. Il n'était pas question de repartir vers la montagne, de chercher la confrontation avec Marc.

Alex, lui aussi, était soulagé. Il allait mieux et depuis quelques kilomètres, il ne cessait de réfléchir à ce qu'il ferait si Vauthier se retrouvait face à face avec son ancien compagnon. Il avait vu l'arme dont disposait le mécano et savait que, dans l'autre camion, Marc disposait lui aussi d'un pistolet et de munitions pour se défendre.

Auparavant, ni Alex, affaibli par sa blessure, ni surtout Lionel n'auraient eu la force de résister à Vauthier.

Mais ils avaient franchi le barrage et les miliciens ne les laisseraient pas facilement repartir en arrière. Ce soutien potentiel raffermissait leur propre détermination.

De toute manière, à l'heure qu'il était quand ils arrivèrent au point de contrôle, le jour avait trop baissé pour permettre d'envisager un départ immédiat. Ils s'installèrent un peu plus loin pour la nuit, à l'abri d'un hangar agricole en tôle où traînait encore un peu de fourrage. À une dizaine de mètres, quelques fermes s'étiraient le long de la route dans la descente. Vauthier, sans rien dire à ses deux coéquipiers, disparut dans cette direction. Bon débarras ! Ils se réjouirent de son départ et dînèrent tranquillement avec ce qui restait de victuailles dans le camion. Ils discutèrent entre eux et se donnèrent mutuellement du courage. S'il le fallait, ils demanderaient la protection des militaires du barrage. Puis ils sortirent les duvets et s'endormirent sur un lit de foin, bien à l'abri de la neige qui tombait toujours silencieusement sur le toit.

À l'aube, le temps était sec. On distinguait dans le ciel des trouées plus lumineuses. Lionel se leva le premier et alluma le réchaud pour préparer du café. Alex restait dans son duvet. La chaleur apaisait les douleurs qu'il ressentait encore un peu partout. Il n'était pas sept heures quand un tracteur de montagne s'arrêta devant le hangar. C'était une sorte de camion miniature qui avait été peint en rouge avant que la rouille, au fil du temps, n'ourle ses tôles de taches marron. L'arrière était constitué d'un plateau qui pouvait servir à transporter un animal ou des bottes de fourrage.

À l'avant, la minuscule cabine ne pouvait être occupée que par une seule personne. Un vieux paysan conduisait l'engin. C'est au dernier moment que Lionel et Alex aperçurent Vauthier, assis à l'arrière sur le plateau vide.

— Tout est arrangé, dit-il en sautant à terre et en avançant jusqu'à eux. Officiellement, je vais dépanner le camion resté en arrière. Vous m'accompagnez, oui ou non ?

— Non, répondit Lionel, sans même attendre l'avis d'Alex.

— Dans ce cas, bon vent, les gars.

Il retourna vers le tracteur, grimpa à l'arrière et frappa sur la cabine pour faire comprendre au vieux qu'il pouvait démarrer.

Ils entendirent le bruit poussif du moteur s'éloigner sur la route.

Alex sortit de son duvet en grimaçant de douleur.

— Il va le buter !

— Et alors ?

— Quoi, alors ? Tu veux laisser faire ça ?

— Qu'est-ce qu'on y peut ?

Il n'y avait pas seulement de la résignation dans le ton de Lionel. Alex perçut aussi comme l'indice d'un certain contentement. Après tout, n'était-ce pas pour lui la meilleure solution ? Il n'avait pas à s'en mêler, le camion était en sécurité, la mission ou ce qu'il en restait, sauvée. Marc s'était mis hors la loi par sa fuite ; il n'aurait que ce qu'il méritait et, de toute façon, Vauthier en prenait seul la responsabilité. Mais la vieille jalousie de Lionel y trouvait son compte aussi. Lionel n'était au fond pas mécontent de savoir que Maud paierait le prix de ce qu'il considérait toujours comme une trahison, en voyant son amoureux se faire descendre par Vauthier.

— Moi, je ne suis pas d'accord.

— Eh bien, prends une charrette à foin aussi et rattrape-les, grinça Lionel.

Il avait repris l'assurance du faible qui sent qu'il est protégé.

— Non. On va y aller ensemble avec le camion.

Lionel ricana.

— Ça te fait rire ?

— Un peu.

Alex n'était plus en état physique de le menacer et il le savait. Lionel continua tranquillement à siroter son café tiède. Un long moment de silence passa. Alex s'était assis péniblement dans le foin et réfléchissait. Enfin, il se releva et se planta devant son compagnon.

— Tu crois que tu vas t'en sortir comme ça ?

Lionel répondit par un mauvais sourire.

— Tu te trompes.

— Ah oui ?

— Écoute-moi bien. Si Marc y laisse la peau, je prends un engagement.

— Lequel ?

Alex avait une expression que Lionel ne lui avait jamais vue. Il y avait dans ses yeux une gravité effrayante.

— Quand on sera rentrés, il me faudra quelques jours pour récupérer. Mais ensuite…

— Ensuite ?

— Je te tuerai.

Lionel laissa échapper un petit rire mais Alex restait impassible et le fixait.

— Tu veux finir ta vie en tôle ?

L'autre ne répondait pas. Lionel scrutait les yeux noirs qui le dévisageaient. Il y lut quelque chose d'indéfinissable, une force à la fois sauvage et raisonnée qui l'ébranla. Son seul espoir était que tout ceci finisse au plus vite. Il n'avait plus qu'un souhait : retrouver en France la tranquillité et la sécurité auxquelles il tenait plus qu'à tout. Et voilà que cet imbécile proférait des menaces qu'il était capable de mettre à exécution un jour. Même après son retour, Lionel comprit qu'il ne serait jamais tout à fait rassuré. Il resterait sous le coup de cette condamnation folle, d'autant plus dangereuse justement qu'elle était folle.

— Allez, prononça-t-il, en essayant de mettre le plus de raison et d'amitié possible dans sa voix. Sois raisonnable. Qu'est-ce que tu aurais à y gagner ?

Mais ces mots sonnaient faux et trahissaient sa peur. Alex ne disait toujours rien.

Alors, Lionel se leva et prit le parti d'exprimer une colère qui n'était pas plus convaincante.

— Mais qu'est-ce que vous avez, tous ? Vous êtes vraiment une bande de dingues ! Pourquoi est-ce qu'il a fallu que ça tombe sur moi ? Je n'ai jamais vu une affaire pareille dans l'humanitaire.

Ce mot était particulièrement ridicule et, en le prononçant, Lionel mesura lui-même combien il était désormais inapproprié pour décrire cette équipée tragique. Ils n'étaient plus depuis longtemps du côté de la charité et de la paix. Ils avaient tous basculé dans la haine et le combat. Rappeler les raisons de leur départ, c'était souligner à quel point ils s'en étaient irrémédiablement écartés. L'espoir de Lionel, en atteignant Kakanj, était de revenir à la normalité, à la neutralité, à la simple action caritative. Il se révélait totalement vain.

Il se rassit.

— Bon, qu'est-ce que tu veux ?

— Qu'on reprenne le camion et qu'on rattrape ce connard avant qu'il ne soit trop tard.

— Les miliciens ne vont jamais nous laisser repartir en arrière, dit Lionel, d'un air absent.

— Laisse-moi faire.

Et, en effet, une demi-heure plus tard, ils roulaient sur la route en direction de la montagne. Les soldats s'étaient assez facilement laissé convaincre qu'ils devaient aller dépanner le deuxième camion, sans doute parce que Vauthier avait déjà préparé le terrain auprès d'eux, en développant les mêmes arguments.

Dans la neige qui commençait à fondre, les traces du tracteur de Vauthier formaient deux sillons de boue sale, qui lui ressemblaient.

*

Les petites filles s'étaient éveillées les premières et c'est en les entendant ranimer le feu et faire bouillir de l'eau que Maud ouvrit les yeux à son tour.

Marc n'était plus là. Elle chercha des yeux le ciré qu'il avait fait sécher sur le dossier d'une chaise et ne le vit pas. Il devait avoir repris son poste de guet au-dessus de la route.

Maud but le café que la plus grande des deux filles avait préparé. Il était beaucoup trop fort mais l'enfant guettait ses réactions avec fierté. Elle se força à l'avaler en souriant.

Pour autant, elle n'avait pas envie de reprendre les jeux de la veille. Elle fit signe aux gamines de la laisser tranquille.

Le dénouement était proche. Elle l'attendait sans savoir si elle l'espérait ou si elle le redoutait. Les militaires croates allaient venir prendre livraison du chargement. La guerre en serait changée ou non, elle s'en moquait. Pour elle, de toute façon, c'était fini. Dès qu'elle le pourrait, elle s'enfuirait, le plus vite et le plus loin possible.

La nuit avait chassé son malaise de la veille. Elle y voyait plus clair. Ce matin, jamais elle n'avait eu aussi clairement conscience d'être farouchement du côté de la vie. Dans cette masure sombre et froide, c'était bien la vie qu'elle avait pris plaisir à faire renaître la veille. Il lui suffisait de voir avec quel amour les deux fillettes la regardaient.

En pensant à elles, elle se rendit compte qu'elle les avait sans doute blessées au réveil, par sa mauvaise humeur. Elles étaient tapies à l'autre bout de la pièce et la regardaient sans comprendre. Elle leur fit un petit signe affectueux. Elles revinrent à elle toutes joyeuses. La plus petite grimpa sur ses genoux et, timidement, effleura sa joue brûlée avec une grimace apitoyée.

— Poupée ? leur demanda Maud.

Les deux filles se regardèrent sans comprendre. Maud fit des gestes pour tenter de s'expliquer.

— Vous avez des poupées ? répéta-t-elle.

La plus grande fit « oui » de la tête et alla fouiller dans le coffre où elles rangeaient leur paillasse le matin. Maud, pendant ce temps, berçait la plus petite dans ses bras et suivait de nouveau ses pensées.

Elle n'en voulait pas à Marc et même, elle lui était reconnaissante. Il l'avait, sans le savoir, sans le vouloir, délivrée de la peur.

La petite fille revint vers elle, toute fière de rapporter ce qu'elle avait déniché dans le coffre.

— Poupée, dit-elle, en s'efforçant de prononcer le mot correctement.

Maud éclata de rire. La gamine tenait dans les bras toute une collection de couvre-chefs. Il y avait un vieux béret, une toque de mouton mitée et un chapeau de feutre délavé par des années de pluie et de neige.

Maud lui fit comprendre gentiment que ce n'était pas des poupées. L'enfant parut un peu déçue mais elle ne se découragea pas. Elle alla vers l'évier et se mit à farfouiller dessous. De loin, elle montra à Maud une balayette de crin, un pot en émail ébréché, une bassine en plastique. Chaque fois, Maud secouait la tête en souriant. Alors, la fillette parut avoir une autre idée. Elle hésita, regarda vers la fenêtre comme pour s'assurer que personne ne la voyait, puis elle se mit à pousser la grosse table. Maud doutait qu'elle pût trouver des poupées là-dessous mais elle la laissa faire. La table était posée sur un vieux tapis de filasse qui avait pris avec le temps l'allure d'une grande serpillière. Quand elle eut déplacé suffisamment la table, l'enfant roula la carpette et une trappe couverte d'un volet de bois apparut dans le sol. Elle souleva le volet en grimaçant et tendit le bras pour retirer un objet de la cachette. C'était une longue forme rigide, enveloppée dans des chiffons. Elle l'apporta à Maud en la tenant à deux mains, comme une offrande précieuse. Ce n'était à l'évidence pas une poupée. Maud, par curiosité, saisit quand même l'objet et entreprit de le démailloter. Une crosse luisante apparut, puis un canon graissé. C'était un vieux Mauser qui devait dater de la Deuxième Guerre mondiale. Elle se demanda pourquoi Aliya, quand il protégeait ses sœurs, avait brandi un gourdin plutôt que cette arme autrement puissante et qui avait l'air en bon état. Sans doute, leur père, en les laissant seuls, leur avait-il recommandé de ne pas se montrer avec un tel engin, qui risquait de faire passer le garçon pour un combattant.

Maud manœuvra la culasse, en prenant garde à diriger le canon vers le mur. Le mécanisme fonctionnait parfaitement mais il n'y avait pas de balle dans la chambre. L'emplacement du chargeur était vide. Elle montra le trou à la petite fille qui retourna aussitôt vers la trappe. Elle en sortit un autre paquet. C'était un lot de munitions soigneusement emballé dans une boîte étanche.

Maud remercia la petite fille qui parut toute contente d'avoir enfin découvert le sens du mot « poupée ». Puis elle lui fit signe de remettre tout cela en place.

Il fallait trouver autre chose pour amuser les enfants puisque, à l'évidence, elles ne disposaient d'aucun jouet. Maud se mit en quête d'un bout de papier et entreprit de faire des dessins pour distraire ses deux protégées.

Elle achevait de tracer le contour d'une maison, avec sa porte, ses fenêtres et sa cheminée qui fumait, quand Marc fit irruption dans la pièce.

— Il y a un tracteur qui monte sur la route, dit-il. Tiens-toi prête.

— Ce sont tes amis croates ?

— Je n'en sais rien. Ça n'a pas l'air.

— Qu'est-ce que tu vas faire ?

— Les attendre un peu plus bas.

Il tenait son pistolet à la main et les enfants fixaient l'arme avec des yeux effrayés. Elles n'avaient pas peur de la carabine cachée sous la table car c'était un objet familier et dont l'usage leur était interdit. Tandis que le gros Manurhin de Marc, avec son métal noir et son canon court, sentait pour elles le danger et la mort.

— Le tracteur est encore loin ?

— Il n'avance pas vite mais dans dix minutes, il sera là.

— Bois un café, en attendant.

— Non, dit Marc, j'y retourne.

Il ouvrit la porte et une bourrasque glacée entra dans la maison. La neige tombait de nouveau. Maud resta debout sur le seuil et le regarda s'enfoncer dans le brouillard avec l'étrange impression qu'elle avait le devoir de fixer cet instant dans sa mémoire.

4

À force d'observer les lieux, Marc avait fini par avoir
une connaissance assez précise de ce coin de forêt et
d'alpages. Il avait remarqué une sorte de canal qui
dévalait entre les arbres, sans doute un ancien layon
utilisé en été pour faire rouler des ballots de foin. Il le
suivit et rejoignit un autre promontoire, situé juste au-
dessus de la route. Il permettait d'observer la clairière
et le sentier par où ils étaient montés en arrivant. Le
seul inconvénient était que, de là, on ne voyait pas
directement l'embranchement avec la route. Or,
c'était à cet endroit justement que le tracteur s'était
arrêté. Marc entendait nettement le bruit irrégulier
du moteur qui tournait au ralenti. Il percevait le son
de voix indistinctes. Quelqu'un avait dû descendre
du tracteur, sans doute pour observer les traces. Puis
le moteur se mit à tourner plus rapidement. Le véhicule effectua une manœuvre et enfin s'éloigna dans la
direction d'où il était venu.

Le silence était de nouveau épais, strié par les filets
sonores du vent qui charriait une neige fine. Marc

était tout entier tendu dans l'écoute de ce silence que désormais il connaissait bien et qui lui semblait maintenant différent. Il n'entendait à proprement parler aucun bruit particulier. Cependant, il avait la sensation d'une présence humaine. Il se mit à plat ventre sur le sol glacé et rampa jusqu'au bord du promontoire. C'est là, tout à coup, qu'il vit Vauthier.

Il avançait sans bruit, à la limite des sapins, et vingt mètres à peine le séparaient de Marc. Ses petits yeux scrutaient le sol et les bois alentour. Mais il n'avait pas l'idée de regarder vers le haut, en direction de la barre rocheuse au sommet de laquelle Marc était tapi. Il prenait garde d'avancer sans bruit, en levant les pieds pour ne pas buter sur une branche ou trébucher dans un trou. À l'évidence, il voulait atteindre la maison par surprise. Il tenait la main droite enfoncée dans la poche de sa canadienne et Marc était sûr qu'il serrait une arme dans son poing.

Il avait l'avantage du lieu, qu'il connaissait maintenant dans ses moindres détails. Très vite, il décida de gagner un autre point de la forêt, toujours en hauteur mais moins escarpé, d'où il pourrait avancer facilement jusqu'à Vauthier, en le tenant en joue. Il glissa en arrière et, sans aucun bruit, gagna ce nouveau promontoire. Quand il y parvint, l'intrus avait lui aussi pris de la hauteur et n'était plus qu'à dix mètres à peine de lui. C'est le moment qu'il choisit pour l'interpeller.

— Sors les mains de tes poches, Vauthier. Et mets-les en l'air !

L'autre parut à peine surpris. Il s'exécuta, en faisant mine de sourire.

— Je ne pensais pas te trouver dehors par ce temps, dit-il tranquillement. Tu vas prendre froid.

— Qu'est-ce que tu viens faire ici ?

— On fait partie du même convoi, non ? Tu ne voulais pas qu'on te rejoigne ?

— Qu'est-ce que tu as fait des autres ?

— Ils m'attendent un peu plus loin. Faut croire qu'ils sont moins impatients que moi de te voir.

La situation était de plus en plus absurde. Une neige fine tombait doucement et recouvrait leurs cheveux et leurs cils de flocons blancs. Le pistolet de Marc prenait l'aspect d'une figurine de massepain recouverte de sucre glace. Un instant, Marc eut envie de baisser la garde, de tendre la main à Vauthier. Après tout, rien ne les condamnait à être des ennemis, rien ne justifiait la violence de Vauthier. Il se ressaisit aussitôt. Depuis son enfance, il savait que les choses ne sont pas ainsi, que rien n'explique la haine, que la faiblesse l'excite, qu'il ne peut y avoir de pardon sans la force ni sans la victoire. Le court instant où cette pensée l'avait troublé avait suffi à Vauthier pour bondir derrière un tronc. L'instant d'après, il tira. Le coup fit jaillir une poussière d'écorce tout près de Marc mais ne le toucha pas. Il n'eut que le temps de se dissimuler à son tour derrière un sapin.

Maud, dans la maison, entendit les détonations. Elle posa la petite fille à terre et sortit sans prendre le temps de se vêtir. Le rideau de neige ne permettait pas de voir à plus de dix mètres et tout devait se dérouler plus loin dans la pente. Deux autres coups de feu retentirent. Elle rentra dans la maison.

Vauthier était extrêmement mobile, malgré la neige. Il sautait d'arbre en arbre et Marc ne parvenait pas à l'atteindre. Un moment, il le vit bondir entre deux sapins et tira. Mais la balle se ficha dans le bois, avec un son mat. Un peu plus tard, alors qu'il avançait dans la direction où il croyait que se dissimulait son agresseur, un coup de feu claqua derrière lui et le manqua de peu. Vauthier avait réussi à le contourner et il devait se trouver quelque part derrière lui.

Tout était attente et menace. La blancheur inerte du paysage semblait attendre le sang pour s'animer. Deux vies en sursis s'agitaient dans le linceul de la neige et du brouillard.

Marc ôta la longue capote qui le gênait pour courir et dont la couleur sombre était trop visible. Dessous, il portait une polaire gris clair qui se confondait mieux avec le paysage. Il avait suspendu son manteau à une branche avant de sauter jusqu'à un autre arbre. De là, il entendit claquer un nouveau coup de feu et vit le manteau se balancer. Une balle l'avait traversé, tirée de plus haut.

Les deux combattants tournaient dans le bois, chacun essayant de surprendre l'autre, en le prenant à revers. À ce jeu, aucun ne semblait devoir gagner. L'entraînement de Marc et la ruse de Vauthier s'équilibraient. Au début, Marc tirait pour se défendre : il cherchait à neutraliser son adversaire, à toucher ses jambes ou ses bras, en épargnant les zones vitales. Mais il comprit vite que Vauthier, lui, tirait pour tuer. Quand ses balles se fichaient dans le bois des sapins, c'était à hauteur de tête. Si bien que Marc se sentit, lui aussi, envahi par la rage de tuer.

Aucune trêve n'était possible, il fallait qu'il y ait un vainqueur et un vaincu.

La poursuite silencieuse se déroulait au rythme du danger, précipitée à certains instants, quand l'un d'eux croyait tenir l'autre et tirait ; ralentie à l'extrême dans les intervalles, quand la menace redevenait invisible et qu'ils faisaient de longs mouvements pour changer de position.

Enfin, à un moment, un bruit de moteur leur parvint de la route. C'était un danger de plus car il détournait de la traque et orientait l'écoute dans une autre direction. Par rapport au bruissement presque imperceptible des branches qu'ils frôlaient ou de la neige qui crissait lorsqu'ils bondissaient d'arbre en arbre, le ronflement du diesel semblait un vacarme grossier qui écrasait toutes les autres perceptions.

Marc ne savait pas comment interpréter ce bruit. Était-ce ses amis croates et devait-il s'en réjouir ? Ou était-ce Lionel et Alex qui venaient prêter main-forte à Vauthier ? Fallait-il attendre, gagner du temps et compter sur une aide extérieure ? Ou devait-il précipiter le dénouement, pour éviter d'avoir à affronter de nouveaux adversaires ?

Vauthier avait fait les mêmes raisonnements et il avait choisi, lui, de redoubler de ruse et d'agressivité.

Ses coups de feu devinrent plus fréquents et plus précis. Marc ne dut son salut qu'à un mouvement involontaire qu'il avait effectué pour préparer un nouveau bond et qui lui permit d'échapper à une balle. Elle se planta dans le tronc derrière lequel il croyait se dissimuler et le manqua de quelques centimètres.

Le camion qui montait était maintenant tout près et bientôt, il s'arrêta. Une portière claqua. Puis le silence revint.

Marc, à cet instant, aperçut Vauthier, de dos, tapi à même le sol. Il ne se rendait pas compte que son adversaire l'avait contourné. Il était assez loin, et Marc prit le temps de viser précisément. Il tenait le 9 mm à deux mains et alignait le guidon sur la mire, comme à l'exercice.

Tout se passa très vite. Une voix retentit, un peu plus bas sur le sentier qui menait à la chaumière. C'était Alex qui appelait. Vauthier se retourna et pivota sur lui-même. Distrait par la voix, Marc avait déréglé sa visée. Le coup qu'il tira passa trop haut. Vauthier, pendant qu'il se relevait, riposta d'une main, au jugé.

Alex entendit les coups de feu et grimpa dans leur direction, en pleine pente. Il se griffait aux branches et recevait sur le visage les paquets de neige qui en tombaient.

Quand il atteignit Marc, il le trouva allongé, face contre terre. Il le retourna. Une balle l'avait touché à l'épaule. Un petit orifice bien net trouait la polaire grise. Le sang devait couler à l'intérieur car, en surface, on ne voyait que le tissu découpé à l'emporte-pièce.

Au même instant, un autre coup de feu retentit. Il venait de beaucoup plus haut et ce n'était pas le bruit d'un pistolet. À quelques mètres, Alex vit la tête de Vauthier. Elle dépassait d'un tronc d'arbre et reposait, inerte, sur le sol.

Lionel arrivait à son tour, qui avait progressé maladroitement dans la pente abrupte et qui regardait la scène sans rien comprendre.

— Va voir Vauthier, je m'occupe de Marc, lui cria Alex.

Il avait ouvert la veste de son ami et cherchait à évaluer la gravité de sa blessure. Comme il l'avait prévu, le sang coulait sur sa poitrine, un sang écarlate, chaud et vivant. Marc était assommé par le choc. Il respirait par saccades. Alex lui donna des claques sur les joues et il rouvrit les yeux.

Pendant ce temps-là, Lionel avait atteint le mécano. Il retourna son corps qui s'était effondré, la face dans la neige.

— Nom de Dieu, hurla Lionel, il l'a buté !

Mais quand il ouvrit sa canadienne tachée de sang, il vit que Vauthier respirait toujours. Il avait une plaie sanglante sur le haut du ventre.

Des bruits de moteur montaient de la route. Des portières claquèrent. Bientôt, tout un groupe se mit à gravir le chemin qui menait à la maison. Alex appela au secours. Deux soldats croates en uniforme apparurent derrière les sapins. Plusieurs autres les suivaient et parmi eux, des officiers. Alex ne prit pas le temps de savoir qui ils étaient. Le plus urgent était de ramener les blessés vers la maison.

Il saisit Marc qui gémissait et les soldats soulevèrent ses jambes. D'autres étaient auprès de Lionel et l'aidaient à porter Vauthier, toujours inconscient. Les deux groupes rejoignirent le chemin et montèrent lentement en cohorte vers la maison.

— Ils se sont entretués, dit Lionel, accablé et livide.

— Certainement pas. Marc était déjà touché quand on a tiré sur Vauthier.

— Tu es sûr ?

— Absolument, je l'ai vu tomber. Il était allongé sur le sol quand l'autre coup de feu a été tiré. Ça ne peut pas être lui.

— Mais alors, qui… ?

Lionel et Alex tournèrent leurs regards vers le haut, dans la direction de la maison.

*

En continuant le chemin, ils trouvèrent le camion garé sous les branches basses d'un mélèze, qui l'avait protégé de la neige. Lionel était dépité de le voir aussi abîmé. C'était une idée futile, au milieu du désastre général, mais il ne pouvait s'empêcher de penser à ce que diraient les responsables de l'association, qui lui avaient confié ce matériel.

Alex, lui, gardait les yeux fixés sur la masure dont la porte était mal refermée et grinçait à chaque bourrasque du vent. Il fit signe aux soldats croates qui l'aidaient à porter Marc de le poser un instant sur le sol. Le blessé avait repris connaissance et gémissait. Lionel, derrière, s'arrêta aussi et fit déposer Vauthier sur le sol.

L'espace devant la maison était souillé par des traces de pas mais on ne voyait personne. Un peu à l'écart de ces traces, un objet long reposait dans la neige. Alex avança prudemment et se pencha pour le ramasser. C'était un vieux fusil Mauser. L'humidité formait des gouttes arrondies le long de son canon bien graissé. Il le tendit à Lionel qui s'en saisit maladroitement, avec un air affolé.

Puis il continua d'avancer. Il avait eu la présence d'esprit de ramasser le pistolet de Marc et il le brandissait devant lui. Retrouvant ses réflexes militaires, il se cala contre le chambranle de la porte et l'ouvrit d'un coup de pied. La pièce était obscure et, tout en dirigeant son arme vers l'intérieur, il resta un long instant plaqué dehors, le temps que ses yeux s'habituent à la pénombre.

La pièce était silencieuse mais les sens en alerte d'Alex percevaient un bruit doux, intermittent, une sorte de souffle irrégulier, à peine un gémissement. La première chose qu'il distingua dans l'obscurité, ce fut les yeux d'une petite fille. Elle se tenait au milieu de la pièce et le fixait d'un air sévère. Il entra.

Quelqu'un était de dos et semblait dormir, le buste effondré sur la table. À mesure que la scène s'éclairait, il reconnut les cheveux de Maud. D'abord, il eut l'idée qu'elle était morte, elle aussi. Mais peu à peu le lien se fit avec le faible bruit qu'il entendait et il remarqua sous sa polaire le mouvement d'une respiration. Ce n'était pas celle d'une personne endormie. Elle était irrégulière, saccadée, et chaque expiration s'accompagnait d'un hoquet. Il avança encore et comprit alors qu'elle sanglotait. La petite fille, en le voyant approcher de Maud, se colla contre elle et l'entoura de son bras maigre.

Alex prit conscience en cet instant qu'il tenait toujours son arme braquée devant lui et il l'abaissa.

Lionel était entré à son tour et quand il parla, sa voix sembla déchirer l'épais silence qui enveloppait la scène.

— Qu'est-ce qu'elle a ?

Alex lui fit signe de se taire. Il s'accroupit près de la table et l'enfant, rassurée par ses gestes doux, se recula.

Maud tenait son visage dans ses bras et elle sanglotait nerveusement. Son corps était agité d'un fin tremblement, comme si un froid intense l'avait glacée. Alex, toujours accroupi, murmura tout près de sa tête.

— Marc est là, dehors.

Elle eut pour premier réflexe de l'écarter en le poussant de la main, pour qu'il la laisse tranquille. Elle lui jeta même un bref regard indigné, comme si sa volonté de lui présenter le corps de Marc eût été d'une révoltante cruauté. Mais en croisant le regard d'Alex, elle n'y lut rien d'autre que de la douceur et de l'étonnement. Alors, lentement, elle se redressa et le fixa :

356

— Tu veux dire…

— Qu'il est vivant, oui. Nous allons faire de la place et le déposer ici.

Mais elle était déjà debout et se précipitait vers la porte.

— Où est-il ?

5

En voyant tomber Marc quand la balle de Vauthier l'avait touché, Maud s'était immédiatement persuadée qu'il avait été tué. C'était un réflexe étrange mais que le climat de ces jours derniers expliquait bien. La violence, la vengeance, le danger faisait planer la mort sur les fuyards et elle occupait leurs pensées.

Quand elle retrouva Marc dehors, vivant et même revenu à la conscience, assis sur le sol et tenant la main sur son épaule blessée, Maud éclata en sanglots nerveux, mêlés de rires de joie. Elle tomba à genoux dans la neige et l'embrassa, caressa son visage couvert de sueur séchée, sur lequel collaient des brindilles de sapin.

Elle se releva, bouscula les soldats pour qu'ils le portent immédiatement jusqu'à la maison. Mais il insista pour marcher et elle l'aida à se mettre debout. Il passa son bras valide autour de l'épaule de Maud. C'était une jouissance pour elle de sentir son poids qu'elle pouvait à peine soutenir, de voir s'évanouir dans l'air devant son propre visage l'haleine tiède qui sortait de sa bouche grande ouverte dans l'effort. En chancelant, il franchit les derniers mètres et entra dans la maison. Les petites filles terrorisées étaient plaquées contre la porte de l'étable et ouvraient de grands yeux épouvantés.

Pendant ce temps, Lionel et deux soldats montaient péniblement le chemin en portant Vauthier. Inconscient, il était plus lourd que jamais et ils durent le poser plusieurs fois dans la neige pour reprendre leur souffle. Quand ils entrèrent à leur tour dans la maison, il y eut une grande bousculade. La pièce était exiguë et ils étaient maintenant nombreux, encombrés de surcroît par ce corps inerte. Les Croates lançaient des cris dans leur langue mais personne ne semblait se comprendre. Ils allongèrent d'abord Vauthier sur le seuil et sa tête dépassait à l'extérieur. Puis Lionel poussa la grande table contre un mur et ils le soulevèrent pour le déposer dessus.

Marc était assis dans le seul fauteuil de la pièce, les jambes étendues sur un tabouret. Les soldats ne savaient trop s'ils devaient sortir ou rester là. Dans le doute, ils se tenaient debout, groupés autour de la porte. Maud allait et venait, prenait de l'eau près de l'évier, cherchait du sucre et de l'alcool dans le placard.

Tout à coup, d'autres hommes en uniforme entrèrent. Ils étaient cinq ou six mais il n'y avait plus de place pour les recevoir dans la pièce et plusieurs d'entre eux restèrent dehors. Les soldats se mirent au garde-à-vous car un de ces arrivants portait des galons d'officier.

Alex avait l'impression de l'avoir déjà vu. Soudain, il le reconnut : c'était Filipović, le « général » qui commandait les forces croates de la zone. Il l'avait connu à Kakanj, même s'il n'avait jamais noué avec lui des relations aussi amicales que celles qu'il entretenait avec Marc. Il s'avança vers lui et lui donna une accolade.

Mais l'heure n'était pas aux effusions. Il y avait des décisions urgentes à prendre. Filipović était la clef de la situation, en tant que responsable militaire. Mais surtout, il était médecin. Il pouvait examiner les blessés, leur prodiguer les premiers soins et formuler un pronostic.

Même si son cas était moins grave, c'est vers Marc, instinctivement, qu'Alex dirigea le praticien.

Il ne l'avait pas encore remarqué dans la pénombre. Quand il le vit, il s'approcha de lui et serra chaleureusement sa main valide.

— Tu es venu !

— Oui, dit Marc, et j'ai tenu ma promesse.

En entendant ces mots et en voyant l'air complice des deux hommes, Alex se rembrunit. Filipović était certainement au courant des projets de Marc et peut-être même était-ce lui qui avait organisé et financé toute cette affaire d'explosifs. Pourtant, devant Alex, il avait toujours feint de croire à l'histoire des pétards de chantier. En somme, il avait menti. Il était même peut-être le véritable responsable de ce drame.

Maud, pendant ce temps, n'avait pas cessé de s'occuper du blessé. Elle avait retiré non sans mal sa polaire et elle essayait maintenant de découper la chemise collée à la plaie par le sang. Filipović l'aida et examina la blessure.

— La balle est ressortie, conclut-il en se redressant. Elle a traversé le gras de l'épaule. Il n'y a que des dégâts musculaires. Rien de grave. C'est le souffle qui t'a sonné.

Il prit la chemise de Marc que Maud lui avait retirée et il déchira une bande de tissu.

— Ça te soulagera un peu, dit le médecin en achevant de nouer cette attelle de fortune. Quand on arrivera dans un hôpital, on verra ce qu'il faudra faire.

— Merci, dit Marc, et, en désignant Vauthier, inconscient sur la table : C'est surtout lui qu'il faut examiner d'urgence.

Avant que Filipović ne se dirige vers la table, il le retint un instant avec sa main valide.

— J'ai apporté ce que je t'ai promis, souffla-t-il.

Le Croate eut un sourire entendu mais avec une expression curieuse, presque apitoyée. Il posa la paume sur la joue de Marc.

— Ne t'en fais pas pour ça, dit-il.

Il se releva et se tourna vers la table. Lionel, aidé par un des soldats, avait découvert le ventre du blessé. Il épongeait la plaie avec une serviette déjà tout imbibée de sang. Vauthier était revenu à la conscience mais il semblait flotter dans un état d'hébétude et de délire. Il gémissait et son teint était livide.

Après l'avoir longuement palpé et ausculté, le médecin prit Lionel à part.

— Aucun organe vital ne semble touché. Mais le projectile est toujours à l'intérieur et l'hémorragie a été importante. Si elle s'arrête, il peut survivre mais elle peut reprendre à tout moment. Il faut l'évacuer de toute urgence.

— Il n'y a rien à lui donner pour le calmer ? La douleur a l'air d'être atroce.

— Nous n'avons aucun médicament avec nous. Il faut l'emmener en ville.

— Alors, allez-y. Embarquez-le tout de suite.

— Certainement pas dans nos camions. Ce sont des transports de troupe, avec un plateau à l'arrière ouvert à tous les vents et des sièges défoncés devant. Il y a des couchettes dans les vôtres ?

— Dans l'un des deux, oui.

— Alors, on va l'allonger dessus. Marc, tu pourras tenir assis ? On ne pourra pas aller très vite. La route est en mauvais état. Il y en aura quand même pour trois heures au moins.

— Ça ira.

Maud lui avait donné à boire et il reprenait des couleurs.

— Où est le camion qui a une couchette ?

— En bas, sur la route.

— Allez le chercher et garez-le ici, derrière l'autre.

Lionel s'apprêtait à sortir quand Filipović lui fit signe. Il le prit à part.

— Comment cela s'est-il passé ?

— Ils se sont tiré dessus, je crois.

— Avec quelles armes ?

— Vauthier avait un 9 mm et Marc aussi, je crois.

— Des pistolets ? Pour la blessure de Marc, je veux bien. Mais l'autre a reçu une balle d'une arme de guerre… Enfin, peu importe. Il faut d'abord les évacuer.

Il fit signe à Lionel d'y aller et appela deux soldats pour qu'ils l'accompagnent.

Ces départs libérèrent un peu d'espace dans la pièce. Aliya, qui avait attendu dehors, en profita pour se faufiler à l'intérieur. Ses sœurs l'aperçurent et se précipitèrent vers lui en poussant des cris de joie.

*

Le convoi s'était reformé, presque comme au départ et cela seul était joyeux. Les deux camions roulaient l'un derrière l'autre, celui de Maud en tête, Marc assis à ses côtés. Lionel suivait, seul au volant, tandis que Vauthier gémissait sur la couchette à l'arrière.

Le ciel s'était dégagé pour fêter ces retrouvailles. Un franc soleil brillait sur les champs de neige. Des sommets coiffés de rochers noirs occupaient tout l'horizon vers le nord. Au sud, au-delà des pentes dénudées, on pouvait apercevoir dans une brume le relief lointain de la côte dalmate.

Mais ce nouveau convoi n'avait plus grand-chose à voir avec celui qui avait quitté Lyon quelques semaines plus tôt. Les camions, d'abord, avaient souffert, en particulier celui de tête, dont la bâche était arrachée et le chargement à moitié vidé, était rafistolé tant bien que mal.

Surtout, ils n'étaient plus seuls. Devant, le *command-car* du général les précédait. Alex avait demandé à y monter car il n'avait pas pu poser à Filipović dans la maison toutes les questions qui lui brûlaient les lèvres. Derrière, suivaient deux transports de troupe. Des hommes en armes, emmitouflés dans leurs longues capotes, se tenaient debout, agrippés aux ridelles.

Dans le premier camion, Marc était assis de travers, pour éviter de ressentir dans son épaule blessée les cahots de la route. Il était donc obligé de tourner le dos à Maud qui conduisait.

Elle ne voyait pas son visage. Avec le reflux de la douleur, elle se demandait s'il allait reprendre son expression de jour, tendue et fermée, ou si elle reconnaîtrait ses traits de la nuit, quand la tension se relâchait et qu'il était accessible à la tendresse. Faute de le savoir, elle restait prudemment silencieuse et ressentait un certain malaise. Passé les moments d'angoisse et les gestes de l'urgence, elle se demandait de quelle façon tout cela pouvait affecter Marc et dans quel état d'esprit elle allait le retrouver. Elle ignorait s'il lui était reconnaissant pour l'empressement qu'elle avait montré auprès de lui ou si, au contraire, il lui en voulait d'avoir été témoin de sa faiblesse. Elle n'osait pas prendre la parole la première.

Marc avait commencé par fermer les yeux et somnoler. Il regardait à travers la fenêtre. Sur l'écran blanc du paysage de neige, c'était les moments de traque dans la forêt qu'il revivait. Les images qui étaient venues à son esprit l'avaient éveillé.

— Ça s'est passé tellement vite…

Maud n'était pas sûre qu'il se soit adressé à elle.

— Je l'avais droit devant moi… Et puis, j'ai entendu la voix d'Alex…

Maud serrait les mains sur le volant. La route était défoncée et elle devait tenir le camion ferme pour qu'il ne verse pas dans le précipice tout proche. Elle serrait les dents. Elle aussi revoyait la scène de la fusillade. Elle était devant la maison. Elle entendait claquer un coup de feu. Marc tombait, la tête dans la neige. Elle apercevait Vauthier…

— Jamais je n'aurais cru qu'Alex ferait ça pour moi.

Marc continuait de parler pour lui seul. Maud sentait des larmes gonfler ses paupières. Elle serra le volant encore plus fort, pour les empêcher de couler tout à fait.

— Je croyais qu'il m'en voulait. C'est sûr, d'ailleurs, il m'en voulait. Et pourtant, il l'a fait.

— Il a fait quoi ?

Maud avait tressailli. Se pouvait-il que… Marc, en l'entendant, tenta de se tourner vers elle mais la douleur arrêta son geste.

— Mais abattre Vauthier ! Sans cela, je serais déjà mort…

D'émotion, Maud faillit lâcher le volant. D'un coup, elle mesurait l'ampleur du malentendu. Elle eut soudain envie de rire et son visage, en s'éclairant, laissa couler une larme qui n'avait plus sa raison d'être. Elle se donna un moment pour être certaine que sa voix ne serait pas brisée par l'émotion.

— Ce n'est pas lui qui a tiré sur Vauthier, dit-elle enfin.

Il fallut un temps pour que Marc comprenne ce qu'impliquaient ces mots.

— Qui, alors ?

Il se retourna d'un coup, et la douleur le fit grimacer quand son épaule toucha le dossier dur.

Jamais Maud n'avait senti autant d'émotions se mêler en elle au même instant.

Elle le regarda en souriant. Il plongea ses yeux dans les siens. Pour la première fois, elle avait la certitude qu'il la voyait. Et qu'il mesurait de quoi son amour était capable.

*

Le *command-car* du général était un vieux modèle soviétique. La direction flottait. Le soldat qui manœuvrait le volant balançait sans cesse les bras vers la droite puis vers la gauche, au point de donner mal au cœur à ses passagers.

Filipović était assis à l'avant. Le tableau de bord et la portière de son côté étaient encombrés de canettes de bière vides et de paquets de cigarettes transformés en cendriers. Alex était tassé à l'arrière dans un étroit espace où étaient entreposés des sacs à dos kaki et des ballots de vieux journaux.

Filipović n'avait pas cessé de l'interroger sur leur voyage, les incidents qui avaient émaillé le parcours, les raisons de la fusillade entre Vauthier et Marc.

Alex avait dû tout raconter, expliquer qui était qui dans le groupe. En résumant les événements, il était frappé par leur absurdité. Le comportement des uns et des autres restait à bien des égards une énigme. Le seul fait qui se détachait de ce gâchis, c'était la rencontre de Marc et de Maud. Sur ce champ de ruines, c'était le seul édifice qui se soit bâti. En pensant à cela, il revint à sa propre incertitude et trouva la force d'interrompre Filipović pour l'interroger à son tour.

— Bouba ? dit-il.

Le général baissa les yeux. Il connaissait les projets d'Alex.

— Elle va bien.

Alex attendait. Filipović garda le silence un long moment. Puis le médecin, en lui, prit le dessus. Sur le ton enjoué qu'un praticien emploie pour livrer à un patient un mauvais pronostic, en évitant de le désespérer, il se décida à parler.

— Elle t'a attendu, Alex. Les mois ont passé et elle t'a attendu, crois-moi. Mais tu connais l'impatience des jeunes filles.

— J'ai essayé de lui envoyer des nouvelles mais c'est difficile, avec la guerre…

— Je sais, je sais. J'essaie juste de t'expliquer ce qu'elle a pu ressentir.

Alex s'était penché en avant, agrippé au siège du général, sans se rendre compte que le vieux tissu marron se déchirait sous la pression de ses ongles.

— L'essentiel, pour les filles comme Bouba, c'est de quitter cette guerre, tu comprends, de partir vivre ailleurs. Elles ont conscience, plus que nous peut-être, du temps qui passe…

— Et alors ?

— Alors, il y a eu cette équipe de journalistes allemands qui est venue faire un reportage sur Kakanj.

Il s'interrompit, jeta un regard furtif vers le jeune homme et jugea que la douleur serait moindre s'il tranchait d'un coup sec dans le vif.

— Elle est partie avec le photographe. Un type très bien, d'ailleurs, très sérieux. Il a tout arrangé pour la faire sortir de Bosnie avec des papiers de réfugiée. Je crois qu'ils se sont mariés dès leur arrivée à Leipzig.

Alex regardait fixement devant lui. Il était livide. Filipović, sans se retourner, saisit paternellement sa main crispée sur le dossier du siège.

— Allons, dit-il. C'est sûrement mieux ainsi.

Le soleil d'hiver, à ras des montagnes, inondait la cabine et les aveuglait d'une lumière insoutenable de blancheur.

6

Dans l'autre camion, l'ambiance était plus que morose. Vauthier, sur sa couchette, avait cessé de gémir et s'était endormi.

La reconstitution du convoi avait un peu rassuré Lionel. Elle redonnait à la mission un semblant de normalité. Il avait bon espoir désormais de conduire tout son monde à bon port. Évidemment, le matériel était endommagé et il manquait une bonne partie du chargement. Rien de tout cela n'était bien grave.

Les deux blessés étaient plus ennuyeux. Cependant, leurs déboires résultaient d'une querelle purement privée. En analysant point par point la situation, Lionel finissait par se dire qu'elle était moins désespérée pour lui qu'il ne l'avait craint. Pour ceux qui ignoraient comment le voyage s'était réellement déroulé, le bilan était somme toute presque positif. Le problème pour Lionel était que lui ne l'ignorait pas. Il ne pouvait oublier qu'il avait complètement perdu le contrôle des événements. Comme chef de mission, il s'était révélé en dessous de tout. Aux autres, il ne l'avouerait pas ; face à lui-même, il ne pouvait pas le cacher.

Cependant, ce qui le troublait le plus, sa plus grande souffrance, avait été de prendre la mesure de sa solitude. À cet égard, l'échec le plus douloureux avait été la trahison de Maud. À tout bien considérer, il avait entrepris ce voyage pour elle ou, tout au moins, dans le but de la séduire. Il devait en effet admettre qu'il n'avait ni goût ni talent pour le terrain, surtout à un poste de responsabilité. Il ne s'était jamais mieux senti que pendant son séjour à Lyon, au siège de La Tête d'Or. Sans l'idée stupide de prendre encore plus d'ascendant sur Maud et de la conquérir tout à fait, il ne se serait jamais embarqué pour cette équipée sauvage.

Dans la promiscuité des camions, il avait aussi pris conscience du peu de sympathie qu'il suscitait autour de lui. Finalement, le seul dont il s'était senti proche et dont il avait pu prétendre devenir l'ami, c'était Vauthier. Il savait bien sûr que l'autre l'utilisait. Il avait même été jusqu'à le menacer. Pourtant, il continuait de sentir pour lui une inexplicable attirance, faite sans doute de plus d'admiration que d'affection.

Et voilà que le seul dont il se sentait proche était allongé sur sa banquette, entre la vie et la mort. Lionel, décidément, se sentait marqué par la solitude et l'échec. Dans le silence de la cabine, il se livra sans retenue à cette rumination.

Tout à coup, il sursauta : des mots avaient été prononcés d'une voix grave juste derrière son oreille. Il se retourna et vit que Vauthier s'était tourné légèrement sur le côté. Sa tête était placée juste derrière le siège du conducteur si bien que malgré les bruits du moteur, ses paroles étaient distinctement audibles par Lionel.

— Ça va mieux, dis donc ? Tu es réveillé.

— Pas la peine d'aller vite, répéta Vauthier.

— Pourquoi ?

— Parce que je vais crever.

Vauthier fit un geste las de la main. Lionel tourna un instant la tête. Il vit les cernes violets et la peau cireuse du blessé, ses narines pincées qui cherchaient l'air.

— Mais non, tu vas mieux, je te dis.

— Je voudrais boire.

— Filipović a dit que tu ne devais pas. À cause de la blessure au ventre, tu comprends ?

— De toute façon, je suis foutu.

Lionel protesta encore mais il avait remarqué les lèvres entrouvertes, affreusement sèches et sur les dents un enduit blanchâtre, poisseux. Il attrapa une gourde en plastique dans la portière et la tendit à Vauthier.

— Merci.

Il but en haletant entre chaque gorgée. Puis il y eut un long silence.

— Dis-moi un truc.

La voix de Vauthier était plus claire depuis qu'il s'était désaltéré.

— Quoi ?

— Il est mort ?

— Qui ça ? Marc ?

— Évidemment.

Lionel régla le rétroviseur intérieur et le braqua sur le blessé. Il vit son regard aigu.

— Non, il n'est pas mort. Il est seulement blessé.

— Il va s'en sortir ?

— Sûrement. Ça n'a pas l'air trop méchant.

— Merde.

Dans le rétroviseur, Vauthier ferma les yeux. Lionel eut peur, tout à coup, de le voir s'assoupir et ne plus se réveiller, comme les alpinistes épuisés dans la tempête. Il fallait lui parler, le tenir en état vigile, le provoquer même, pour qu'il mobilise ses forces et ne laisse pas la mort approcher.

— Il y a quelque chose que je ne comprends pas, Vauthier. Pourquoi tu le hais autant, Marc ?

Le blessé rouvrit les yeux et les tint fixés sur la toile grise du plafond, maculée de taches de cambouis.

— La haine…, dit-il pensivement. Est-ce qu'on explique la haine ?

Il tenait encore la gourde ouverte au bout de son bras tendu. En la portant à ses lèvres, il renversa de l'eau sur son visage. Il secoua ses grosses joues comme un chien qui s'ébroue. Ses yeux brillaient d'un éclat joyeux.

— La haine, c'est le bonheur, tu ne sais pas ça encore, toi. C'est une passion, une raison de vivre. C'est un vrai luxe. Le seul, peut-être.

Lionel observait ce monologue du coin de l'œil. Il se réjouissait d'avoir atteint son but : Vauthier ne s'abandonnait plus au sommeil. Mais il ne fallait pas maintenant qu'il s'échauffe trop.

— La haine, c'est aussi fort que l'amour. Sauf qu'on n'a pas besoin de demander son avis à l'autre.

Il but une autre gorgée d'eau et remua ses lèvres parcheminées pour les assouplir.

— D'accord, dit Lionel, mais pourquoi Marc ?

C'était, à vrai dire, une question qu'il avait envie de poser depuis longtemps ; une question qui d'ailleurs s'adressait aussi à lui-même car il avait également senti de l'antipathie pour Marc, bien avant qu'il ne parte avec Maud.

— C'est comme l'amour, je te l'ai dit. On ne comprend pas. On ne comprend jamais. On trouve toujours des raisons mais elles sont fausses.

Lionel, tout à coup, avait l'impression que Vauthier respirait plus difficilement.

— Il n'y a qu'une condition, ajouta-t-il d'une voix plus rauque et moins forte mais qu'il forçait comme s'il tenait à livrer son message. Pour haïr, il faut quelqu'un de semblable.

— Marc et toi, tu trouves que vous êtes semblables ?

— Pas identiques. Pas égaux. Semblables. Regarde les gens d'ici. Leur haine. Ils sont différents. Mais semblables.

Vauthier poussa un long gémissement sonore, presque un cri étouffé. Lionel vit qu'il se tenait le ventre.

— Ça ne va pas ?

Vauthier se crispa sur lui-même. Une douleur profonde devait l'avoir saisi. Elle lui coupait carrément le souffle, comme s'il avait reçu un énorme coup de poing dans le ventre. Le spasme dura quelques secondes puis il se détendit. Lionel se demandait s'il devait s'arrêter ou au contraire faire des signes pour que les autres forcent l'allure, en espérant atteindre plus vite un hôpital.

— En tout cas, dis-lui un truc de ma part, reprit Vauthier d'une voix à peine audible. Dis-lui, tu le jures ?

— À qui ? À Marc ?

— Oui.

— Je le jure. C'est quoi ?

— Il le saura de toute manière mais je veux que ça vienne de moi.

— Qu'est-ce qu'il doit savoir ?

Le spasme avait repris. Vauthier se tenait le ventre à deux mains. Du sang perlait entre ses doigts crispés sur la plaie.

— Ses explosifs…

— Alors ?

— En ville, tu te souviens quand on s'est arrêtés pour la nuit ?

— Au QG de l'ONU ?

— Oui.

— Eh bien ?

— On les a enlevés. On ne pouvait pas prendre le risque…

— Tu veux dire…

— Qu'il n'y a plus rien dans son camion. Rien.

*

La route venait de passer au pied d'une forteresse, un de ces châteaux qui ont fait la gloire de la Bosnie

374

à l'époque médiévale. Ses chemins de ronde et ses tours crénelées surveillent depuis des siècles le débouché de deux vallées. Jadis ligne de front, le lieu est aujourd'hui désert et nul envahisseur n'aurait l'idée de passer par là. L'hiver, les vieilles murailles servent de refuge aux choucas et aux rapaces.

Curieusement, au lieu de rassurer, ce vestige humain rend le paysage minéral encore plus désolé et lugubre. Image de la force vaincue par le temps, cette forteresse agrippée à son rocher rend dérisoires tous les efforts, tous les exploits accomplis par les hommes pour vaincre la mort. Ce voisinage avait empli les esprits d'une impression de fragilité, de froid et d'extrême solitude. Un grand silence régnait dans la cabine des différents véhicules.

C'est ce silence qui permit à Filipović d'entendre loin derrière le faible bruit d'un klaxon. Il ouvrit sa vitre et se pencha à la fenêtre du command-car. Le convoi s'était arrêté et une centaine de mètres l'en séparait. Il fit signe au chauffeur de stopper et descendit.

— Reste ici, dit-il à Alex, toujours assis à l'arrière. Je vais voir ce qui se passe.

La neige était ramollie par le soleil et les bottes militaires du général s'enfonçaient en marquant profondément ses pas sur le chemin. Quand il approcha du convoi, il vit que Lionel était descendu de son camion. Il avait rejoint celui que Maud conduisait et il était appuyé à sa portière.

Filipović s'avança du côté de Marc, qui lui ouvrit sa vitre.

— Que se passe-t-il ?

Ils étaient tous trois silencieux, le visage défait. Lionel, le bras posé sur la fenêtre de Maud, avait les yeux dans le vague. Un soldat croate lui avait vendu un peu d'herbe quand ils étaient dans la maison. Il avait fabriqué un énorme joint et le fumait à grandes bouffées profondes.

— Vauthier est mort, dit Marc.

C'était une nouvelle très triste, évidemment. Mais elle ne surprenait pas Filipović qui connaissait la gravité de sa blessure. Il pensait d'ailleurs que les autres en étaient conscients. Ce ne devait pas être une surprise pour eux non plus. Il ne comprenait pas bien leur abattement, d'autant qu'il connaissait leur histoire et savait qu'ils avaient toutes les raisons de détester Vauthier.

— C'est dramatique, bien sûr, dit-il. Mais vous saviez que ça devait arriver, non ?

Comme ils ne répondaient pas, il suivit une autre idée. Peut-être avaient-ils peur des conséquences judiciaires de cette mort.

— On ne peut vous accuser de rien. C'était de la légitime défense...

Toujours le silence, et Lionel qui soufflait bruyamment sa fumée. Maud avait plongé son visage dans ses mains. Enfin Marc prit la parole, les yeux baissés.

— Ce n'est pas ça.

— Quoi, alors ?

— Les explosifs...

— Eh bien ?

— Tu sais que je suis revenu pour ça ?

376

— J'ai compris, oui, dit le général sur un ton un peu protocolaire. Tu me l'as laissé entendre. Merci. Notre pauvre peuple te sera vraiment reconnaissant. Et vous tous…

Marc s'impatienta. En secouant son bras valide, il remua le torse et son épaule blessée le fit souffrir. Il grimaça.

— Non, non. Ne dis pas ça. Quand tu sauras…

— Quoi donc ?

— Ce salaud de Vauthier et ses copains flics ont débarqué les explosifs du camion.

— Comment cela ?

— On s'est arrêtés une nuit en ville dans un bâtiment des Nations unies. Apparemment, ils en ont profité pour fouiller le chargement. On a fait tout ça pour rien.

On sentait qu'il n'avait pas le secours des larmes. La peine, chez lui, prenait la forme d'un surcroît de rage sèche. Il pensait au pont qu'ils ne détruiraient pas, à la guerre qui allait continuer, à l'impuissance du monde, à laquelle il ne se résolvait pas. Filipović tendit la main et lui serra le bras.

— Écoute, Marc, c'est normal que tu sois déçu. Il y a quinze jours encore, une nouvelle comme celle-là m'aurait désespéré. Mais maintenant, tout a changé.

— Je ne vois pas pourquoi.

C'est à ce moment seulement que Filipovic comprit. Ils étaient en route depuis plusieurs semaines et ils ne devaient pas être au courant. Tout s'était débloqué si vite.

— Bien sûr, vous ne pouvez pas savoir… Voilà : il y a eu un massacre à Sarajevo, sur un marché. La condamnation de la communauté internationale a été unanime et enfin, elle a décidé de bouger. L'OTAN est entré dans la guerre. Ses avions bombardent tous les jours.

Maud avait relevé la tête et Marc le regardait, stupéfait.

— Et devinez quelle a été l'une de leurs premières cibles… Le pont sur la Drina !

— Celui qu'on voulait faire sauter avec nos explosifs ?

— Lui-même. Il ne reste plus rien. Vous devriez voir ça.

Maud et Marc échangèrent un regard incrédule. Mais Filipović, de plus en plus animé, continuait.

— Ils ont tapé sur les casernes aussi. Il faut les voir détaler, ces salauds. Ils ne savent plus où se cacher. Les avions attaquent les tanks, les convois de troupes, les postes d'artillerie. Et les nôtres avancent, pendant ce temps-là. On est en train de gagner, vous comprenez ?

— La paix bientôt, dit Maud qui, d'un coup, pensait aux petites filles dans la maison.

— Et d'abord la victoire ! renchérit Filipović.

Les mots mêmes de Marc. Elle le regarda. Il avait fermé les yeux. Ses traits s'étaient détendus et pour la première fois, elle vit, éclairé par la lumière blafarde du jour de neige, son visage de la nuit.

Puis il y eut soudain une détente générale et ils éclatèrent de rire. Même Lionel s'anima, toujours penché à la fenêtre.

Filipović sortit une flasque de sa poche et ils trinquèrent à ce bonheur revenu par le détour de la défaite.

*

Alex, pendant ce temps, attendait toujours le général. Il était sorti à son tour de la vieille jeep, pour se dégourdir les jambes. La nouvelle du mariage de Bouba commençait à pénétrer profondément en lui et il ressentait moins de douleur, moins de trouble. Le choc qu'il avait subi lui donnait maintenant l'impression d'émerger d'une grosse cuite. Il se rendait compte qu'il avait vécu toutes ces semaines dans un état second.

Il fit quelques pas devant le command-car, en regardant au loin. Le crépuscule arrivait et d'invisibles voiles dans le ciel se coloraient d'orange et de vert. La cime des montagnes était déjà sombre. Tout à coup, du septentrion enneigé, il vit déboucher, tirant plein sud, un vol d'échassiers. Ils étaient bien alignés, puissants, sereins dans leur échappée lointaine.

Alex pensa que lui aussi, peut-être, allait devoir chercher un nouvel exil, mais cette fois loin du froid et de ces montagnes qu'il avait crues siennes, par l'illusion de l'amour.

Et, en souriant, il prit la décision de partir à son tour vers le soleil.

Postface

Certains pourront s'étonner que j'aie choisi d'utiliser comme titre de ce livre le terme anglais « check-point ». Il est vrai qu'à la différence de « check-list » ou de « check-up », le terme « check-point » ne figure pas (encore) dans les dictionnaires français. Il me semble pourtant que ce mot n'a pas vraiment d'équivalent et qu'il s'impose désormais de façon assez universelle, y compris dans notre langue. Sa traduction officielle, « point de contrôle » (ou « poste de contrôle »), n'est pas tout à fait satisfaisante. Elle ne rend compte que d'un des sens de ce mot : celui qui renvoie à une utilisation militaire classique, comme autrefois le point de contrôle entre Berlin-Est et Ouest, le fameux Checkpoint Charlie.

Les check-points que l'on rencontre aujourd'hui dans de nombreux endroits du monde sont beaucoup moins ordonnés. Ils sont l'expression du chaos, de la violence et du morcellement que connaissent les pays soumis à une guerre civile, au Moyen-Orient, en Afrique ou dans l'est de l'Europe. Dans ces situations extrêmes, la frontière est partout. Chacun devient le gardien de son propre territoire. Un fil tendu en travers d'une route, quelques huttes de feuilles, des armes souvent rudimentaires, et l'on se trouve devant un check-point.

D'un point de vue métaphorique, le check-point est aussi devenu le symbole du passage d'un univers à un autre, d'un ensemble de valeurs donné à son contraire, de l'entrée dans l'inconnu, le danger peut-être.

Nous vivons aujourd'hui, en particulier depuis les attentats qui ont ensanglanté la France au mois de janvier 2015, un basculement de cet ordre. Nous sentons que nous sommes désormais devant une frontière mentale. La nécessité de sécurité tend à l'emporter sur toute autre considération. Il est illusoire de penser que l'humanitaire sera tenu à l'écart de cette transformation des mentalités.

Pendant un demi-siècle, nous nous sommes rêvés bienveillants, généreux, charitables. Humanitaires, en somme. Les conflits étaient ailleurs, lointains, et les citoyens qui, ici, voulaient s'engager le faisaient avec les idéaux d'Henri Dunant : humanité, impartialité, neutralité.

Ces dernières années, cet humanitaire pacifique a cédé plusieurs fois la place à un engagement militaire. Pour secourir les populations libyennes, syriennes, ukrainiennes, la communauté internationale s'est finalement résolue à les armer. On a commencé à parachuter des vivres puis, bientôt, ce sont des armes que l'on a larguées. L'Amérique, touchée par le terrorisme avec quinze ans d'avance, s'est convertie depuis longtemps à l'action offensive : au Kosovo, en Afghanistan, en Irak, elle s'est mise à bombarder au nom des droits de l'homme. Une fois de plus, elle ouvrait les voies de l'avenir et aujourd'hui, tous les Occidentaux se sentent prêts à l'imiter. Car les victimes, désormais, ne sont plus lointaines mais proches. Celui qui souffre, ce n'est plus l'Autre mais nous-mêmes.

Ces évolutions ne concernent pas seulement des États et leurs armées ; elles font écho à des débats qui concernent chacun de nous.

Ce roman met en scène ces contradictions, ces questionnements, ces déchirements. Il est composé comme une sorte de huis clos roulant. Les cinq personnages qui sont enfermés dans les cabines de deux camions vivent en direct, et sous la forme d'un drame personnel, l'ébranlement de leurs certitudes et le changement de leur univers. Engagés dans une action humanitaire « classique » (apporter des vivres et des médicaments à des populations victimes de la guerre), ils vont passer de vrais check-points mais aussi se confronter à une frontière mentale plus essentielle. De quoi les « victimes » ont-elles besoin ? De survivre ou de vaincre ? Que faut-il secourir en elles : la part animale qui demande la nourriture et le gîte, ou la part proprement humaine qui réclame les moyens de se battre, fût-ce au risque du sacrifice ?

Pour illustrer ces dilemmes, j'ai choisi de faire rouler ces camions à travers le territoire d'une autre guerre, celle de Bosnie. Ce choix m'a permis de débarrasser ce livre de tout ce qui aurait pu apparaître comme anecdotique, lié à une actualité instable dans laquelle les péripéties éphémères cachent les questions essentielles. La guerre en ex-Yougoslavie est suffisamment lointaine pour être presque oubliée. Il n'est pas nécessaire d'en connaître le détail pour comprendre ce que vivent les personnages de ce livre. Ce qu'il faut en savoir, c'est en les suivant qu'on le découvre. Cette guerre est seulement un exemple de chaos, sans qu'un exotisme africain ou asiatique mette l'émotion à distance. C'est l'Europe qui se déchire, une Europe où tout le monde décide de s'armer pour se protéger contre la menace qu'il a peur de subir. Il y a dans ce passé déjà lointain un peu de notre présent et, je le crains, beaucoup de notre futur.

Mais aussi, la Bosnie apporte à ce récit ses décors somptueux, d'une beauté froide d'hiver ; monotone et subtile, elle ne se dévoile que peu à peu, par une lente observation. Surtout, elle m'a permis de nourrir ce livre d'images qui sont autant de souvenirs personnels, enfouis dans ma mémoire et que je croyais oubliés.

Un épisode, en particulier, m'a profondément marqué. Quand j'ai pénétré, au creux de cet hiver de guerre et après un long voyage dans un blindé inconfortable, au sein de la centrale thermique de Kakanj, j'ai ressenti un choc. Le silence des machines à l'arrêt, le croassement des corbeaux qui survolaient le site, la neige sale qui ourlait la forme noire des immenses hangars en tôle ondulée de l'usine, tout contribuait à faire de ce site une représentation de la fin du monde. Un détachement de Casques bleus, des Français du génie, gardaient ce lieu de désolation pour y éviter la poursuite des massacres. Quand un jeune sapeur a ouvert pour moi un des grands fours à charbon et que j'ai aperçu dans la pénombre une famille de réfugiés blottie contre le métal vaguement tiède, j'ai senti qu'il y avait là un décor de tragédie. Mais, en même temps, le jeune appelé français, en parlant à une des filles de la famille, eut pour elle un regard qui montrait clairement que ces deux-là s'aimaient. Ainsi, au cœur de l'inhumain, une forme d'espoir continuait de vivre. *Tous les retournements étaient possibles : ceux qui étaient venus pour protéger, au lieu de combattre, faisaient l'amour. Mais l'on sentait qu'au nom de cet amour, ils pourraient bien revenir un jour, seuls, pour se battre vraiment. Je m'étais promis de faire de cette scène la matière d'un roman. Puis je l'avais oubliée.*

Entre-temps, le monde a changé, et très vite. Désormais des chrétiens d'Orient aux dessinateurs de Charlie, *des filles enlevées au Nigeria aux otages égorgés de Syrie, il y a partout des victimes nouvelles, dans lesquelles je retrouve le visage aperçu à Kakanj, celui de la fiancée des fours.*

Des victimes que l'on a envie d'aimer d'un amour particulier : celui qui incite à prendre les armes.

Œuvres de Jean-Christophe Rufin (suite)

LE PIÈGE HUMANITAIRE. Quand l'aide humanitaire remplace la guerre, *J.-Cl. Lattès*, 1986 ; « Poche Pluriel », 1992.

L'EMPIRE ET LES NOUVEAUX BARBARES, *J.-Cl. Lattès*, 1991 ; « Poche Pluriel », 1993.

LA DICTATURE LIBÉRALE, *J.-Cl. Lattès*, 1994. Prix Jean-Jacques Rousseau ; « Poche Pluriel », 1995.

Composition PCA/CMB Graphic
Achevé d'imprimer
par Normandie Roto Impression s.a.s.
61250 Lonrai, le 24 juin 2015
1ᵉʳ dépôt légal : mars 2015
Dépôt légal : juin 2015
Numéro d'imprimeur : 1503212
ISBN 978-2-07-014641-3 / Imprimé en France

292784